Libro del Conde Lucanor

✿ ✿ ✿ ✿ ✿ ✿ ✿ ✿ ✿

DON JUAN MANUEL

Libro del
Conde Lucanor

*Con cuadros cronológicos, introducción,
bibliografía, selección del texto,
notas y llamadas de atención,
documentos y orientaciones para
el estudio
a cargo de*

Fernando Gómez Redondo

EDITORIAL CASTALIA

© Editorial Castalia, 1987
Zurbano, 39 - 28010 Madrid - Tel. 319 89 40
Cubierta de Víctor Sanz
Impreso en España. Printed in Spain
Talleres Gráficos Peñalara, S. A.
Fuenlabrada (Madrid)
I.S.B.N.: 84-7039-485-1
Depósito legal: M. 20424-1993

SUMARIO

A Carmen

Año	Acontecimientos históricos	Vida cultural y artística
1282	Rebelión del infante Sancho contra su padre Alfonso X.	
1284	Muere Alfonso X. Le sucede su hijo Sancho IV sin que llegaran a reconciliarse.	
1290	Reunión en Bayona entre Sancho IV y Felipe el Hermoso; el rey francés se compromete a no ayudar a Alfonso de la Cerda en su pretensión de la corona castellana.	
1291	Comienza la expansión mediterránea de Aragón bajo Jaime II. Los mamelucos reconquistan San Juan de Acre, último baluarte cristiano.	
1292	Conquista de Tarifa; Guzmán el Bueno es nombrado alcaide de la plaza.	En esta época se componen los *Castigos e documentos del rey don Sancho* y la *Gran Conquista de Ultramar*.
1293		Sancho IV funda la Universidad de Alcalá.
1294	Regresa a Castilla don Enrique, tío de Sancho IV; hombre de juventud aventurera y gran intrigante, se inmiscuirá en todos los asuntos de gobierno. (Véase Ex. IX).	
1295	Muerte de Sancho IV. Su hijo Fernando es aún un niño de nueve años. Regencia de María de Molina, mujer cauta, reservada y prudente, que salvará a Castilla en múltiples ocasiones de intrigas y luchas nobiliarias.	

Vida y obra de don Juan Manuel
En Escalona, el 5 de mayo, nace don Juan Manuel, hijo del infante don Manuel, sobrino de Alfonso X y nieto del rey Fernando III.
Muere su padre. Hereda el cargo de Adelantado de Murcia.
Muere su madre, la condesa italiana doña Beatriz de Saboya.
Teniendo doce años, sus hombres derrotan en Murcia a Iahazar Abenbuar Abenzayen, sin dejarle intervenir a él. En septiembre, recibe en Peñafiel a su primo Sancho IV el Bravo, muy enfermo. Algo más tarde, don Juan Manuel acude a Madrid para hablar con él, antes de que muriera. (Véase Documento 1.7.)
Durante cuatro años se ve envuelto en rivalidades dinásticas, al apoyar Aragón a don Alfonso de la Cerda. Pierde Elche y solicita a la regente María de Molina la villa de Alarcón a cambio.

Año	Acontecimientos históricos	Vida cultural y artística
1299	Aragón y Portugal guerrean contra Castilla.	
1301	Declarada la mayoría de edad de Fernando IV, desligado de su madre por intrigas políticas.	Se crean las Universidades de Córdoba y de Lérida.
1303	Conferencia de Ariza, entre aragoneses y castellanos: a Jaime II se le entrega Murcia, y a Alfonso de la Cerda, Jaén. Muere el infante don Enrique.	Fecha aproximada del *Libro del Caballero Zifar*.
1304	Concordia de Ágreda entre castellanos y aragoneses. Alfonso de la Cerda renuncia a sus presuntos derechos. Muere Bonifacio VIII, amigo de María de Molina.	Nace Petrarca.
1306		
1307	Llega de Roma la noticia de que Fernando IV debe incautar los castillos y posesiones de la Orden del Temple.	
1308	Alianza castellano-aragonesa para reanudar la reconquista granadina.	
1309	Fernando IV toma Gibraltar; muere Guzmán el Bueno. Felipe IV el Hermoso, rey francés, consigue el traslado de la Santa Sede a Aviñón.	
1310		Nace don Gil Álvarez de Albornoz.

Vida y obra de don Juan Manuel
Se casa con la infanta de Mallorca, doña Isabel; matrimonio concertado por Sancho IV.
Muere su esposa.
Mayo, se entrevista con don Jaime II de Aragón; volviendo la espalda a Castilla, concierta casarse con su hija Constanza, niña de pocos años, y aceptar al aragonés como rey de Murcia y señor natural, comprometiéndose a ayudarle salvo en guerras contra Castilla. Fernando IV quiere matarle.
Elche se agrega a la Corona aragonesa; don Juan Manuel conserva Villena y cambia Alarcón por Cartagena.
Firma las capitulaciones matrimoniales con doña Constanza, niña de seis años, prometiendo no consumar el matrimonio hasta que ella cumpla doce.
Asiste a la reunión de Ariza entre Fernando IV y Jaime II, en donde se acuerda atacar Granada.
Don Juan Manuel y su tío, el infante don Juan, abandonan la empresa militar, alegando disputas con el rey de Castilla. La expedición fracasa.

Año	Acontecimientos históricos	Vida cultural y artística
1311	Nace Alfonso XI; Sancho IV quiere que lo críe su madre, María de Molina, a lo que se niega su esposa. Se fundan los ducados aragoneses de Atenas y de Neopatria.	Comienzan las obras de la catedral de Gerona.
1312	A la muerte de Fernando IV, su hijo Alfonso tiene sólo un año. Se forma un sistema de regencia.	
1313	Cortes de Palencia; se logra una tutoría compartida: María de Molina, el infante don Juan y el infante don Pedro.	Nace Boccaccio.
1315	Cortes de Burgos; se organiza una Hermandad general para defender las ciudades y villas de los agravios de los hombres poderosos.	
1319	En la vega de Granada mueren los infantes don Juan y don Pedro, hijo éste de María de Molina, que pide apoyo a los concejos para hacer frente a los nobles ambiciosos.	
1320		
1321	Juan XXII se ve obligado a enviar a Castilla un legado para que intervenga en las disputas nobiliarias. Muere María de Molina.	Muere Dante Alighieri.
1322		Se funda la Escuela Médica de Guadalupe (en el año de la aparición de la Virgen).

Vida y obra de don Juan Manuel
El 13 de abril casa por fin con doña Constanza.
La muerte del rey castellano provoca serios perjuicios a don Juan Manuel: los tutores de Alfonso XI le quitan el Adelantamiento de Murcia, nombrando en su lugar a don Diego López de Haro.
A la muerte de los dos tutores regios, don Juan Manuel es corregente de Castilla con María de Molina y el infante don Felipe, interviniendo en numerosos asuntos de gobierno. Su suegro Jaime II le había escrito aconsejándole que se ocupara él solo del reino.
Don Juan Manuel usa plenos poderes como tutor, gracias a un sello que él se había fabricado.
Alfonso XI le obliga a abandonar la regencia, aunque se concierta el matrimonio de su hija Constanza con el nuevo monarca castellano.

Año	Acontecimientos históricos	Vida cultural y artística
1324	Se usa la pólvora por primera vez en Metz.	
1325	Se proclama mayor de edad a Alfonso XI, después de cumplir los catorce años.	Muere don Dionís de Portugal.
1326	Después de luchar con los regentes, Alfonso XI logra reinar.	
1327	Alfonso XI casa con María de Portugal.	
1328	Con la muerte de Carlos IV se extingue la dinastía de los Capetos.	
1329		
1330	Primeras invasiones de turcos en Europa.	Primera redacción del *Libro de Buen Amor*.
1332		Nace don Pedro López de Ayala.
1333	Se pierde Gibraltar.	
1334		Construcción del Generalife y ampliación de la Alhambra.
1335		

Vida y obra de don Juan Manuel
Debe de terminar la redacción de la *Crónica abreviada*.
Las Cortes de Valladolid aprueban el matrimonio de Alfonso XI con la hija de don Juan Manuel, aunque no llegue a realizarse. Escribe el *Libro de la Caballería*.
Escribe el *Libro del cavallero et del escudero*, en Sevilla.
A la muerte de su mujer y su suegro, don Juan Manuel se desnatura del reino de Castilla y declara la guerra a Alfonso XI, solicitando incluso ayuda a los moros de Granada. Hace las paces con el monarca y obtiene de nuevo el Adelantamiento de Murcia. Comienza a escribir el *Libro de los Estados*. Casa con doña Blanca de la Cerda, de la casa de los Núñez de Lara, enemiga de Alfonso XI.
Hasta 1335, se aleja de la política, dedicándose a escribir.
Termina el *Libro de los Estados*.
Alfonso XI ataca a don Juan Manuel al haberle negado éste su ayuda en el cerco de Gibraltar. Don Juan Manuel visita al rey de Aragón, pidiéndole que interceda por él ante el monarca castellano.
El 12 de junio termina el *Libro del Conde Lucanor*. En julio se desnatura de nuevo, aduciendo que Alfonso XI impedía casar a su hija con don Pedro de Portugal; el rey acude a atacarle a Peñafiel y don Juan Manuel se refugia en Valencia.

Año	Acontecimientos históricos	Vida cultural y artística
1337	Alfonso XI pacifica el reino. Comienzo de la Guerra de los Cien Años entre Francia e Inglaterra.	Muere Giotto.
1340	Tropas castellanas, ayudadas por soldados portugueses, derrotan a los musulmanes a las orillas del río Salado.	Nace G. Chaucer.
1342		
1343	Mallorca se reincorpora a la Corona de Aragón.	Juan Ruiz termina el *Libro de Buen Amor.*
1344	Toma de Algeciras. Desaparece el peligro de nuevas invasiones africanas.	Se escribe la *Crónica General de 1344.*
1345		
1346	Derrota de la caballería francesa en Crèzy por la artillería inglesa.	
1348	Una epidemia de peste asuela los reinos peninsulares.	Boccaccio comienza el *Decamerón.* Se compone el *Poema de Alfonso XI.*

Vida y obra de don Juan Manuel
Nueva avenencia con Alfonso XI. Escribe el *Libro de la caza*.
Escribe el prólogo del *Libro del Conde Lucanor* y ayuda a Alfonso XI en la victoria del Salado, aunque con poco entusiasmo. Consigue, por fin, el matrimonio de su hija Constanza con el infante don Pedro. (Véanse Documentos 1.2 y 1.3.)
Escribe el *Prólogo general* de sus obras.
Participa en el asedio de Algeciras.
Entra vencedor en Algeciras junto al rey.
Retirado de la política, concierta el matrimonio de su hijo don Fernando con una hija de Ramón Berenguer (por esta rama, descendiente suyo será el rey Juan I de Castilla).
El 13 de junio muere en Murcia. Su cadáver se traslada al monasterio de los frailes predicadores de Peñafiel.

Introducción

I. I. La prosa medieval: creación y grupos genéricos

En el origen de una literatura nacional, el primer sistema de composición que se emplea es el verso, por estar unido a la melodía rítmica de la canción. La prosa es mucho más tardía porque necesita, sobre todo, un país políticamente consolidado; ésta es la razón por la que en España la prosa literaria en lengua vernácula aparecerá más tarde que en el resto de Europa. La situación inestable que produce la continua guerra contra los moros, sumada a las constantes rivalidades de los reyes y nobles cristianos (recuérdese el *Poema de Mio Cid*), impide que hasta mediados del siglo XIII se pueda hablar de una España unida, donde todas las fuerzas sociales sean solidarias y participen de un mismo destino: la creación de un Estado moderno. Alfonso X (1252-1284) es el impulsor de esta realidad: recoge de su padre, Fernando III, una nación reunificada, afianzada militarmente (el Rey Santo reconquistó todo el sur de España salvo el reino de Granada) y que, por ello, puede comenzar a trazar su economía y a perfilar su futuro cultural; es a esta última tarea a la que se aplica con mayor empeño el llamado, con toda justicia, Rey Sabio.

La primera misión de Alfonso X es dotar al «romance castellano» de la categoría de lengua oficial del reino; su utilización por la cancillería real no hace más que reconocer el hecho básico de que esta incipiente sociedad necesitaba para unificarse el modelo de una lengua nacional.[1] España posee su propia identidad y el latín no es medio adecuado para expresarla; la nueva realidad social sólo puede ser comprendida a través del sistema lingüístico surgido de la formación del mismo país. Alfonso X necesita hablar en *romance* por dos motivos: *a*) extensión de su poder real (y para facilitarlo todos los documentos de Estado se escribirán en castellano) y *b*) consolidación de la imagen de una sociedad que él quiere fuerte y segura.

A partir de este momento, la prosa puede iniciar su desarrollo literario y competir en tal función con el verso, por un lado, y con el latín, por otro. Con el verso porque las narraciones de acontecimientos reales o ficticios se componían de esta forma al ser el lenguaje versificado el único que poseía caracteres literarios implícitos en su propia estructura (rima, figuras, procedimientos retóricos); por ello, la vida del Cid, la de Fernán González o los milagros de la Virgen se difundían en verso. La prosa, que en sus orígenes es un sistema vacío de recursos literarios, debe imitar estas composiciones a la hora de buscar una dignidad expresiva: el *cursus* y el *isocolon* son dos fenómenos lingüísticos con los que se pretenderá dotar al lenguaje de una melodía musical similar a la del verso.[2] La competencia con el latín es más compleja: por esta lengua, la Iglesia mantuvo y propagó su unidad religiosa e intelectual, pero también los representantes de esa Iglesia (caso de Berceo) no habían dudado en utilizar el romance vulgar (y en verso) para sus necesidades de difusión doctrinal. El conflicto surge al intentar que unos contenidos (historia, leyes, ciencia), reservados de siempre al latín, se difundieran mediante el castellano. Y es Alfonso X quien

---

[1] Hay que darse cuenta de que Berceo intuyó esta misma exigencia comunicativa; en la primera mitad del siglo XIII, él hablaba «en román paladino / en cual suele el pueblo fablar con so vezino» (*Vida de Santo Domingo de Silos*, ed. de Teresa Labarta, Madrid, Castalia, 1972, p. 59; estr. 2, *a-b*).

[2] El *cursus* es un «adorno de la prosa consistente en una cadencia rítmica situada al fin de párrafo»; y el *isocolon* se crea mediante «sucesiones de grupos fónicos de parecida extensión, dispuestas en forma paralela y articuladas entre sí» (Francisco López Estrada, *La prosa medieval (orígenes-siglo XIV)*, Madrid, La Muralla, 1973, p. 5).

adopta esta decisión y quien regula los códigos lingüísticos y sus funciones: la lírica se cultivará en gallego-portugués, los asuntos de la Iglesia se tratarán en latín y el resto de las materias se expresará en castellano.

Alfonso X se constituye en «imperator litteratus» y promueve una política cultural que unifique a los distintos grupos sociales de su corte. Para ello crea un «seminario o centro de estudios» en donde una impresionante serie de obras serán escritas bajo su dirección y la prosa castellana alcanzará su definitivo y total desarrollo. Para este propósito, tres culturas (árabe, cristiana y judía) conviven en el «scriptorium» real, fundiendo sus saberes y sus posibilidades expresivas. [3] Lo más importante es que de este esfuerzo colectivo nacen los primeros géneros literarios prosísticos: la *prosa histórica* y la *prosa relato* (o de función pedagógica).

La prosa histórica en castellano surge porque Alfonso X consideraba que la historia era expresión completa del hombre, de su saber y de su realidad; por esta razón, España tenía que conocer sus raíces históricas y debía descubrir en ellas las claves para comprender su presente. Inducido por esto, Alfonso X ofrece a los españoles su pasado *(Estoria de España)* y el de la humanidad entera *(General estoria)*, ya que la nueva nación se siente partícipe del proyecto global de la Creación.

La contribución más importante del género histórico a la creación del sistema prosístico castellano radica en la invención y elaboración del «espacio textual». Ésta fue la tarea más difícil de los «auctores» alfonsíes: debían contar algo en un lenguaje nuevo, y ello les obligaba a inventar el modo de hacerlo, manejando y fundiendo un sinfín de fuentes (épicas, latinas, bíblicas, árabes, mitológicas) cuyos peculiares procedimientos expresivos contribuirán también a este empeño. Las obras históricas enseñarán, por tanto, maneras de realización literaria: *a)* formas en que un argumento debe desarrollarse, según los diversos puntos de vista que en él entran; *b)* funciones que el personaje ad-

---

[3] La sintaxis de la primera prosa castellana imita en buena medida las construcciones oracionales árabes.

quiere en la evolución del argumento: puede servir, por ejemplo, para disponer la materia o para organizar las relaciones que de ella surjan y encauzarlas a su realización; *c*) tratamiento del tiempo en la forma de contar: debe haber un orden interno en los sucesos, o si no el historiador lo propondrá; *d*) utilización de las intrigas argumentales como medio de interesar al lector (u «oidor»); *e*) empleo del diálogo para posibilitar la entrada del pensamiento y de las reflexiones. Todos estos modos se reúnen en lo que se ha denominado antes «espacio textual», ofreciendo así al resto de las obras medievales en prosa un modelo estructural para seguirlo o para renovarlo. [4]

La *prosa relato* es también cultivada por el Rey Sabio, quien parte de un rico fondo de obras árabes y latino-medievales. Alfonso X pretende proporcionar a España la visión más completa del saber medieval que él pueda reunir: articula para ello un código legal nuevo (las *Siete Partidas)* y orienta sus estudios hacia la ciencia de la astronomía y de la astrología; dedica también su atención a obras de función recreativa *(Libros de axedrez, dados e tablas).* Su propósito es dotar a la sociedad de una base de conocimiento o de instrucción de la que se generen reglas de convivencia, formas de participación en el proyecto nacional, maneras nuevas, en suma, de vivir esa ilusión colectiva. La enseñanza, pues, es la misión de este conjunto de textos, agrupables en dos categorías:

1) *Prosa de relato doctrinal:* su propósito es presentar una imagen global de la sociedad para mostrar su funcionamiento e identidad; las obras anteriores del Rey Sabio se escriben con esta pretensión: el hombre es un ser social al que hay que descubrir las formas de participar en la realidad desconocida que tiene ante él. Alguna obra ficticia puede desarrollar también este propósito: el *Libro del Caballero Zifar* conduce a su héroe a una nueva sociedad, llamada Mentón, de donde es rey, y que se instaura como modelo de organización social.

---

[4] Recuérdese que una obra de la más pura ficción como es el libro de caballerías *Amadís de Gaula* adopta una estructura histórica, casi cronística, para referir los sucesos del héroe. Ello demuestra la importancia y la influencia que obtuvo el diseño de la *historia* a lo largo de la Edad Media.

2) *Prosa de relato didáctico:* no se busca presentar el organismo social en su conjunto, sino los modos en que el hombre, inserto en él, debe procurar orientar su vida hacia la salvación de su alma. Son obras en que se pretenden establecer modelos de comportamiento orientados hacia el interior del individuo y no hacia la colectividad social; precisamente el *Libro del Conde Lucanor* pertenece a este segundo grupo puesto que don Juan Manuel presenta distintos problemas simbolizados por el joven conde de Lucanor y resueltos por su ayo Patronio, para que el «omne», como ser concreto, encuentre en ellos su «semejança» o parecido.

En la «prosa de relato doctrinal» se desarrolla la dimensión del autor como ser organizador de materiales lingüísticos (científicos o ficticios) y canalizador, por tanto, de recursos literarios. Y en la «prosa de relato didáctico» se consiguen generar estructuras argumentales independientes de la realidad, dotadas de identidad propia y configuradas con específicos rasgos temporales y modales; estas características son las que corresponden a la definición de cuento —o «exemplo»—: su didactismo deriva de la capacidad de imitación de la realidad humana, pero basándose para ello en un alejamiento ficticio que permita al hombre observar su circunstancia interna.

Queda el tercer género prosístico, la *prosa narración*, no constituida en el reinado de Alfonso X, sino a lo largo de un dilatado período que abarca de finales del siglo XIII a principios del siglo XIV y en el que se traducen (o «trasladan», en sentido medieval) obras narrativas ficticias europeas en las que se desarrollaba la materia artúrica, la carolingia (relacionada con el emperador Carlomagno) o la de la antigüedad grecolatina. Estas obras carecen de un claro propósito de enseñanza y sirven más bien a las necesidades de una sociedad poco guerrera (rechaza los «cantares de gesta») y más amante de la aventura y del galanteo amoroso. Son los libros de caballerías de los siglos XIV, XV y XVI y los libros sentimentales del siglo XV. El noble busca más la diversión que la enseñanza: sólo entonces la prosa adquirirá su verdadera dimensión literaria.

El siguiente esquema resume los aspectos aquí reseñados, ofreciendo la interdependencia de estos géneros prosísticos:

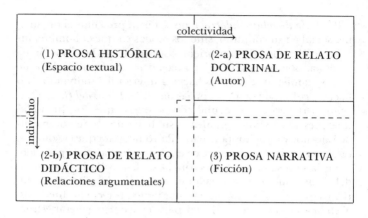

II. La obra de don Juan Manuel: imagen de la sociedad del siglo XIV

Las corrientes prosísticas impulsadas por la labor intelectual de Alfonso X se desarrollan a lo largo del siglo XIV como géneros literarios claramente diferenciados. Se constituyen en líneas de conocimiento y de aproximación a la realidad; son canales por los que el autor puede elaborar la imagen de un mundo nuevo, que sufre sucesivas transformaciones; muchos de esos cambios son sugeridos desde las mismas obras literarias, que permiten analizar buen número de problemas y comprender las modificaciones sociales que se están gestando.

Éste es el propósito de don Juan Manuel a la hora de escribir; él, como su tío Alfonso X, se siente partícipe de la alta tarea de mantener el saber y de transmitirlo para que el hombre logre alcanzar su único destino: la salvación de su alma.

Don Juan Manuel concibe esta conciencia de escritor como una posibilidad de desarrollar las obligaciones de su *estado* social: él, que se siente el noble más poderoso de su época, que disputa con soberbia sus territorios y derechos, se mostrará tam-

bién orgulloso de su actividad de «fazer libros» y se defenderá
con dureza de aquellos que le criticaban por dedicar su tiempo
a esta labor:

> Et commo quier que yo sé que algunos profaçan [se burlan]
> de mí porque fago libros, digo vos que por eso non lo dexaré
> (...). Et pues en los libros que yo fago ay en ellos pro et verdat
> et non danno, por ende non lo quiero dexar por dicho de nin-
> guno (...). Et pues yo tengo que maguer [aunque] en mí aya mu-
> chas menguas, que aún fasta aquí non he fecho cosa por que se
> mengüe mi estado, et pienso que es mejor pasar el tiempo en fa-
> zer libros que en iugar los dados o fazer otras viles cosas. [5]

Este impresionante testimonio revela claramente la postura
intelectual de don Juan Manuel y lo extraño de la misma; lo normal es que el noble no supiera leer ni escribir y, además, que
considerara tales funciones casi como vergonzosas. Ante ellos se
alza don Juan Manuel como exponente de una nueva categoría
social, la del caballero letrado, que tendrá su continuación
en las figuras de don Pedro López de Ayala o de Jorge Manrique.

Se configura, pues, don Juan Manuel como el primer escritor
español que tiene conciencia de serlo: no sólo no se avergüenza
de sus obras, sino que pretende dejar su nombre unido a ellas,
en un período en el que la anonimia era la actitud más corriente del creador medieval. [6] Es, además, un autor obsesionado por
el cuidado estilístico y por la perfección textual, hasta el punto
de quejarse de que los copistas pueden estropear una obra literaria, o bien cambiando las palabras, o bien equivocando los significados de los términos:

---

[5] Don Juan Manuel, *Libro enfenido*, ed. de José Manuel Blecua, en *Obras completas, I*, Madrid, Gredos, 1981, pp. 141-189; cita en pp. 182-183.

[6] Puede leerse, incluso, en el «Prólogo» del *Libro del Caballero Zifar* —compuesto hacia 1300—: «Pero esta obra es fecha so emienda de aquellos que la quisieren emendar (...). E otrosí mucho deve plazer a quien la cosa comiença a fazer
que la emienden todos quantos la quisieren emendar e sopieren, ca quanto más
es la cosa emendada tanto es más loada» (ed. de Joaquín González Muela, Madrid,
Castalia, 1982, p. 56).

en guisa que muda toda la entençión et toda la sentençia et será traýdo [traicionado] el que la fizo non aviendo ý culpa.[7]

Esta preocupación formal revela el sentido de la teoría estética de don Juan Manuel: él pretende que sus escritos estén construidos y compuestos de la forma más bella posible, «con las palabras más apuestas», para que el contenido (o enseñanza, o «sentençia») sea atrayente, consiga captar la atención del receptor y le induzca a interesarse por la materia que está desarrollando.

Parece extraño, por otro lado, que un noble levantisco y rebelde, como lo fue don Juan Manuel, mantuviera estas inquietudes intelectuales. La explicación es sencilla: en sus obras analiza la sociedad, se coloca en el centro de la misma y se propone como hombre cuyo ejemplo puede servir a los demás para recorrer la «carrera» de la vida terrenal. Su fuerte orgullo social asoma, así, en sus libros.

Desde este punto de vista, la obra manuelina es el reflejo de una sociedad estamental, vinculada a un régimen feudal (que él defiende como máximo representante) e inserta en una cosmovisión teocéntrica: es decir, Dios vigila los actos y las voluntades de los hombres y éstos se organizan en jerarquías que indican su valía y perfección. Es en el *Libro de los Estados* donde todas estas ideas encuentran su más clara exposición; don Juan Manuel desarrolla su pensamiento político desde la figura de un consejero llamado Julio que simboliza al propio autor. Es ésta una obra que entraría dentro de la denominación de «prosa de relato doctrinal», ya que en ella se contiene el saber esencial sobre el que una sociedad entera debe sostenerse. Es, por tanto, su libro más ambicioso: un breve argumento[8] mantiene el interés de la lectura y sirve para entretejer los temas esenciales con los que don Juan Manuel estructura la realidad social de su época;

---

[7] «Prólogo general», en *Obras completas, I*, ed. cit., p. 32.

[8] Julio es el ayo de un príncipe pagano, Johas, a quien se le había ocultado la existencia de la muerte; un día encuentra un cadáver y tal descubrimiento motiva que Julio le adoctrine cristianamente: la conversión del príncipe, de su padre y de todos los grandes del reino es el lógico desenlace.

presenta así las funciones que corresponden a los emperadores, a los reyes, a los infantes, a los altos hombres (duques, príncipes, condes y vizcondes), a los «ricos omes», a los infanzones, a los escuderos y a los soldados: gradación de clases que ordena el *estado* de los defensores, al que don Juan Manuel pertenecía por el título de infante de su padre. A continuación, presenta el *estado* de los labradores (en versos de J. Manrique: «los que labran por sus manos») constituido por alcaldes, ayos, médicos, despenseros y «menestrales»; su función es servir y alimentar a los defensores, sólo así «serviendo bien et lealmente sus ofiçios et non faziendo enganno el sennor nin a las gentes de su casa nin de la tierra, pueden muy bien salvar sus almas».[9] Y la última parte la consagra don Juan Manuel al *estado* de los oradores, pináculo y cima de esta imagen piramidal de la sociedad; para ello, enumera las jerarquías eclesiásticas y define sus funciones. Es cierto que la sociedad del siglo XIV no corresponde con exactitud a este rígido modelo —por ejemplo, se olvida la importancia que está alcanzando la economía—, pero es que lo que le interesaba a don Juan Manuel era mostrar las maneras de salvar las almas según el estado en el que naciera, sin pretender cambiarlo; por ello, Julio le dice a su discípulo:

> Et por ende, si lo vos por bien tobiéredes, tengo que pues Dios vos puso en este estado et avedes perdido dél todas las dubdas, et entendedes que vos podedes muy bien salvar en él, que vos non faze mengua de buscar otro estado que hayades de avaxar de vuestra onra, nin metedes en sopecha a la gente que lo fazedes con falesçimiento de coraçon o con otra alguna mengua que en vos ha.[10]

Planteado así, el *Libro de los Estados* es un tratado completo de teoría social en el que se pretende coordinar la vida mundana del hombre con su sentido religioso. Asociación que, en última instancia, representa al propio don Juan Manuel: él para guardar su «onra» y conservar la dignidad de su «estado» debió

---

[9] *Libro de los Estados*, en *Obras completas, I*, ed. cit., p. 409.
[10] *Ibídem*, p. 368. Esta misma idea la desarrollará en el Ex. III del *Libro del Conde Lucanor*.

comportarse como el noble más importante de su época: intrigó, se alió con distintos reyes, declaró incluso la guerra a su señor natural y solicitó para ello la ayuda del rey moro de Granada. Todo le era válido con tal de mantener su prestigio, porque de él dependería su salvación.

Dentro de este análisis social debe entenderse el *Libro del cavallero et del escudero*, «prosa de relato didáctico» en este caso. Un argumento esquemático, desarrollado por medio de la técnica pregunta-respuesta, da pie a una presentación gradual de todos los conocimientos que un caballero debe saber para lograr su salvación. El método es original: un escudero acude a unas cortes para ser armado caballero; en una ermita se encuentra a un anciano, caballero como él, que le instruye sobre el *estado* que va a recibir (le explica lo que debe hacer un rey, cuáles son los *estados* sociales, qué es la caballería y cuáles son el mayor pesar y el mayor placer). Ya nombrado caballero vuelve junto al ermitaño, quien le acabará mostrando los conocimientos metafísicos y religiosos necesarios para vivir en paz con Dios. Es, de nuevo, la experiencia vital de don Juan Manuel la que ha servido para construir este tratado didáctico: «puse ý algunas otras razones que fallé scriptas et otras algunas que yo puse que perteneçían para seer ý puestas».[11]

Obsesionado por esta misión educativa y por querer dejar constancia de sí mismo, escribió don Juan Manuel el *Libro enfenido*, también concebido como «prosa de relato didáctico», puesto que es una suma de «castigos» (o enseñanzas) dirigidos a su hijo don Fernando, a fin de que sepa mantener su *estado*. Consta de veintisiete capítulos, encabezados siempre por el mismo epígrafe, «Fijo don Ferrando:», en los que «tracta de cosas que yo mismo prové en mí mismo et en mi fazienda[12] et bi que conteçió a otros, et delas que fiz et vi fazer et me fallé dellas bien et yo et los otros».[13] Comienza el libro con el asunto central, la

---

[11] *Libro del cavallero et del escudero*, en *Obras completas, I*, ed. cit., p. 41.

[12] Hechos o acciones que definen el comportamiento del individuo; palabra que aparecerá innumerables veces en la obra aquí editada.

[13] «Prólogo» al *Libro enfenido*, en *Obras completas, I*, ed. cit., p. 147.

salvación del alma; para conseguirlo se dan consejos sobre la salud del cuerpo, la crianza de los nobles, las acciones de los reyes, el modo en que tratar a los distintos amigos (a los iguales y a los de menor grado), a la mujer, a los hijos y, en general, a cualquier individuo, dependiendo de su categoría social.

Esta experiencia de don Juan Manuel es la que dicta su *Libro de las armas,* tratado didáctico, escrito con la pretensión de alabarse a sí mismo y de dejar bien patentes los motivos de su orgullo social. Don Juan Manuel desarrolla tres sucesos relacionados con su vida: explica los motivos heráldicos de las armas heredadas de su padre, se enorgullece de por qué él y sus hijos pueden armar caballeros no siéndolo ellos y comenta a grandes rasgos la conversación mantenida con su primo, el rey don Sancho, en Madrid antes de que falleciera. La obra es una defensa de su linaje y un ataque a los otros descendientes de Fernando III: para ello recuerda que el rey don Sancho no fue bendecido por Alfonso X porque éste tampoco lo fue por su padre, Fernando III; el Rey Santo sólo bendijo a su hijo menor, el infante don Manuel, a quien entrega además su espada y armas, herencia toda que recibe don Juan Manuel y que éste esgrime como razones de su alto *estado.*

Siendo la cetrería uno de los entretenimientos predilectos de don Juan Manuel, es lógico que sobre ella compusiera el *Libro de la caza,* obra técnica en la que explica sus conocimientos y experiencias relativas a la caza de altanería; describe los mejores lugares de caza, las aves que él poseía y la teoría desplegada en esta actividad. Comienza la obra con una alabanza a su tío Alfonso X, reconociendo su voluntad de aumentar el saber:

> Entre muchos conplimientos et buenas cosas que Dios puso en el rey don Alfonso (...) puso en él su talante de acresçentar el saber quanto pudo, et fizo por ello mucho; assí que non se falla que, del rey Tolomeo acá, ningún rey nin otro omne tanto fiziesse por ello commo él. [14]

---

[14] *Libro de la caza,* en *Obras completas, I,* ed. cit., p. 519.

Importantísimo reconocimiento de la labor alfonsí, base de toda la obra de don Juan Manuel; de hecho, él siempre procuró imitar al Rey Sabio en el desarrollo de su actividad intelectual. No podía mantener el infante la corte de su tío, pero sí el espíritu derivado de ella,[15] y si la actividad fundamental de Alfonso X se encaminó a dotar a España de un sentido histórico, don Juan Manuel seguirá el mismo empeño redactando su *Crónica abreviada*, resumen hecho, capítulo por capítulo, de la *Estoria de España* surgida del taller real del tío. Lo importante es la voluntad por participar en la construcción de la realidad nueva que sostiene la sociedad que él intenta comprender.

Su orgullo de noble debe interpretarse, por tanto, como una manifestación de su condición religiosa; don Juan Manuel estuvo muy vinculado a la orden de los dominicos y para ellos fundó el monasterio de Peñafiel; allí quiso ser enterrado y que se guardara el códice de su obra completa: no se conserva ni su cuerpo ni tal manuscrito. Con los dominicos, don Juan Manuel debió de fomentar su afición a la lectura de las colecciones de *exempla* o de cuentos para predicadores; de ellos extrajo argumentos e ideas que pasarían al *Libro del Conde Lucanor*. Parece ser también que los dominicos favorecían el uso de la lengua vulgar frente al latín, idea básica de don Juan Manuel, y que gran número de los elementos doctrinales del *Libro de los Estados* estaría conectado con la moral de la orden. Envuelto en este espíritu, escribió don Juan Manuel su última obra, el *Tractado de la Asunçión de la Virgen*, libro que se une a la propagación de la devoción mariana (línea desarrollada ya por Berceo, Alfonso X o el *Libro del Caballero Zifar*, por citar algunos ejemplos). El punto de partida de este texto se sitúa, de nuevo, en una declaración biográfica de sumo interés:

> oý dezir a algunas personas onradas et muy letradas que algunos poníen dubda si era Sancta María en cuerpo et en alma en Pa-

---

[15] Francisco López Estrada recuerda que «esta corte sigue siendo el lugar en el que el caballero adquiere el conocimiento del mundo, junto con las reglas de la cortesía, referente al trato humano con las mujeres y los hombres» (*Introducción a la literatura medieval española*, Madrid, Gredos, 1979⁴, p. 424).

rayso. Et bien vos digo que ove desto muy grant pesar, et movido por este buen zelo dicho (...) et aun entendiendo que segunt
el mio estado, que me caýa más fablar en ál que en esto,[16] pero
por el grand pesar que ove desto que oý, pensé de dezir et fazer
contra ello (...).[17]

El conjunto del libro lo forman las distintas pruebas teológi-
cas que confirman tal dogma.

La obra de don Juan Manuel encierra, pues, una visión completa de su sociedad: la línea histórica de la *Crónica abreviada*
enmarca el desarrollo doctrinal del *Libro de los Estados;* de este
análisis de los grupos sociales surgen perspectivas didácticas
orientadas a la figura del caballero, dirigidas a su hijo o bien
encaminadas a teorizar sobre el entretenimiento de la caza. Él,
como hombre, se proyecta sobre su pasado *(Libro de las armas)*
para edificar su destino *(Tractado de la Asunçión).*[18]

Don Juan Manuel utiliza, por tanto, las corrientes prosísticas
surgidas del esfuerzo alfonsí; el esquema de la figura anterior
quedaría así completado:

PROSA HISTÓRICA:		PROSA DE RELATO DOCTRINAL:
Crónica abreviada		*Libro de los Estados* *Tractado de la Asunçión*
PROSA DE RELATO DIDÁCTICO: *Libro del cavallero* *Libro enfenido* *Libro de las armas* *Libro de la caza*	*Libro del Conde Lucanor*	PROSA NARRATIVA:

---

[16] Persiste don Juan Manuel en su idea de que cada uno debe cumplir las obligaciones de su «estado» y, por ello, reconoce que a él no le cumple tratar temas
religiosos.

[17] *Tractado de la Asunçión,* en *Obras completas, I,* ed. cit., p. 509.

[18] Impresiona su religiosidad: «dígovos que querría tan de buenamente aventu-
rarme a qualquier peligro de muerte por defender esto, commo me aventuraría a
morir por defendimiento de la Sancta fe católica, et cuydaría ser tan derecho mártir por lo uno commo por lo ál», *ibídem,* p. 509.

Fue un autor que desarrolló todos los géneros a su alcance, salvo el de la ficción pura porque no correspondía a su *estado* dedicar la atención a tales obras. Sin embargo, el *Libro del Conde Lucanor* contendrá numerosos elementos narrativos, que serán luego aprovechados por obras de mera ficción.

III. Los libros de «exemplos»: el «Libro del Conde Lucanor»

Los libros de «exemplos» son obras que pertenecen al grupo de la «prosa de relato didáctico»; su intención es encauzar hacia el interior del individuo consejos, avisos o «castigos», que sirvan de elemento reflexivo y controlen las acciones de los hombres en su peregrinaje terrenal. El origen de esta literatura es obviamente religioso; don Juan Manuel recibe así dos tradiciones: 1) la procedente de las recopilaciones de apólogos latinos o árabes que circulaban en la Castilla del siglo XIII,[19] y 2) las colecciones de «exemplos» (o *exempla*) reunidas por los franciscanos y dominicos a fin de extender la predicación y facilitar la asimilación de las enseñanzas evangélicas.[20]

La primera línea es portadora de las técnicas formales y estructuradoras de los «exemplos» manuelinos, mientras que la segunda transmite la intención didáctica y religiosa a los mismos.

El término «exemplo» es ambiguo en su significación; se emplea ya en la *Estoria de España* alfonsí con dos sentidos precisos:

a) Acción o conducta propuesta para que sea imitada:

> [Nerón] a las uezes castigaua a aquellos (...) quel dixiessen exiemplos dalgunos que se mataran por tal de auiualle el coraçon que se pudiesse él matar.[21]

---

[19] Tales como la *Disciplina clericalis* de Pedro Alfonso; el *Barlaam y Josafat;* el *Calila e Dimna* (de origen árabe, conoció una versión en palevi, siriaco, árabe y, de ahí, al español); la *Poridat de Poridades;* el *Sendebar.*

[20] Autores importantes y fuentes de don Juan Manuel fueron Jacques de Vitry, Étienne de Bourbon y John Bromyard.

[21] *Primera Crónica General de España,* ed. de Ramón Menéndez Pidal, Madrid, Gredos-Seminario Menéndez Pidal, 1977, 2 vols. (3.ª reimpr.); cita en t. I, cap. 178, p. 128*b,* lín. 14-18.

b) Hecho sucedido en otro tiempo, que se cuenta para que se siga, si es bueno, o se evite, si es malo:

> començóles [el Cid] a dezir vnos exemplos et vnas cosas que non ouo ý cosa que semeiase. [22]

Es esta segunda acepción la que aquí interesa; la imagen, además, del Cid exponiendo sus razones mediante anécdotas e historietas es indicativa del carácter oral de esta literatura y de la función didáctica con que se concebía.

El propio don Juan Manuel tampoco tenía claro el significado de «exemplo»; es indudable que el valor de cuento se da a cada uno de los cincuenta y un «exemplos» del *Libro del Conde Lucanor,* pero también equivalía a 'proverbio' o 'sentencia'; así lo señala Patronio, en la III Parte de este libro, cuando le advierte al conde Lucanor:

> ca en el otro [I parte] ay cinquenta enxienplos et en éste [II parte] ay ciento (p. 218).

En un caso habla de cincuenta cuentos y en el otro de cien máximas o consejos, sin ninguna base narrativa.

Esta ambigüedad, que no es exclusiva de don Juan Manuel, lo único que muestra es la dificultad por encontrar nombre que tienen los grupos genéricos prosísticos iniciales. De todos modos, don Juan Manuel consigue que el término «exemplo» quede ligado a cuento literario por la personalísima orientación que da al *Libro del Conde Lucanor.*

Don Juan Manuel parte, entonces, de los esquemas argumentales contenidos en las colecciones de predicadores, reescribiéndolos y planteando nuevas estructuras dispositivas, similares a las que ofrecían los textos árabes. Unión perfecta, por tanto, de dos mundos y culturas que logran así su máxima expresión.

---

[22] *Ibídem,* t. II, cap. 81, p. 59*a*, lín. 19-21.

3.1. *Estructura del «Libro del Conde Lucanor»*

La habilidad narrativa de don Juan Manuel le permite separar la exposición de la enseñanza, lo que no sucedía en las colecciones de predicación, en las que se señalaban los aspectos esenciales del argumento para que el fraile los reconstruyera en su sermón según sus necesidades. Frente a esto don Juan Manuel se muestra poseedor de una profunda visión textual que le permite concebir la estructura general del libro hasta en sus más mínimos detalles, [23] consiguiendo que lo didáctico surja de la propia estructura narrativa planteada y no como una sección independiente de esa narración.

El *Libro del Conde Lucanor* consta de cinco secciones (o «libros») agrupables en dos bloques precedidos por un prólogo cada uno. El conjunto total lleva otro prólogo de significación más amplia. El primer bloque correspondería al *Libro de los Enxienplos,* que contiene los cincuenta y un cuentos, mientras que el segundo se titularía *Libro de los proverbios* y cubriría las cuatro últimas partes.

Desde otra perspectiva, los cinco libros podrían agruparse en tres partes que se distinguirían por el distinto método con que se expone la materia didáctica; [24] la pretensión de esta estructura sería similar a la división social establecida en el *Libro de los Estados,* y que en el *Libro del Conde Lucanor* se transformaría en división intelectual:

1) Existen «omnes non muy letrados», y para ellos escribe la I parte, o sea el *Libro de los Enxienplos del Conde Lucanor et*

---

[23] Don Juan Manuel está inserto en una imagen del mundo, cuya perfección es señalada por el valor simbólico de los números, principios tectónicos desde los que se configura la obra; recuerda Daniel Devoto: «en la propia obra del príncipe tenemos un Tractado de las *tres* razones [es el *Libro de las armas*], un «Libro infinido» de 27 capítulos (tres al cubo), «de los estados» en cien y cincuenta para cada una de sus partes», en *Introducción al estudio de don Juan Manuel y en particular de «El Conde Lucanor»: una bibliografía,* Madrid, Castalia, 1972, p. 354.

[24] Ésta es la arquitectura propuesta por Joaquín Gimeno en «*El Conde Lucanor:* composición y significado» (1975), en *La creación literaria de la Edad Media y del Renacimiento,* Madrid, Porrúa, 1977, pp. 19-32.

de Patronio, compuesto de un prólogo y de cincuenta y un cuentos, desarrollados todos según un mismo modelo.

2) Hay «omnes de entendimiento muy sotil»; serán los lectores de las partes II, III y IV, que encierran respectivamente cien, cincuenta y treinta sentencias (o «proverbios») y cuya diferencia se señala por el aumento de 'oscuridad' en su composición.

3) Con un propósito divulgativo general, don Juan Manuel organiza en la parte V un tratado teórico en el que estudia al hombre, su paso por el mundo y su destino dirigido a Dios.

Visión triple, por tanto, que va de lo narrativo a lo puramente didáctico, que transporta al individuo desde el entretenimiento del libro I a la religiosidad del libro V. Hay que indicar, además, que en esta concepción ternaria se va produciendo una disminución de materia argumental: el plano más extenso es el del libro I, que sirve de base a todo el conjunto de la obra; su amplitud se debe al hecho de que los cincuenta y un cuentos de que consta desarrollan buen número de preocupaciones sociales y terrenales. Reduciendo espacio textual, don Juan Manuel elimina la materia argumental en los otros libros; continúa en ellos el mismo esquema de desarrollo: Patronio «castiga» (o enseña) al conde Lucanor, quien va ampliando en estas partes su curiosidad por las distintas materias; Patronio va hablando cada vez con más sutileza y oscuridad porque aquello que expone sólo puede explicarse con una forma difícil debido a su complejidad. Esa dificultad conlleva la reducción textual: el libro II consta de cien proverbios, el libro III de cincuenta y el libro IV de treinta, que en este caso son verdaderos juegos de palabras casi ininteligibles. El libro V es un poco más amplio debido a los tres temas de que trata: 1) superioridad de los bienes espirituales sobre los temporales, 2) requisitos para obtener la salvación del alma, y 3) estudio del hombre y del mundo, exponiendo los problemas que pueden entorpecer el camino de salvación.

De esta arquitectura ternaria sobresale por su valor literario el libro I, pero quede claro que la verdadera intención del *Libro del Conde Lucanor* sólo puede entenderse uniendo las cinco partes, analizando la totalidad del conjunto, cuyos principios didácticos y organizativos se contienen en el Prólogo general a los cinco libros; reproduzco el comienzo del mismo, a fin de explicar cada uno de los objetivos contenidos en él:

> [A] Este libro fizo don Iohan, fijo del muy noble infante don Manuel, deseando que los omnes fiziessen en este mundo tales obras que les fuessen aprovechosas de las onras et de las faziendas et de sus estados, et fuessen más allegados a la carrera por que pudiessen salvar las almas. [B] Et puso en él los enxienplos más aprovechosos que él sopo de las cosas que acaesçieron, por que los omnes puedan fazer esto que dicho es. [C] Et sería maravilla si de qualquier cosa que acaezca a qualquier omne, non fallare en este libro su semejança que acaesçió a otro.

[A] Obsérvese que don Juan Manuel parece partir de una contradicción aparente: por un lado hay que salvar el alma, pero por otro hay que hacer obras provechosas a la honra, a la «fazienda» (conjunto de acciones del individuo) y al *estado* (clase social). La pregunta es inevitable: ¿cómo pueden ser compatibles los aspectos de la vida terrenal y espiritual?; la respuesta ya fue anticipada por Julio (colega de Patronio) en el *Libro de los Estados:* el hombre debe alcanzar la salvación cumpliendo su misión en el mundo, es decir, realizando las obras y acciones concernientes a su *estado*. En el Ex. L, Patronio señala que al hombre se le juzgará según «las obras que faze a Dios et al mundo» y así hay que guardar unidas «entreamas las carreras, que son lo de Dios es del mundo» (p. 205).

Son dos, por tanto, los planos que configuran la visión manuelina de la existencia: el plano de la realidad religiosa y el plano de la realidad humana, desde el que él escribe, condicionado, en su caso, por el *estado* noble al que pertenece y que él defiende con tanto orgullo; son tres las características de su *estado:* la «onra» es entendida en su dimensión individual, mientras que el «estado» lo es como aspecto colectivo; la «onra» refleja la imagen interior del hombre, mientras que el *estado* le inscribe en una visión social amplia. La «fazienda» sostiene estos dos conceptos: según sepa el hombre mantener su «onra», así conservará su «estado».

[B] Precisado por el marco anterior, don Juan Manuel define

ahora su labor de escritor como creador de *ficciones literarias;* «enxienplo» tiene aquí los dos sentidos de 'cuento' y de 'sentencia', pero lo importante es resaltar su función: el «enxienplo» puede ayudar a que el hombre recorra el camino de su vida (en el texto, la «carrera»), por el propio significado del mismo, es decir, el «enxienplo» actúa en el plano de la realidad humana porque trata de «cosas que acaesçieron [o sucedieron]» y remite al plano de la realidad religiosa.

[C] Para ello, don Juan Manuel construye el nivel de la *ficción didáctica*, basado en la enseñanza que deriva de la «semejança» producida por el «enxienplo»; quiere decirse con esto que un cuento parte de un hecho de vida, lo canaliza mediante un argumento ficticio y lo transforma en enseñanza por esa «semejança» que en él se contiene, «semejança» que es la que permite a cualquier individuo fundir su experiencia con la de cada cuento.

Reduciendo a esquema estas apreciaciones, los propósitos esenciales del *Libro del Conde Lucanor* quedarían así configurados:

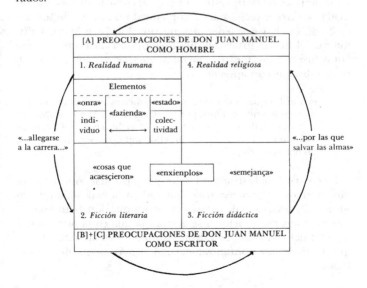

Obsérvese que la explicación del tránsito de la realidad humana a la religiosa es muy compleja: don Juan Manuel primero analiza la condición del hombre (1), observa sus hechos y los convierte en materia argumental (2), de la que pueden desprenderse enseñanzas (3) que conduzcan a la salvación (4). Don Juan Manuel describe, en suma, el paso del hombre por el mundo hacia Dios.

3.2. *Estructura narrativa de los «exemplos»*

Se ha aludido ya al valor arquitectónico que encierra el número tres; ello es lógico y se explica porque en cualquier obra es fácil identificar una presentación, un desarrollo y un desenlace: tres fases, pues, que distribuyen el argumento. Don Juan Manuel seguirá este modo constructivo, pero con él montará riquísimos juegos de perspectivas puesto que cada «exemplo» estará compuesto por tres estructuras y cada una de ellas estará formada por tres niveles. Y tal complejidad no implica buscar un estilo difícil; hay que tener presente que don Juan Manuel afirma que él utiliza los «exemplos» para poder alcanzar una mayor difusión comunicativa, de tal modo que aun los que tienen poco saber puedan aprender:

> et aun los que lo tan bien non entendieren, non podrán escusar que, en leyendo el libro, por las palabras falagueras et apuestas que en él fallarán, que non ayan a leer las cosas aprovechosas que son ý mezcladas, et aunque ellos non lo deseen, aprovecharse an dellas (p. 60).

La complejidad estructural tiene que explicarse, entonces, por dos motivos: 1) pretensión de claridad en la exposición de las ideas, y 2) desarrollo de la visión artística que don Juan Manuel poseía. Estas dos funciones se apoyan la una en la otra, ya que a partir del siglo XIV el escritor se introduce en su obra y siente que la tiene que configurar del modo más asequible para el lector.

Si la visión ternaria es aplicada a la estructura interna del
«exemplo», es el recurso de «pregunta/respuesta» el medio de
transmitir el contenido argumental. Procedimiento —como ya
se ha señalado— frecuente en casi todas las obras del infante: supone el enfrentamiento de dos puntos de vista, cada uno con su
personalidad, que a través del diálogo irán canalizando toda la
información textual. Don Juan Manuel construye, pues, dos planos que irán intercalando todo el conocimiento que él quería
transmitir al hombre de su época; cada uno de los personajes ac-
tuará y se moverá conforme a su experiencia: el conde Lucanor
pregunta sobre casos relativos a su interés personal y Patronio
—dotado de 'entendimiento' y de 'seso'— responde amplifican-
do los problemas. Las amplificaciones son los cuentos. Y, al final, de nuevo Patronio retoma la palabra para extraer la conclusión.

Es preciso señalar que una de las aportaciones más geniales
de don Juan Manuel a la evolución de las formas narrativas consiste en esa independencia reflexiva de que se dota a unos personajes, que quedan convertidos en enlaces con la conciencia
del lector. Es decir, don Juan Manuel monta una ficción de la
que él participa, porque para ello se nombra al final de cada
«exemplo» en calidad de observador («Et porque entendió don
Iohan que este exiemplo era muy bueno, fízolo escrivir en este
libro...»); participa, pero no interviene: deja que sean sus personajes los que actúen y presenten, por medio de diálogos, la
imagen del mundo que el lector ha de conocer.

La estructura de todos los «exemplos» quedaría conformada
según el siguiente modelo:

1. *Introducción:* plano con el que don Juan Manuel intenta
conseguir que la información presentada sea verosímil. Es ésta
la estructura marco, la más variable porque habrá tantos temas
como «exemplos», y la más movible porque es planteada desde
el interior de los dos personajes que construyen la acción.

1.1.: Un narrador presenta a los personajes, desde referencias
externas que sirven para definirles. La determinación temporal
es imprecisa como corresponde a las fórmulas de inicio de los
cuentos: «un día», «otra vez». Más trascendente es la precisión

de alguna circunstancia interna del personaje: «fablando en su poridat», por ejemplo, detalle con que se describe la conversación.

1.2.: El conde Lucanor expone un caso concerniente a su «onra», «fazienda» o «estado» y se encomienda al «entendimiento» de Patronio para que le aconseje. Es esta unidad la que canaliza la realidad social del siglo XIV; son los problemas de un gran señor los que se exponen, y las consultas girarán, sobre todo, en torno a los conflictos que el conde encuentra en el desarrollo de las obligaciones de su «estado».

1.3.: El consejero Patronio, investido de la autoridad de su sabiduría, reflexiona sobre la pregunta del conde Lucanor; juzga si la cuestión planteada merece o no respuesta; adoctrina, en ocasiones, adelantando parte de la conclusión moral, y alude, finalmente, al «exemplo» que va a relatar, de cuya «semejança» deberá derivarse la solución al caso propuesto por el conde Lucanor. Esta declaración de la materia narrativa en esta primera parte genera una intriga inicial, una curiosidad en el lector por conocer qué tipo de semejanza podrá establecerse entre la vida del conde y el cuento anunciado.

2. *Núcleo:* plano central que contiene la exposición de un relato; éste puede ser un cuento (narración de una historia que imita la realidad), un apólogo (cuento que lleva incluida una conclusión moral) o una fábula (su significado se construye sobre algo que parece verdadero sin serlo). El mayor número de experimentos técnicos, de desarrollos estructurales, de juegos arquitectónicos se contiene en este apartado. Don Juan Manuel no inventa ningún argumento, porque todos los autores manejan los mismos; su función artística consistirá en transformar esa materia bruta inicial en una verdadera joya expresiva. Baste con decir que cada núcleo posee una distinta estructura y que todos los elementos narrativos se combinan en ellos de forma diferente.

2.1.: *Presentación:* se muestran los elementos que desarrollarán el argumento del relato; don Juan Manuel suele buscar coincidencias con el caso propuesto por el conde Lucanor en 1.2, como si quisiera ofrecer ya desde el inicio la clave de la «semejança» buscada. En este epígrafe se nombran los personajes, se les caracteriza y sitúa en un marco que encuadre la acción consiguiente. Se plantea, también, el problema que mueve a los personajes.

2.2.: *Desarrollo:* corresponde a la acción narrativa; es la parte de mayor extensión y en la que el trabajo artístico se presenta con mayor cuidado. La línea de intriga propuesta en el plano anterior por el problema planteado se interioriza en los personajes que comienzan a actuar y a moverse, dibujando casi siempre estructuras simétricas sumamente perfectas. En estas estructuras suele haber un eje de simetría que coincide o con el clímax (momento de mayor tensión argumental) o con la clave que aportará la solución. Es en esta sección donde don Juan Manuel hace uso de todos sus recursos expresivos.

2.3.: *Desenlace narrativo:* por lo general, las soluciones se ofrecen de un modo muy rápido y, en algunas ocasiones, un narrador (¿Patronio?, ¿don Juan Manuel?) muestra la moralidad de lo sucedido.

3. *Aplicación o desenlace didáctico:* plano en el que Patronio convierte los elementos narrativos anteriores en reflexiones e ideas aplicables al caso propuesto por el conde Lucanor.

3.1.: Patronio resume de nuevo el problema que se le había planteado e indica la «semejança» que tiene con el relato que ha contado.

3.2.: A continuación extrae la enseñanza y propone la conducta a seguir en esa situación por el conde Lucanor.

3.3.: Un narrador concluye el «exemplo» afirmando que el conde Lucanor ha obrado según el consejo, resultándole bien y solucionando su situación negativa inicial.

Tres estructuras, por tanto, formada cada una por tres planos: voluntad de adecuación simétrica por la que la vida se transforma en ficción, que sirve para iluminar la realidad del hombre. Esquematizando este modelo, quedaría de la siguiente manera:

I. *Introducción*

1.1: El narrador presenta
1.2: El Conde Lucanor expone un problema
1.3: Patronio asume el caso

II. *Núcleo*

2.1: Presentación
2.2: Desarrollo
2.3: Desenlace narrativo

III. *Aplicación*

3.1: Patronio conecta con el problema inicial
3.2: Patronio muestra la solución
3.3: El narrador concluye

Las flechas señalan la equivalencia discursiva entre esos componentes, actuando el núcleo como eje de simetría, por el que la situación inicial negativa se transforma en positiva.

Bibliografía

Alborg, Juan Luis: «Cap. VII. Don Juan Manuel y el canciller Ayala. Otras manifestaciones literarias», en *Historia de la literatura española*, Madrid, Gredos, 1980 (2.ª ed., 4.ª reimpr.), pp. 280-297. Estudio muy general que encuadra la obra del autor en las manifestaciones culturales de su tiempo.

Ayerbe-Chaux, Reinaldo: *El Conde Lucanor: materia tradicional y originalidad creadora*, Madrid, Porrúa Turanzas, 1975. Libro fundamental en el que se relacionan los «exemplos» de don Juan Manuel con las colecciones de apólogos y de «exempla» que pudo tomar como fuentes. Se demuestra de esta manera la prodigiosa capacidad inventiva y organizativa con la que don Juan Manuel transforma todos los materiales utilizados.

Barcia, Pedro Luis: *Análisis de «El conde Lucanor»*, Buenos Aires, Centro Editor de América Latina, 1968 (Enciclopedia Literaria, 27). Libro de conjunto, que muestra la trayectoria literaria de don Juan Manuel y su confluencia en el *Libro del Conde Lucanor*. Estudia algunos cuentos; destaca el análisis del Ex. XI.

Devoto, Daniel: *Introducción al estudio de Don Juan Manuel y en particular de «El Conde Lucanor»: una bibliografía*, Madrid, Castalia, 1972. Libro imprescindible para el conocimiento no sólo de don Juan Manuel, sino de todas las circunstancias que rodearon la creación de su obra. Análisis exhaustivo —con resúmenes incluidos— de casi todos los libros y artículos en que se estudian aspectos relacionados con este autor. Se incluye un minucioso examen de todos los cuentos.

Giménez Soler, Andrés: *Don Juan Manuel (biografía y estudio crítico)*, Zaragoza, Tip. La Académica, 1932. A pesar de los años transcurridos desde su publicación continúa siendo la mejor biografía sobre el infante castellano. El estudio crítico, en cambio, está superado por las nuevas corrientes de investigación.

Gimeno Casalduero, Joaquín: «El *Conde Lucanor:* composición y significado» (1975), en *La creación literaria de la Edad Media y del Renacimiento,* Madrid, Porrúa Turanzas, 1977, pp. 19-34. Estudio en el que el autor plantea una división estructural ternaria y la aplica al conjunto de la obra para explicar la relación de ésta con la estructura de la sociedad.

Gómez Redondo, Fernando: «El diálogo en "El Conde Lucanor"», en *Manojuelo de estudios literarios ofrecidos a José Manuel Blecua Teijeiro (Publicaciones de la Nueva Revista de Enseñanzas Medias),* Madrid, Ministerio de Educación y Ciencia, 1983, pp. 45-58. Estudio en el que se explica la función estructural del diálogo en la obra: plano desde el que se diseñan los personajes y se intensifica la intriga.

Juan Manuel Studies; ed. de Ian Macpherson, Londres, Támesis, 1977. Conjunto de estudios dedicados a tratar diversos aspectos de la vida y de la obra de don Juan Manuel. Destaco el de Germán Orduna, «El exemplo en la obra literaria de don Juan Manuel», pp. 119-142.

Lida de Malkiel, María Rosa: «Tres notas sobre don Juan Manuel» (1950-1951), en *Estudios de literatura española y comparada,* Buenos Aires, EUDEBA, 1966, pp. 92-133. En la primera nota, la autora analiza las relaciones entre don Juan Manuel y la orden de los dominicos, por la que el infante conoció las colecciones de «exempla» de los predicadores y sus técnicas retóricas de exposición; la segunda estudia el estilo; la tercera se ocupa de la postura intelectual del autor, demostrando que su humildad es sólo tópica, pues poseía una gran cultura.

López Estrada, Francisco: *Introducción a la literatura medieval española,* Madrid, Gredos, 1979 (4.ª ed., renovada). En pp. 189-192 desarrolla las condiciones de autoría que se desprenden del conjunto de la obra manuelina y en pp. 425-428 estudia de forma particular cada obra.

Muñoz Cortés, Manuel: «Intensificación y perspectivismo lingüístico en la elaboración de un ejemplo en *El Conde Lucanor*», en *Estudios literarios dedicados al profesor M. Baquero Goyanes,* Murcia, 1974, pp. 529-585. Original análisis, que demuestra el perfecto dominio lingüístico del autor y cómo desde ese plano moldeaba la materia literaria.

Stéfano, Luciana de: «Don Juan Manuel y el pensamiento medieval», en *Don Juan Manuel. VII Centenario,* Murcia, Universidad-Academia Alfonso X el Sabio, 1982, pp. 337-351. Perfecta integración del autor en las distintas corrientes del pensamiento de su época y explicación de los rasgos conceptuales que pasan a su obra. Por otra parte, este volumen contiene distintos estudios sobre don Juan Manuel y el conjunto de su obra.

Retrato de Don Juan Manuel. Detalle del retablo de Santa Lucía de la catedral de Murcia.

Castillo de Peñafiel.

Manuscrito de *El Conde Lucanor* (Biblioteca Nacional de Madrid).

Primera edición de *El Conde Lucanor* (1575).

Cortesía entre caballeros cristianos
y moros (manuscrito de las
Cantigas).

Doña Juana Manuel, hija de Don
Juan Manuel, con su hija Juana.

Caballero medieval. Museo de Arte de Cataluña, Barcelona.

Jaime II de Aragón. Tabla de comienzos del s. xv. Museo de Arte de
Cataluña, Barcelona.

Nota previa

Reproduzco el texto fijado por José Manuel Blecua en 1983 e incluido en el tomo II de las *Obras completas* de don Juan Manuel (Madrid, Gredos, pp. 7-503). He aceptado sugerencias y correcciones propuestas por Reinaldo Ayerbe-Chaux (Madrid, Alhambra, 1983), el único investigador que ha intentado fijar una edición crítica teniendo presentes todos los manuscritos en que se conserva el *Libro del Conde Lucanor*.

Los criterios textuales seguidos en esta edición son los siguientes:

1. Conservación de las grafías con valor fonológico; así, se han mantenido el sistema de sibilantes y la *f* inicial cuando es aspirada, y se han distinguido los sonidos fricativo y oclusivo de las consonantes *v/b*.

2. Se ha restituido a la *u* y a la *v* su valor vocálico o consonántico.

3. Se ha mantenido la vacilación de *n/m* ante *b* o *p* como sugiere Blecua, salvo en el encabezamiento de los cuentos *(exemplo)*.

4. Se han resuelto las abreviaturas sin indicación de las letras suplidas y se han usado los corchetes [ ] para la adición de letras.

5. Se han unido y separado las palabras según criterios modernos.

6. Se ha normalizado la conjunción copulativa en la forma de *et*.

7. Se ha separado *por que* en los casos en que tiene valor final y cuando el segundo elemento es un relativo.

8. La acentuación ha seguido las normas ortográficas actuales, salvo en las siguientes palabras donde la tilde tiene valor distintivo: *ý:* allí; *ál:* otro; *ó:* donde; *dél:* de él; *á:* ha o hay; *só:* soy; de la misma manera, se ha conservado el acento en las formas verbales aunque fueran seguidas del pronombre átono: *tomól, conseiól. Mío* se acentúa como pronombre, pero no como adjetivo *(mio entendimiento)*.

9. El sistema de puntuación y de división de párrafos ha corregido, en bastantes casos, el propuesto por los editores antes citados.

Ha resultado difícil fijar los criterios de selección de los treinta y un cuentos de la presente antología. Mi principal empeño ha sido escoger aquellos que muestren de forma más clara el pensamiento de don Juan Manuel sobre los problemas humanos, sociales y religiosos de su tiempo. He elegido también los cuentos de mayor perfección artística. Fundamentalmente, los «exemplos» excluidos carecían de valor anecdótico (fábulas) o añadían poco al conocimiento de la obra manuelina.

Por último, quiero expresar mi reconocimiento a los tres investigadores que han hecho posible este texto y buen número de notas que a él van incorporadas: José Manuel Blecua es el conocedor más profundo de la obra de don Juan Manuel; a Reinaldo Ayerbe-Chaux se le debe no sólo la edición crítica mencionada, sino uno de los estudios más profundos sobre el significado de los cuentos, y a Daniel Devoto siempre hay que agradecerle la gran cantidad de datos e ideas expuestas en su estudio aún no superado. Todos ellos animan las páginas del presente volumen.

LIBRO DEL CONDE LUCANOR

[PRÓLOGO GENERAL]

Este libro fizo don Iohan, fijo del muy noble infante don Manuel, deseando que los omnes fiziessen en este mundo tales obras que les fuessen aprovechosas de las onras et de las faziendas[1] et de sus estados,[2] et fuessen más allegados[3] a la carrera[4] por que pudiessen salvar las almas. Et puso en él los enxienplos[5] más aprovechosos que él sopo de las cosas que acaesçieron,[6] por que los omnes puedan fazer esto que dicho es. Et sería maravilla si de qualquier cosa que acaezca a qualquier omne, non fallare en este libro su semejança que acaesçió a otro. [1]

---

[1] *faziendas:* conjunto de hechos y acciones que constituyen la vida externa del individuo. [2] *estados:* condición, clase social u oficio de una persona. [3] *allegados:* cercanos. [4] *carrera:* camino. [5] *enxienplo:* término ambiguo; aquí, fábula o cuento de la que se desprende una lección moral. [6] *acaesçieron:* sucedieron, pasaron.

(1) La primera necesidad del autor medieval es declarar el sentido didáctico de su obra; don Juan Manuel propone «exemplos» para que el hombre actúe y viva según la enseñanza desprendida de ellos. El mayor número de cuentos se referirá a las acciones y decisiones del individuo («fazienda») que puedan ser peligrosas para su dignidad («onra») y estima social («estado»): tres condiciones que deben mantenerse para lograr la salvación de las almas. (Véase Documento 2.7.)

Et porque don Iohan vio et sabe que en los libros conteçe muchos yerros en los trasladar[7] porque las letras semejan unas a otras, cuydando[8] por la una letra que es otra, en escriviéndolo, múdasse toda la razón et por aventura confóndesse; et los que después fallan aquello escripto, ponen la culpa al que fizo el libro. Et porque don Iohan se reçeló[9] desto, ruega a los que leyeren qualquier libro que fuere trasladado del que él conpuso, o de los libros que él fizo, que si fallaren alguna palabra mal puesta, que non pongan[10] la culpa a él fasta que bean el libro mismo que don Iohan fizo, que es emendado, en muchos logares, de su letra. Et los libros que él fizo son éstos, que él a fecho fasta aquí: la *Crónica abreviada*, el *Libro de los sabios*, el *Libro de la cavallería*, el *Libro del infante*, el *Libro del cavallero et del escudero*, el *Libro del Conde*, el *Libro de la caça*, el *Libro de los engeños*, el *Libro de los cantares*.[11] Et estos libros están en el monesterio de los frayres predicadores que él fizo en Peñafiel.[12 (2)] Pero, desque vieren los libros que él fizo, por las menguas[13] que en ellos fallaren, non pongan la culpa a la su entençion, mas pónganla a la mengua del su entendimiento, porque se atrevió a sse entremeter a fablar en tales cosas.[(3)] Pero

---

[7] *trasladar:* copiar.   [8] *cuydando:* pensando.   [9] *se reçeló:* temió.   [10] *pongan:* echen.   [11] Se han perdido el *Libro de los sabios*, el *Libro de los engeños* y el *Libro de los cantares*. El *Libro del Conde* es este que se edita y el *Libro del infante* es el *Libro de los Estados*.   [12] *Peñafiel:* monasterio fundado por don Juan Manuel en 1318.   [13] *menguas:* faltas.

---

(2) Don Juan Manuel plantea el grave problema de la transmisión textual: el paso de un manuscrito a otro podía engendrar errores de escritura que llegaran incluso a alterar el sentido del texto. Esta preocupación es indicio de la meticulosidad y del deseo de perfeccionamiento de estilo con que trabajaba don Juan Manuel: primer autor medieval que se declara orgulloso por escribir una obra bella y se afana por conservarla así. (Véase Documento 1.4.)

(3) Tópico de la falsa modestia. El autor medieval se presenta ante el público de una manera humilde, aparentando incultura e ignorancia para ganar su benevolencia.

Dios sabe que lo fizo por entençión que se aprovechassen de lo que él diría las gentes que non fuessen muy letrados[14] nin muy sabidores.[15] Et por ende,[16] fizo todos los sus libros en romançe,[17] et esto es señal[18] çierto que los fizo para los legos[19] et de non muy grand saber commo lo él es.[(4)] Et de aquí adelante, comiença el prólogo del *Libro de los Enxienplos del Conde Lucanor et de Patronio.*

<hr>

[14] *letrados:* educados, cultos.   [15] *sabidores:* sabios.   [16] *por ende:* por esto.   [17] *romançe:* lengua vulgar derivada de la latina.   [18] *señal:* signo.   [19] *lego:* no letrado, ignorante.

(4) Nueva exposición del tópico de falsa modestia: don Juan Manuel sabía muy bien latín y era hombre instruido. A pesar de ello, ni sigue la retórica latina ni declara sus fuentes porque él era consciente de iniciar una nueva forma de expresión en «romance» o lenguaje castellano; él se siente maestro de un público nuevo, con el que incluso quiere compartir la ignorancia. (Véase nota 21 del Documento 1.4.)

[PRÓLOGO AL *LIBRO DE LOS ENXIENPLOS DEL CONDE LUCANOR ET DE PATRONIO*]

En el nonbre de Dios: amén. Entre muchas cosas estrañas et marabillosas que nuestro Señor Dios fizo, tovo por bien de fazer una muy marabillosa; ésta es que de quantos omnes en el mundo son, non á[1] uno que semeje[2] a otro en la cara; ca[3] commo quier que[4] todos los omnes an essas mismas cosas en la cara, los unos que los otros, pero las caras en sí mismas non semejan las unas a las otras. Et pues en las caras, que son tan pequeñas cosas, ha en ellas tan grant departimiento,[5] menor marabilla es que aya departimiento en las voluntades et en las entenciones de los omnes. Et assí fallaredes que ningún omne non se semeja del todo en la voluntad nin en la entención con otro. Et fazervos he[6] algunos enxienplos por que lo entendades mejor.

Todos los que quieren et desean servir a Dios, todos quieren una cosa, pero non lo sirven todos en una manera: que unos le sirven en una manera et otros en otra. Otrosí, los que sirven[7] a los señores, todos los sirven, mas non los sirven todos en una

---

[1] *á:* hay. [2] *semeje:* se parezca. [3] *ca:* porque. [4] *commo quier que:* aunque. [5] *departimiento:* diferencia. [6] *fazervos he:* os haré. [7] *sirven:* en el sentido de 'servicio' como vasallaje medieval.

manera. Et los que labran et crían et trebejan⁸ et caçan et fazen todas las otras cosas, todos las fazen, mas non las entienden nin las fazen todos en una manera. Et así, por este exienplo et por otros que serién muy luengos de dezir, podedes entender que, commo quier que los omnes todos sean omnes et todos ayan voluntades et entençiones, que atán⁹ poco commo se semejan en las caras, tan poco se semejan en las entençiones et en las voluntades; pero todos se semejan en tanto que todos usan et quieren et aprenden mejor aquellas cosas de que se más pagan¹⁰ que las otras. Et porque cada omne aprende mejor aquello de que se más paga, por ende¹¹ el que alguna cosa quiere mostrar a otro, dévegelo mostrar en la manera que entendiere que será más pagado el que la ha de aprender. Et porque a muchos omnes las cosas sotiles non les caben en los entendimientos, porque non las entienden bien, non toman plazer en leer aquellos libros, nin aprender lo que es escripto en ellos. Es porque non toman plazer en ello, non lo pueden aprender nin saber así commo a ellos cunplía.¹²

Por ende, yo, don Iohan, fijo del infante don Manuel, adelantado mayor¹³ de la frontera et del regno de Murçia, fiz¹⁴ este libro conpuesto de las más apuestas¹⁵ palabras que yo pude, et entre las palabras entremetí algunos exienplos de que se podrían aprovechar los que los oyeren.⁽⁵⁾ Et esto fiz segund la manera que fazen los físicos,¹⁶ que quando quieren fazer alguna meli-

---

⁸ *trebejan:* participan en torneos. ⁹ *atán:* tan. ¹⁰ *se más pagan:* más se contentan. ¹¹ *por ende:* por ello. ¹² *cunplía:* convenía. ¹³ *adelantado mayor:* gobernador militar y civil. ¹⁴ *fiz:* hice. ¹⁵ *apuestas:* hermosas. ¹⁶ *físicos:* médicos.

(5) Es la declaración más precisa que don Juan Manuel ofrece de su voluntad de estilo: pretensión de perfección formal y de belleza literaria para cautivar el espíritu de los oidores o lectores y hacerles, entonces, partícipes de la doctrina que él quería difundir. Explica, también, don Juan Manuel su forma de componer: el término «palabras» (con clara significación religiosa) alude a los temas didácticos y el concepto «exiemplos» se usa con el sentido de «cuento literario»: los dos planos se «entremeten», dando lugar a la estructura general del libro.

zina[17] que aproveche al fígado, por razón que naturalmente[18] el fígado se paga de las cosas dulçes, mezclan con aquella melezina que quieren melezinar el fígado, açúcar o miel o alguna cosa dulçe; et por el pagamiento[19] que el fígado á de la cosa dulçe, en tirándola[20] para sí, lieva[21] con ella la melezina quel á de aprovechar. Et esso mismo fazen a qualquier mienbro que aya mester[22] alguna melezina, que sienpre la dan con alguna cosa que naturalmente aquel mienbro la aya de tirar a sí. Et a esta semeiança, con la merçed de Dios, será fecho este libro, et los que lo leyeren si por su voluntad tomaren plazer de las cosas provechosas que ý[23] fallaren, será bien; et aun los que lo tan bien non entendieren, non podrán escusar[24] que, en leyendo el libro, por las palabras falagueras[25] et apuestas que en él fallarán, que non ayan a leer las cosas aprovechosas que son ý mezcladas, et aunque ellos non lo deseen, aprovecharse an dellas, así commo el fígado et los otros mienbros dichos se aprovechan de las melezinas que son mezcladas con las cosas de que se ellos pagan. Et Dios, que es conplido[26] et conplidor[27] de todos los buenos fechos, por la su merçed et por la su piadat,[28] quiera que los que este libro leyeren, que se aprovechen dél a serviçio de Dios et para salvamiento de sus almas et aprovechamiento de sus cuerpos; así commo Él sabe que yo, don Iohan, lo digo a essa entención. Et lo que ý fallaren que non es tan bien dicho, non pongan la culpa a la mi entençión, mas pónganla a la mengua[29] del mio entendimiento. Et si alguna cosa fallaren bien dicha o aprovechosa, gradéscanlo[30] a Dios, ca Él es aquél por quien todos los buenos dichos et fechos se dizen et se fazen.[(6)]

---

[17] *melizina:* medicina. [18] *naturalmente:* por su naturaleza. [19] *pagamiento:* atracción. [20] *en tirándola:* atrayéndola. [21] *lieva:* lleva. [22] *mester:* necesidad. [23] *ý:* allí. [24] *escusar:* evitar. [25] *falagueras:* halagüeñas. [26] *conplido:* perfecto. [27] *conplidor:* realizador de perfecciones. [28] *piadat:* piedad. [29] *mengua:* falta. [30] *gradéscanlo:* agradézcanlo. [31] *manera:* materia.

---

(6) Los «exemplos» no son sólo cuentos de carácter literario; pueden ser semejanzas con intención también didáctica: así, comienza este Prólogo con el «exemplo» de la diferencia de las cosas, que ilustra acerca de la desigualdad entre los hombres, y prosigue con el «exemplo» de las

Et pues el prólogo es acabado, de aquí adelante començaré la manera[31] del libro, en manera de un grand señor que fablava con su consegero. Et dizían al señor, conde Lucanor, et al consegero, Patronio.[7]

---

[31] *manera:* materia.

formas de servir a Dios. Un tercer tipo de «exemplo» es el relato breve que sirve de semejanza y que está basado en un argumento muy esquemático: es la historia del hígado que corresponde al tema de dorar o endulzar la píldora para que la medicina sea aprovechada. Don Juan Manuel —muy cercano a Juan Ruiz— se justifica por utilizar materiales ficticios y descubre la forma en que él va a suministrar la enseñanza: es decir, se sirve de «exemplos» para explicar qué son los «exemplos».

(7) Explicitación de los personajes ficticios que don Juan Manuel inventa para estructurar el libro como un diálogo continuado entre dos caracteres distintos que irán desplegándose en múltiples perspectivas de desarrollo; cada uno posee su identidad: Patronio propone ejemplos para moldear la conducta de su noble señor, el conde Lucanor, enfrentado a diversas vicisitudes de la vida..

EXEMPLO I.º

DE LO QUE CONTESÇIÓ[1] A UN REY CON UN SU PRIVADO[2]

Acaesçió[3] una vez que el conde Lucanor estava fablando en su poridat[4] con Patronio, su consegero, et díxol:[5]

—Patronio, a mí acaesçió que un muy grande omne et mucho onrado, et muy poderoso, et que da a entender que es ya quanto[6] mio amigo, que me dixo pocos días ha, en muy grant poridat, que por algunas cosas quel acaesçieran, que era su voluntad de se partir desta tierra et non tornar a ella en ninguna manera, et que por el amor et grant fiança[7] que en mí avía, que me quería dexar toda su tierra: lo uno vendido et lo ál[8] comendado.[9] Et pues esto quiere, seméjame muy grand onra et grant aprovechamiento para mí; et vos dezitme et consejadme lo que vos paresçe en este fecho.

—Señor conde Lucanor —dixo Patronio—, vien entiendo que el mio consejo non vos faze grant mengua, pero vuestra voluntad es que vos diga lo que en esto entiendo, et vos conseje sobre ello, fazerlo he luego. Primeramente, vos digo que esto que aquel

---

[1] *contesçió:* aconteció, sucedió.   [2] *su privado:* consejero suyo.   [3] *acaesçió:* pasó [comienzo intemporal de los cuentos].   [4] *poridat:* secreto.   [5] *díxol:* le dijo.   [6] *ya quanto:* algo.   [7] *fiança:* confianza.   [8] *lo ál:* lo otro.   [9] *comendado:* encomendado.

que cuydades[10] que es vuestro amigo vos dixo, que non lo fizo sinon por vos provar. Et paresçe que vos conteçió con él commo contençió a un rey con un su privado.

El conde Lucanor le rogó quel dixiese cómmo fuera aquello.

—Señor —dixo Patronio—, un rey era que avía un privado en que fiava mucho. Et porque non puede seer que los omnes que alguna buena andança[11] an, que algunos otros non ayan envidia dellos, por la privança et bien andança que aquel su privado avía, otros privados daquel rey avían muy grant envidia et trabajávanse[12] del buscar mal con el rey, su señor. Et commo quier que muchas razones le dixeron, nunca pudieron guisar[13] con el rey quel fiziese ningún mal, nin aun que tomase sospecha nin dubda dél, nin de su serviçio. Et de que vieron que por otra manera non pudieron acabar lo que querían fazer, fizieron entender al rey que aquel su privado que se trabaiava de guisar por que él muriese, et que un fijo pequeño que el rey avía, que fincase[14] en su poder,[15] et de que él fuese apoderado de la tierra, que guisaría cómmo muriese el mozo et que fincaría él señor de la tierra. Et commo quier que fasta entonce non pudieran poner en ninguna dubda al rey contra aquel su privado, de que esto le dixeron, non lo pudo sofrir el coraçón que non tomase dél reçelo.[8] Ca en las cosas en que tan grant mal ha, que se non pueden cobrar[16] si se fazen, ningún omne cuerdo non deve esperar ende[17] la prueva. Et por ende, desque el rey fue caýdo en esta dubda et sospecha, estava con grant reçelo, pero non se quiso mover en ninguna cosa contra aquel su privado, fasta que desto sopiese alguna verdat.

---

[10] *cuydades:* pensáis. [11] *andança:* fortuna. [12] *trabajávanse:* se afanaban. [13] *guisar:* disponer. [14] *fincase:* quedase. [15] *poder:* custodia. [16] *cobrar:* recobrar. [17] *ende:* de ello.

---

(8) El planteamiento de la situación inicial de este «exemplo» estaría inspirado, posiblemente, en la propia biografía de don Juan Manuel, ya que él participó en numerosas intrigas palaciegas similares a ésta; baste con recordar que fue acusado de querer quedarse con la corona.

Et aquellos otros que buscavan mal a aquel su privado dixiéronle una manera[18] muy engañosa en cómmo podría provar que era verdat aquello que ellos dizían, et enformaron bien al rey en una manera engañosa, segund adelante oydredes,[19] cómmo fablase con aquel su privado. Et el rey puso en su coraçón de lo fazer et fízolo.

Et estando a cabo de algunos días el rey fablando con aquel su privado, entre otras razones muchas que fablaron, començól un poco a dar a entender que se despagava[20] mucho de la vida deste mundo et quel paresçía que todo era vanidat. Et entonçe non le dixo más. Et después, a cabo de algunos días, fablando otra vez con el aquel su privado, dándol a entender que sobre otra razón començava aquella fabla, tornól a dezir que cada día se pagava menos de la vida deste mundo et de las maneras que en él veýa. Et esta razón le dixo tantos días et tantas vegadas,[21] fasta que el privado entendió que el rey non tomava ningún plazer en las onras deste mundo, nin en las riquezas, nin en ninguna cosa de los vienes nin de los plazeres que en este mundo avié. Et desque el rey entendió que aquel su privado era vien caýdo en aquella entençión, díxol un día que avía pensado de dexar el mundo et yrse desterrar a tierra do non fuesse conosçido, et catar[22] algún lugar extraño et muy apartado en que fiziese penitençia de sus pecados. Et que, por aquella manera, pensava que le avría Dios merçed dél et podría aver la su gracia por que ganase la gloria del Paraýso.

Quando el privado del rey esto le oyó dezir, estrañógelo mucho, deziéndol muchas maneras por lo que lo non devía fazer. Et entre las otras, díxol que si esto fiziese, que faría muy grant deserviçio a Dios en dexar tantas gentes commo avía en el su regno, que tenía él vien mantenidas en paz et en justiçia, et que era çierto que luego que él dende[23] se partiese, que avría entrellos muy grant bolliçio[24] et muy grandes contiendas, de que tomaría Dios muy grant deserviçio et la tierra[25] muy grant dapño; et

---

[18] *manera:* razón.   [19] *oydredes:* oiréis.   [20] *despagava:* cansaba.   [21] *vegadas:* veces.   [22] *catar:* buscar.   [23] *dende:* de allí.   [24] *bolliçio:* alboroto.   [25] *tierra:* territorio.

quando por todo esto non lo dexase, que lo devía dexar por la reyna, su muger, et por un fijo muy pequeñuelo que dexava: que era çierto que serían en muy grant aventura, tan bien[26] de los cuerpos, commo de las faziendas.

A esto respondió el rey que, ante que él pusiesse en toda guisa[27] en su voluntad de se partir de aquella tierra, pensó él la manera en cómmo dexaría recabdo[28] en su tierra por que su muger et su fijo fuessen servidos et toda su tierra guardada; et que la manera era ésta: que vien sabía él que el rey le avía criado et le avía fecho mucho bien et quel fallara sienpre muy leal, et quel serviera muy bien et muy derechamente, et que por estas razones, fiava en él más que en omne del mundo, et que tenía por bien del dexar la muger et el fijo en su poder, et entergarle[29] et apoderarle[30] en todas las fortalezas et logares del regno, por que ninguno non pudiese fazer ninguna cosa que fuese deserviçio de su fijo; et si el rey tornase en algún tiempo, que era çierto que fallaría muy buen recabdo en todo lo que dexase en su poder; et si por aventura muriese, que era çierto que serviría muy bien a la reyna, su muger, et que criaría[31] muy bien a su fijo, et quel ternía[32] muy bien guardado el su regno fasta que fuese de tiempo que lo pudiese muy bien governar; et así, por esta manera, tenía que dexava recabdo en toda su fazienda.

Quando el privado oyó dezir al rey que quería dexar en su poder el reyno et el fijo, commo quier que lo non dio a entender, plógol[33] mucho en su coraçón, entendiendo que pues todo fincava en su poder, que podría obrar en ello commo quisiese.

Este privado avía en su casa un su cativo que era muy sabio omne et muy grant philósopho. Et todas las cosas que aquel privado del rey avía de fazer, et los consejos quél avía a dar, todo lo fazía por consejo de aquel su cativo que tenía en casa.

Et luego que el privado se partió del rey, fuese para aquel su cativo, et contól todo lo quel conteçiera[34] con el rey, dándol a

---

²⁶ *tan bien:* tanto. ²⁷ *en toda guisa:* en toda manera. ²⁸ *recabdo:* gobierno. ²⁹ *entergarle:* entregarle. ³⁰ *apoderarle:* conferirle el poder. ³¹ *criaría:* educaría. ³² *ternía:* tendría. ³³ *plógol:* le alegró. ³⁴ *conteçiera:* aconteciera, sucediera.

entender, con muy grant plazer et muy grand alegría, quánto de
buena ventura era, pues el rey le quería dexar todo el reyno et
su fijo en su poder.

Quando el philósopho que estava cativo oyó dezir a su señor
todo lo que avía pasado con el rey, et cómmo el rey entendiera
que quería él tomar en poder a su fijo et al regno, entendió que
era caýdo en grant yerro, et començólo a maltraer[35] muy fieramente, et díxol que fuese çierto que era en muy grant peligro
del cuerpo et de toda su fazienda, ca todo aquello quel rey le dixiera, non fuera porque el rey oviese voluntad de lo fazer, sinon
que algunos quel querían mal avían puesto[36] al rey quel dixiese aquellas razones por le provar, et pues entendiera el rey quel
plazía, que fuesse çierto que tenía el cuerpo et su fazienda en
muy grant peligro.

Quando el privado del rey oyó aquellas razones, fue en muy
gran cuyta,[37] ca entendió verdaderamente que todo era así commo aquel su cativo le avía dicho. Et desque aquel sabio que tenía en su casa le vio en tan grand cuyta, consejól que tomase
una manera commo podrié escusar de aquel peligro en que estava.

Et la manera fue ésta: luego, aquella noche, fuese raer[38] la cabeça et la barba, et cató una vestidura muy mala et toda ape-
daçada, tal qual suelen traer estos omnes que andan pidiendo
las limosnas andando en sus romeryas, et un vordón,[39] et unos
çapatos rotos et bien ferrados; et metió entre las costuras de aquellos pedaços de su vestidura una grant quantía de doblas.[40] Et
ante que amaniçiese, fuese para la puerta del rey, et dixo a un
portero que ý falló que dixiese al rey que se levantase por que
se pudiesen yr ante que la gente despertasse, ca él allí estava esperando; et mandól que lo dixiese al rey en gran poridat. Et el
portero fue muy marabillado quandol vio venir en tal manera,
et entró al rey et díxogelo así commo aquel su privado le mandara. Desto se marabilló el rey, et mandó quel dexase entrar.

---

[35] *maltraer:* tratar mal, reprender. [36] *puesto:* convencido. [37] *cuyta: pena.*
[38] *raer:* afeitar. [39] *vordón:* bordón, bastón de peregrino. [40] *doblas:* monedas
de oro.

Desque lo vio cómmo vinía, preguntól por qué fiziera aquello. El privado le dixo que bien sabía cómol dixiera que se quería yr desterrar, et pues él así lo quería fazer, que nunca quisiese Dios que él desconosçiesse quánto bien le feziera; et que así commo de la onra et del bien que el rey obiera, tomara muy grant parte, que así era muy grant razón que de la lazeria[41] et del desterramiento que el rey quería tomar, que él otrosí[42] tomase ende su parte. Et pues el rey non se dolía de su muger et de su fijo et del regno et de lo que acá dexava, que non era razón que se doliese él de lo suyo, et que yría con él, et le serviría en manera que ningún omne non gelo[43] pudiese entender, et que aun le levava[44] tanto aver[45] metido en aquella su vestidura, que les avondaría[46] asaz[47] en toda su vida, et que, pues que a yrse avían, que se fuesen ante que pudiesen ser conosçidos.

Quando el rey entendió todas aquellas cosas que aquel su privado le dizía, tovo que gelo dizía todo con lealtad, et gradençiógelo mucho, et contól toda la manera en cómmo oviera a seer engañado et que todo aquello le fiziera el rey por le provar.[(9)] Et así, oviera a seer aquel privado engañado por mala cobdiçia, et quísol Dios guardar, et fue guardado por consejo del sabio que tenía cativo en su casa.

Et vos, señor conde Lucanor, á menester[48] que vos guardedes que non seades engañado déste que tenedes por amigo; ca çierto sed que esto que vos dixo que non lo fizo sinon por provar qué es lo que tiene en vos. Et conviene que en tal manera fabledes con él, que entienda que queredes toda su pro[49] et su onra, et que non avedes cobdiçia de ninguna cosa de lo suyo, ca si omne

---

[41] *lazeria:* sufrimiento. [42] *otrosí:* también. [43] *gelo:* se lo. [44] *levava:* llevaba. [45] *aver:* dinero. [46] *avondaría:* bastaría. [47] *asaz:* bastante. [48] *á menester:* es necesario. [49] *pro:* beneficio, ventaja.

(9) Culmina, en este momento, el *suspense* creado por don Juan Manuel mediante el empleo de la 'técnica de ocultación': los personajes han aparentado actitudes que disimulaban sus verdaderos propósitos (el rey engaña a su privado, quien consigue escapar de la trampa mediante otro engaño ideado por su consejero).

estas dos cosas non guarda a su amigo, non puede durar entre ellos el amor[50] luengamente.

El conde se falló por bien aconsejado del consejo de Patronio, su consejero. Et fízolo commo él le consejera et fallóse ende bien. [(10)]

Et entendiendo don Iohan que estos exienplos eran muy buenos, fízolos escribir en este libro et fizo estos viessos[51] en que se pone la sentençia[52] de los exienplos. Et los viessos dizen assí:

> *Non vos engañedes, nin creades que, endonado,[53]*
> *faze ningún omne por otro su daño de grado.*

Et los otros dizen assí:

> *Por la piadat de Dios et por buen consejo,*
> *sale omne de coyta[54] et cunple su deseo.*

Et la estoria[55] deste exienplo es esta que se sigue:

---

[50] *amor:* amistad. [51] *viessos:* versos. [52] *sentençia:* conclusión. [53] *endonado:* por favor. [54] *coyta:* cuita, pena. [55] Sólo en el ms. *S* aparece esta fórmula final cerrando cada «exemplo»; como figura, a continuación de la misma, un espacio en blanco, supone Blecua que «estoria» equivale a 'dibujo' o 'representación gráfica' que ilustraría alguna escena del cuento narrado. En confirmación de esta hipótesis, cabe aducir que en el Ex. XXXII, la palabra «estoria» significa también 'figura, dibujo' (véase nota 2 de ese «exemplo»).

---

(10) No es casual que el *Libro del Conde Lucanor* comience con un «exemplo» en que se distinguen los buenos de los malos consejeros (o privados envidiosos), a través de un complicado juego de perspectivas: el conde Lucanor, privado de un hombre poderoso, consulta a Patronio acerca de una situación en apariencia positiva; en el cuento aparece un privado (imagen del conde Lucanor) que por seguir el consejo de su cautivo (imagen de Patronio) se salva. Es un «exemplo», por tanto, que sirve de introducción al conjunto de la obra, ya que indica cómo ha de ser la relación entre consejero y aconsejado. Nótese también el complicado cierre del cuento: polípote basado en «consejo», cuyo núcleo semántico se desarrolla en cuatro palabras.

EXEMPLO II.º

DE LO QUE CONTESÇIÓ A UN OMNE BUENO[1] CON SU FIJO

Otra vez acaesçió[2] que el conde Lucanor fablava con Patronio, su consejero, et díxol cómmo estava en grant coydado[3] et en grand quexa[4] de un fecho que quería fazer, ca, si por aventura[5] lo fiziese, sabía que muchas gentes le travarían[6] en ello; et otrosí, si non lo fiziese, que él mismo entendié quel podrían travar en ello con razón. Et díxole quál era el fecho, et él rogól quel consejase lo que entendía que devía fazer sobre ello.

—Señor conde Lucanor —dixo Patronio—, bien sé yo que vos fallaredes[7] muchos que vos podrían consejar mejor que yo, et a vos dio Dios muy buen entendimiento, que sé que mi consejo que vos faze muy pequeña mengua,[8] mas pues lo queredes, decirvos he lo que ende[9] entiendo. Señor conde Lucanor —dixo Patronio—, mucho me plazería[10] que parásedes mientes[11] a un exienplo de una cosa que acaesçió una vegada[12] a un omne bueno con su fijo.

El conde le rogó quel dixiese que cómmo fuera aquello. Et Patronio dixo:

—Señor, assí contesçió que un omne bueno avía un fijo; commo quier que[13] era moço segund sus días,[14] era asaz de sotil entendimiento.[15] Et cada[16] que el padre alguna cosa quería fazer, porque pocas son las cosas en que algún contrallo[17] non puede acaesçer, dizíal el fijo que en aquello que él quería fazer, que

---

[1] *omne bueno:* hombre honrado (en el Ex. XI tendrá también el carácter de noble). [2] *acaesçió:* sucedió. [3] *coydado:* cuidado, preocupación. [4] *quexa:* pena, apuro. [5] *por aventura:* por ventura, acaso. [6] *travarían:* censurarían. [7] *fallaredes:* hallaréis, encontraréis. [8] *mengua:* falta, necesidad. [9] *ende:* de ello. [10] *plazería:* agradaría. [11] *parásedes mientes:* prestaseis atención. [12] *vegada:* vez. [13] *commo quier que:* aunque. [14] *días:* años, edad. [15] *era asaz de sotil entendimiento:* poseía un hábil, agudo entendimiento. [16] *cada:* siempre. [17] *contrallo:* contrario.

veýa·él que podría acaesçer el contrario. Et por esta manera le
partía[18] de fazer algunas cosas quel conplían[19] para su fazienda.
Et vien cred[20] que quanto los moços son más sotiles de entendimiento, tanto son más aparejados[21] para fazer grandes yerros
para sus faziendas: ca an entendimiento para començar la cosa,
mas non saben la manera cómmo se puede acabar, et por esto
caen en grandes yerros, si non an qui[22] los guarde dello. [(11)] Et
así, aquel moço, por la sotileza[23] que avía del entendimiento et
quel menguava[24] la manera de saber fazer la obra conplidamen-
te, enbargava[25] a su padre en muchas cosas que avié de fazer. Et
de que el padre passó grant tienpo esta vida con su fijo, lo uno
por el daño que se le seguía de las cosas que se le enbargavan
de fazer, et lo ál,[26] por el enojo que tomava de aquellas cosas que
su fijo le dizía, et señaladamente lo más, por castigar[27] a su fijo
et darle exienplo cómmo fiziese en las cosas quel acaesçiesen adelante, tomó esta manera segund aquí oyredes.

El omne bueno et su fijo eran labradores et moravan çerca de
una villa. Et un día que fazían ý[28] mercado, dixo a su fijo que
fuesen amos[29] allá para conprar algunas cosas que avían mester,[30] et acordaron de levar[31] una vestia en que lo traxiesen. Et

---

[18] *le partía:* le alejaba.   [19] *conplían:* convenían.   [20] *cred:* creed.   [21] *aparejados:*
dispuestos.   [22] *si non an qui:* si no tienen quien.   [23] *sotileza:* habilidad, agudeza.   [24] *quel menguava:* que le faltaba.   [25] *enbargava:* impedía, estorbaba.   [26] *lo
ál:* lo otro.   [27] *castigar:* corregir, aconsejar.   [28] *ý:* allí.   [29] *amos:* ambos, los
dos.   [30] *avían mester:* necesitaban.   [31] *levar:* llevar.

---

(11) La caracterización de los personajes se construye desde el tópico
puer-senex (joven-anciano); por medio de esta oposición (falta de expe-
riencia-madurez de entendimiento) don Juan Manuel organiza la acción
del relato. De esta manera, el argumento se vincula al mundo interior
de los dos personajes, surge de su forma de ser y de existir, por lo que
el lector podrá acceder de un modo más directo a la enseñanza ejemplar.
Esta reflexión moral (los mozos sutiles de entendimiento perjudican su
«fazienda») ayuda a anticipar el desenlace narrativo y sirve de clave para
ir entendiendo el desarrollo del cuento. No hay que olvidar que a don
Juan Manuel no le interesa la originalidad argumental, sino la originalidad artística.

yendo amos a mercado, levavan la vestia sin ninguna carga et yvan amos de pie et encontraron unos omnes que vinían daquella villa do[32] ellos yvan. Et de que fablaron en uno[33] et se partieron los unos de los otros, aquellos omnes que encontraron conmençaron a departir[34] ellos entre sí et dizían que non les paresçían de buen recabdo[35] aquel omne et su fijo, pues levavan la vestia descargada et yr entre amos de pie. El omne bueno, después que aquello oyó, preguntó a su fijo que quel paresçía daquello que dizían. Et el fijo dixo le paresçía que dizían verdat, que pues la vestia yba descargada, que non era buen seso[36] yr entre amos de pie. Et entonçe mandó el omne bueno a su fijo que subiese en la vestia.

Et yendo así por el camino, fallaron otros omnes, et de que se partieron dellos, conmençaron a dezir que lo errara[37] mucho aquel omne bueno, porque yva él de pie, que era viejo et cansado, et el moço, que podría sofrir lazeria,[38] yva en la vestia. Preguntó entonçe el omne bueno a su fijo que quel paresçía de lo que aquellos dizían; et él díxol quel paresçía que dizían razón. Entonçes mandó a su fijo que diciese[39] de la vestia et subió él en ella.

Et a poca pieça[40] toparon con otros, et dixieron que fazía muy desaguisado[41] dexar el moço, que era tierno et non podría sofrir lazeria, yr de pie, et yr el omne bueno, que era usado de pararse[42] a las lazerias, en la vestia. Estonçe preguntó el omne bueno a su fijo que quél paresçié destos que esto dizían. Et el moço díxol que, segund él cuydava,[43] quel dizían verdat. Entonçe mandó el omne bueno a su fijo que subiese en la vestia por que non fuese ninguno dellos de pie.

Et yendo así, encontraron otros omnes et começaron a dezir que aquella vestia en que yvan era tan flaca que abés[44] podría andar bien por el camino, et pues así era, que fazían muy grant

---

[32] *do:* donde. [33] *Et de que fablaron en uno:* Y después de que hablaron juntos. [34] *departir:* conversar. [35] *de buen recabdo:* de buena razón. [36] *seso:* juicio, entendimiento. [37] *lo errara:* se había equivocado. [38] *lazeria:* trabajo, cansancio. [39] *diciese:* descendiese. [40] *pieça:* rato. [41] *desaguisado:* desacertado. [42] *que era usado de pararse:* que solía estar acostumbrado. [43] *cuydava:* pensaba. [44] *abés:* apenas.

yerro yr entramos[45] en la vestia. Et el omne bueno preguntó al
su fijo que quél semejava[46] daquello que aquellos omes buenos
dizían; et el moço dixo a su padre quel semejava verdat aquello.
Estonçe el padre respondió a su fijo en esta manera:

—Fijo, bien sabes que quando saliemos de nuestra casa, que
amos veníamos de pie et trayamos la vestia sin carga ninguna;
et tú dizías que te semejava que era bien. Et después, fallamos
omnes en el camino que nos dixieron que non era bien, et mandéte yo sobir en la vestia et finqué[47] de pie; et tú dixiste que era
bien. Et después, fallamos otros omnes que dixieron que aquello non era bien, et por ende desçendiste tú et subí yo en la vestia; et tú dixiste que era aquello lo mejor. Et porque los otros
que fallamos dixieron que non era bien, mandéte subir en la vestia conmigo; et tú dixiste que era mejor que non fincar tú de
pie et yr yo en la vestia. Et agora estos que fallamos dizen que
fazemos yerro en yr entre amos en la vestia; et tú tienes que dizen verdat. Et pues que assí es, ruégote que me digas qué es lo
que podemos fazer en que las gentes non puedan travar,[48] ca ya
fuemos entramos de pie, et dixieron que non fazíamos bien; et
fu[49] yo de pie et tú en la vestia, et dixieron que errávamos; et
fu yo en la vestia et tú de pie, et dixieron que era yerro; et agora
ymos[50] amos en la vestia, et dizen que fazemos mal. Pues en ninguna guisa non puede ser que alguna destas cosas non fagamos,
et ya todas las fiziemos, et todos dizen que son yerro; et esto fiz
yo por que tomasses exienplo de las cosas que te acaesçiessen en
tu fazienda; ca çierto sey[51] que nunca farás cosa de que todos digan bien; ca si fuere buena la cosa, los malos et aquellos que se
les non sigue pro de aquella cosa, dirán mal della; et si fuere la
cosa mala, los buenos que se pagan del bien non podrían dezir
que es bien el mal que tú feziste. Et por ende, si tú quieres fazer
lo mejor et más a tu pro,[52] cata[53] que fagas lo mejor et lo que
entendieres que te cunple más, et sol que non sea mal,[54] non de-

---

[45] *entramos:* entrambos, como más arriba *entre amos*. [46] *quél semejava:* qué le
parecía. [47] *finqué:* quedé, permanecí. [48] *travar:* censurar, criticar. [49] *fu:*
fui. [50] *ymos:* vamos. [51] *sey:* sé. [52] *pro:* ventaja. [53] *cata:* mira. [54] *et sol que
non sea mal:* y con tal de que no sea algo malo.

xes de lo fazer por reçelo de dicho[55] de las gentes: ca çierto es
que las gentes a lo demás[56] sienpre fablan en las cosas a su voluntad, et non catan lo que es más a su pro. [12]

—Et vos, conde Lucanor, señor, en esto que me dezides que
queredes fazer et que reçelades que vos travarán las gentes en
ello, et si non lo fazedes, que esso mismo farán, pues me man-
dades que vos conseje en ello, el mi consejo es éste: que ante
que comencedes el fecho, que cuydedes[57] toda la pro o el dapño
que se vos puede ende seguir, et que non vos fiedes en vuestro
seso et que vos guardedes que vos non engañe la voluntad, et
que vos consejedes con los que entendiéredes que son de buen
entendimiento, et leales et de buena poridat.[58] Et si tal consejero non falláredes, guardat que vos non arrebatedes[59] a lo que
oviéredes a fazer,[60] a lo menos fasta que passe un día et una noche, si fuere cosa que se non pierda por tienpo. Et de que estas
cosas guardáredes en lo que oviéredes de fazer, et lo falláredes[61]
que es bien et vuestra pro, conséjovos yo que nunca lo dexedes
de fazer por reçelo de lo que las gentes podrían dello dezir.

El conde tovo por buen consejo lo que Patronio le consejava.
Et fízolo assí et fallóse ende[62] bien.

---

[55] *por reçelo de dicho:* por miedo a lo que digan.   [56] *a lo demás:* las más veces.   [57] *cuydedes:* penséis.   [58] *poridat:* secreto.   [59] *arrebatedes:* apresuréis.   [60] *a lo
que oviéredes a fazer:* a lo que tengáis que hacer.   [61] *falláredes:* hallareis, encon-
trareis.   [62] *ende:* por ello.

(12) Esta conclusión supone una de las más largas citas de estilo directo del libro; el padre resume y utiliza la perfecta simetría con la que
se ha organizado el relato: ha habido cuatro planos de acción (1. la mula
va descargada; 2. el hijo sube a la mula; 3. el hijo desciende y el padre
monta; 4. montan ambos) presentados de una manera muy rápida para
ofrecer un más vivo contraste entre las situaciones expuestas; a esos cuatro planos corresponden en la intervención del padre cuatro frases («et
tú dizías..., et tú dixiste..., et tú dixiste..., et tú tienes que dizen verdat...»)
que muestran la contradicción de opiniones que ha sido capaz de acep-
tar el hijo. Hay que notar que la sabiduría del padre se ha organizado
desde los paralelismos expuestos por don Juan Manuel en el interior
del relato contado en tercera persona.

Et quando don Iohan falló este exienplo, mandólo escrivir en este libro et fizo estos viessos en que está avreviadamente toda la sentençia [63] deste exienplo. Et los viessos dizen así:

> *Por dicho de las gentes*
> *sol* [64] *que non sea mal,*
> *al pro tenet las mientes,* [65]
> *et non fagades ál.* [66]

Et la estoria deste exienplo es ésta que se sigue:

EXEMPLO III.º

DEL SALTO QUE FIZO EL REY RICHALTE DE INGLATERRA EN LA MAR CONTRA LOS MOROS

Un día se apartó el conde Lucanor con Patronio, su consejero, et díxol así:

—Patronio, yo fío mucho en el vuestro entendimiento, et sé que lo que vos non entendiéredes, o a lo que non pudiéredes dar consejo, que non á ningún otro omne que lo pudiese açertar; [1] por ende, vos ruego que me consejedes lo mejor que vos entendierdes en lo que agora vos diré:

Vos sabedes muy bien que yo non só ya muy mançebo, et acaesçióme assí: que desde que fuy nasçido fasta agora, que sienpre me crié et visqué [2] en muy grandes guerras, a vezes con christianos et a vezes con moros, et lo demás [3] sienpre lo ove con reys, mis señores et mis vezinos. Et quando lo ove con christianos, commo quier que sienpre me guardé que nunca se levantase ninguna guerra a mi culpa, pero non se podía escusar de tomar muy grant daño muchos que lo non meresçieron. Et lo uno por

---

[63] *sentençia:* conclusión. [64] *sol:* salvo. [65] *al pro tenet las mientes:* prestad atención al provecho. [66] *et non fagades ál:* y no hagáis otra cosa.
[1] *açertar:* resolver. [2] *visqué:* viví. [3] *lo demás:* las más veces.

esto et por otros yerros que yo fiz contra nuestro señor Dios, et
otrosí, porque veo que por omne del mundo, nin por ninguna
manera, non puedo un día solo ser seguro de la muerte, et só
çierto que naturalmente,[4] segund la mi edat, non puedo vevir
muy luengamente, et sé que he de yr ante Dios, que es tal juez
de que non me puedo escusar por palabras, nin por otra manera, nin puedo ser jubgado sinon por las buenas obras o malas
que oviere fecho; et sé que si por mi desaventura fuere fallado
en cosa por que Dios con derecho aya de ser contra mí, só çierto
que en ninguna manera non pudié escusar de yr a las penas del
Infierno en que sin fin avré a fincar, et cosa del mundo non me
podía ý tener pro; et si Dios me fiziere tanta merçed por que Él
falle en mí tal meresçimiento, por que me deva escoger para ser
compañero de los sus siervos et ganar el Paraýso, sé, por çierto,
que a este bien et a este plazer et a esta gloria, non se puede con-
parar ningún otro plazer del mundo. Et pues este bien et este
mal tan grande non se cobra sinon por las obras, ruégovos que,
segund el estado[5] que yo tengo, que cuydedes et me conseiedes
la manera mejor que entendiéredes por que pueda fazer emienda a Dios de los yerros que contra Él fiz, et pueda aver la su gracia.

—Señor conde Lucanor —dixo Patronio—, mucho me plaze
de todas estas razones que avedes dicho, et señaladamente porque me dixiestes que en todo esto vos consejase segund el estado
que vos tenedes,[(13)] ca si de otra guisa me lo dixiéredes, bien cuydaría que lo dixiéredes por me provar segund la prueva que el
rey fezo[6] a su privado, que vos conté el otro día en el exienplo
que vos dixe; mas plázeme mucho porque dezides que queredes

---

[4] *naturalmente:* por la naturaleza.   [5] *estado:* grupo social.   [6] *fezo:* hizo.

(13) El problema planteado por el conde Lucanor es el más importante de todo el libro: cómo lograr la salvación dentro del *estado* al que
se pertenece. Don Juan Manuel postulará que el «estado» (o clase social) no puede abandonarse: los señores deben cumplir las obligaciones
relativas a su honra, y, de ellas, la mejor era la guerra contra los moros
(en el trasfondo de la Castilla del siglo XIV). (Véanse **39** y **53**.)

fazer emienda a Dios de los yerros que fiziestes, guardando vuestro estado et vuestra onra; ca çiertamente, señor conde Lucanor, si vos quisiéredes dexar vuestro estado et tomar vida de orden o de otro apartamiento, non podríades escusar que vos non acaesciesçen dos cosas: la primera, que seríades muy mal judgado de todas las gentes, ca todos dirían que lo faziades con mengua de coraçón et vos despagávades [7] de bevir entre los buenos; et la otra es que sería muy grant marabilia si pudiésedes sofrir las asperezas de la orden, et si después la oviésedes a dexar o bevir en ella, non la guardando commo deviades, seervos ýa [8] muy grant daño paral [9] alma et grant vergüença et grant denuesto [10] paral cuerpo et para el alma et para la fama. Mas pues este bien queredes fazer, plazerme ýa que sopiésedes lo que mostró Dios a un hermitaño muy sancto de lo que avía de conteçer a él et al rey Richalte de Englaterra.

El conde Lucanor le rogó quel dixiese que cómmo fuera aquello.

—Señor conde Lucanor —dixo Patronio—, un hermitaño era omne de muy buena vida, et fazía mucho bien et sufría grandes trabajos por ganar la gracia de Dios. Et por ende, fízol Dios tanta merçed quel prometió et le aseguró que avría la gloria de Paraýso. El hermitaño gradesçió esto mucho a Dios; et seyendo ya desto seguro, pidió a Dios por merçed quel mostrasse quién avía de seer su compañero en Paraýso. Et como quier que el Nuestro Señor le enviase dezir algunas vezes con el ángel que non fazía bien en le demandar [11] tal cosa, pero tanto se afincó [12] en su petiçión, que tovo por bien nuestro señor Dios del responder, et envióle dezir por su ángel que el rey Richalte de Inglaterra et él serían compañones [13] en Paraýso.

Desta razón non plogo mucho al hermitaño, ca él conosçía muy bien al rey et sabía que era omne muy guerrero et que avía muertos et robados et deseredados muchas gentes, et sienpre le

---

[7] *despagávades:* apartabais.   [8] *seervos ýa:* os sería.   [9] *paral:* para el.   [10] *denuesto:* tacha, reparo.   [11] *demandar:* preguntar.   [12] *se afincó:* insistió.   [13] *compañones:* compañeros.

viera fazer vida muy contralla[14] de la suya et aun, que paresçía muy alongado[15] de la carrera de salvación. Et por esto estava el hermitaño de muy mal talante.[16]

Et desque nuestro señor Dios lo vio así estar, enviól dezir con el su ángel que non se quexase nin se marabillase de lo quel dixiera, ca çierto fuesse que más serviçio fiziera a Dios et más meresçiera el rey Richalte en un salto que saltara, que el hermitaño en quantas buenas obras fiziera en su vida. El hermitaño se marabilló ende mucho, et preguntól cómmo podía esto seer.[(14)]

Et el ángel le dixo que sopiese que el rey de Françia[17] et el rey de Inglaterra et el rey de Navarra[18] pasaron a Ultramar.[19] Et el día que llegaron al puerto, yendo todos armados para tomar tierra, bieron en la ribera tanta muchedumbre de moros, que tomaron dubda[20] si podrían salir a tierra. Estonçe el rey de Françia envió dezir al rey de Inglaterra que viniese a aquella nave a do él estava et que acordarían cómmo avían de fazer. Et el rey de Inglaterra, que estava en su cavallo, quando esto oyó, dixo al mandadero del rey de Françia quel dixiese de su parte que bien sabía que él avía fecho a Dios muchos enojos et muchos pesares en este mundo, et que sienpre le pidiera merçed quel traxiese a tiempo quel fiziese emienda por el su cuerpo, et que, loado a Dios, que veýa el día que él deseava mucho; ca si allí muriese, pues avía fecho la emienda que pudiera ante que de su tierra se

―――――――――

    [14] *contralla:* contraria.   [15] *alongado:* alejado.   [16] *mal talante:* mala voluntad.   [17] Felipe Augusto, quien acompañó a Ricardo Corazón de León.   [18] Ningún rey navarro participó en la tercera cruzada de 1190.   [19] *Ultramar:* tierra de Oriente.   [20] *tomaron dubda:* dudaron.

(14) Este «exemplo» muestra dos relatos imbricados independientes entre sí, que surgen de la acción desarrollada por el interior del personaje inicial, el ermitaño. El primer relato corresponde al tema de la predestinación: el ermitaño obtiene, por revelación, la seguridad de que se salvará; una curiosidad suya le obliga a que el ángel le refiera la historia del rey Ricardo, segundo relato que permite que el ermitaño quede tranquilo.

partiesse, et estava en verdadera penitencia, que era çierto quel avría Dios merced al alma, et que si los moros fuessen vençidos, que tomaría Dios mucho serviçio, et serían todos muy de buena ventura.

Et de que esta razón ovo dicha, acomendó[21] el cuerpo et el alma a Dios et pidiól merçed quel acorriesse,[22] et signóse del signo de la sancta Cruz et mandó a los suyos quel ayudassen. Et luego dio de las espuelas al cavallo et saltó en la mar contra[23] la ribera do estavan los moros. Et commo quiera que estavan cerca del puerto, non era la mar tan vaxa que el rey et el cavallo non se metiessen todos so[24] el agua, en guisa que non paresçió dellos ninguna cosa; pero Dios, así commo señor tan piadoso et de tan grant poder, et acordándose de lo que dixo en el Evangelio: que non quiere la muerte del pecador sinon que se convierta et viva, acorrió entonçe al rey de Inglaterra, libról de muerte para este mundo et diol vida perdurable para sienpre, et escapól[25] de aquel peligro del agua, et endereçóle a[26] los moros.

Et quando los ingleses vieron fazer esto a su señor, saltaron todos en la mar en pos dél et endereçaron todos a los moros. Quando los françeses vieron esto, tovieron que les era mengua grande, lo que ellos nunca solían sofrir, et saltaron luego todos en la mar contra los moros. Et desque[27] los vieron venir contra sí, et vieron que non dubdavan[28] la muerte, et que vinían contra ellos tan bravamente, non les osaron asperar et dexáronles el puerto de la mar et començaron a fuyr. Et desque los christianos llegaron al puerto, mataron muchos de los que pudieron alcançar et fueron muy bien andantes,[29] et fizieron dese camino mucho serviçio a Dios. Et todo este vien vino por aquel salto que fizo el rey Richalte de Inglaterra. [(15)]

---

[21] *acomendó:* encomendó.   [22] *acorriese:* socorriese, amparase.   [23] *contra:* hacia.   [24] *so:* bajo.   [25] *escapól:* le sacó.   [26] *endereçóle a:* le dirigió hacia (o contra).   [27] *desque:* desde que.   [28] *dubdavan:* temían.   [29] *bien andantes:* afortunados, venturosos.

---

(15) Don Juan Manuel logra que la historia se convierta en materia tradicional; utiliza una serie de circunstancias históricas —alusión al rey

Quando el hermitaño esto oyó, plogól ende muncho[30] et entendió quel fazía Dios muy grant merçed en querer que fuesse él compañero en Paraýso de omne que tal serviçio fiziera a Dios, et tanto enxalçamiento en la fe cathólica.

Et vos, señor conde Lucanor, si queredes servir a Dios et fazerle emienda de los enojos quel avedes fecho, guisat[31] que, ante que partades de vuestra tierra, emendedes lo que avedes fecho a aquellos que entendedes que feziestes algún daño. Et fazed penitençia de vuestros pecados et non paredes mientes[32] al hufana[33] del mundo sin pro, et que es toda vanidat, nin creades a muchos que vos dirán que fagades mucho por la valía.[34] Et esta valía dizen ellos por mantener muchas gentes, et non catan si an de qué lo pueden conplir,[35] et non paran mientes cómmo acabaron o quántos fincaron de los que non cataron sinon por esta que ellos llaman grant valía o cómmo son poblados los sus solares.[36] Et vos, señor conde Lucanor, pues dezides que queredes servir a Dios et fazerle emienda de los enojos quel feziestes, non querades seguir esta carrera que es de ufana et llena de vanidat. Mas, pues Dios vos pobló[37] en tierra quel podades servir contra los moros, tan bien por mar commo por tierra, fazet vuestro poder por que seades[38] seguro de lo que dexades en vuestra tierra. Et esto fincando seguro, et aviendo fecho emienda a Dios de los yerros que fiziestes, por que estedes[39] en verdadera penitençia, por que de los bienes que fezierdes ayades de todos meresçimien-

---

[30] *muncho:* mucho. [31] *guisat:* disponed. [32] *paredes mientes:* prestéis atención. [33] *hufana:* vanidad; más abajo, *ufana.* [34] *valía:* prestigio, poder. [35] *conplir:* mantener. [36] *solares:* tierras señoriales. [37] *vos pobló:* os puso a vivir. [38] *seades:* seáis, estéis. [39] *estedes:* estéis.

Ricardo Corazón de León, al rey Felipe Augusto de Francia, a la tercera cruzada de 1190— con la finalidad de conseguir una imagen de verosimilitud en lo que narra, ya que la anécdota central —el salto del rey Ricardo— es ficticia y corresponde al tema del «salto del Templario» (un templario, acosado por los sarracenos, para salvar el dinero de la orden se arroja al mar desde un precipicio; logra su objetivo, aunque muere). (Véase Documento 2.7.)

to, et faziendo esto podedes dexar todo lo ál, et estar sienpre en serviçio de Dios et acabar así vuestra vida. Et faziendo esto, tengo que ésta es la meior manera que vos podedes tomar para salvar el alma, guardando vuestro estado et vuestra onra. Et devedes crer que por estar en serviçio de Dios non morredes[40] ante, nin bivredes[41] más por estar en vuestra tierra. Et si muriéredes en serviçio de Dios, biviendo en la manera que vos yo he dicho, seredes mártir et muy bien aventurado, et aunque non murades por armas, la buena voluntat et las buenas obras vos farán mártir, et aun los que mal quisieren dezir, non podrían: ca ya todos veyen que non dexades nada de lo que devedes fazer de cavallería, mas queredes seer cavallero de Dios et dexades de ser cavallero del diablo et de la ufana del mundo, que es falleçedera.

Agora, señor conde, vos he dicho el mio consejo segund me lo pidiestes, de lo que yo entiendo cómmo podedes mejor salvar el alma segund el estado que tenedes. Et semejaredes[42] a lo que fizo el rey Richalte de Inglaterra en el sancto et bien fecho que fizo.

Al conde Lucanor plogo mucho del consejo que Patronio le dio, et rogó a Dios quel guisase que lo pueda fazer commo él lo dizía et como el conde lo tenía en coraçón.

Et veyendo don Iohan que este exienplo era bueno, mandólo poner en este libro et fizo estos viessos en que se entiende abreviadamente todo el enxienplo. Et los viessos dizen así:

> *Qui por cavallero se toviere,*
> *más deve desear este salto,*
> *que non si en la orden se metiere,*
> *o se ençerrasse tras muro alto.*

Et la estoria deste exienplo es ésta que se sigue:

---

[40] *morredes:* moriréis.   [41] *bivredes:* viviréis.   [42] *semejaredes:* os pareceréis.

EXEMPLO IIII.º

DE LO QUE DIXO UN GENOVÉS A SU ALMA, QUANDO SE OVO
DE MORIR

Un día fablava el conde Lucanor con Patronio, su consegero, et contával su fazienda[1] en esta manera:

—Patronio, loado a Dios, yo tengo mi fazienda assaz en buen[2] estado et en paz, et he todo lo que me cunple, segund mis vezinos et mis eguales, et por aventura más. Et algunos conséjanme que comience un fecho de muy grant aventura, et yo he grant voluntat de fazer aquello que me consejan; pero por la fiança[3] que en vos he, non lo quise començar fasta que fablase conbusco[4] et vos rogasse que me conséjasedes lo que fiziese en ello.

—Señor conde Lucanor —dixo Patronio—, para que vos fagades en este fecho lo que vos más cunple, plazerme ýa mucho que sopiésedes lo que conteció a un genués.[5]

El conde le rogó quel dixiesse cómmo fuera aquello.

Patronio le dixo:

—Señor conde Lucanor: un genués era muy rico et muy bien andante, segund sus vezinos. Et aquel genués adolesció[6] muy mal, et de que entendió que non podía escapar de la muerte, fizo llamar a sus parientes et a sus amigos; et desque todos fueron con él, envió por su muger et sus fijos; et assentósse en un palaçio muy bueno donde paresçía[7] la mar et la tierra; et fizo traer ante sí todo su tesoro et todas sus joyas, et de que todo lo tovo ante sí, començó en manera de trebejo[8] a fablar con su alma en esta guisa:

—Alma, yo beo que tú te quieres partir de mí, et non sé por qué lo fazes; ca si tú quieres muger et fijos, bien los vees aquí delante tales de que te deves tener por pagada;[9] et si quisieres

---

[1] *fazienda:* asuntos, obras.   [2] *assaz en buen:* en bastante buen.   [3] *fiança:* confiança.   [4] *conbusco:* con vos.   [5] *genués:* genovés.   [6] *adolesçió:* enfermó.   [7] *paresçía:* aparecía.   [8] *trebejo:* burla.   [9] *pagada:* satisfecha.

parientes et amigos, ves aquí muchos et muy buenos et mucho
onrados; et si quieres muy grant tesoro de oro et de plata et de
piedras preçiosas et de joyas et de paños et de merchandías,[10] tú
tienes aquí tanto dello que te non faze mengua[11] aver más; et si
tú quieres naves et galeas[12] que te ganen et te trayan[13] muy grant
aver et muy grant onra, veeslas aquí, ó[14] están en la mar que
paresçe deste mi palaçio; et si quieres muchas heredades et huertas, et muy fermosas et muy delectosas, véeslas ó paresçen destas
finiestras;[15] et si quieres cavallos et mulas, et aves et canes para
caçar et tomar plazer, et joglares para te fazer alegría et solaz, et
muy buena posada,[16] mucho apostada[17] de camas et de estra-
dos[18] et de todas las otras cosas que son ý mester; de todas estas
cosas a ti non te mengua nada,[(16)] et pues tú as tanto bien et
non te tienes ende por pagada nin puedes sofrir el bien que tienes, pues con todo esto non quieres fincar et quieres buscar lo
que non sabes, de aquí adelante, ve con la yra de Dios, et será
muy nesçio qui de ti se doliere por mal que te venga.

Et vos, señor conde Lucanor, pues, loado a Dios, estades en
paz et con bien et con onra, tengo que non faredes buen recabdo
en abenturar esto et començar lo que dezides que vos consejan;
ca por aventura estos vuestros consejeros vos lo dizen porque sa-

---

[10] *merchandías:* mercancías.   [11] *mengua:* falta.   [12] *galeas:* galeras.   [13] *trayan:* traigan.   [14] *ó:* dónde.   [15] *finiestras:* ventanas.   [16] *posada:* vivienda.   [17] *aposta-da:* preparada, aparejada.   [18] *estrado:* parte elevada de la sala en que se recibía a las visitas.

---

(16) En esta intervención dialógica se revela el perfecto cuidado con que don Juan Manuel recrea la dimensión psicológica del genovés; la enumeración de bienes que ofrece al alma es perfecta: hay una tensión organizativa sostenida por la anáfora «et si quieres», repetición que va separando grupos de seres o de objetos por orden de importancia y de acuerdo a dos planos: 1) *interior:* formado por «muger et fijos» (dos tér-minos), «parientes et amigos» (dos) y «oro, plata, piedras preciosas, jo-yas, paños, mercancías» (seis); 2) *exterior:* constituido por «naves et ga-leas» (dos términos), «heredades et huertas» (dos) y «caballos, mulas, aves, canes, juglares, buena posada» (seis). El lector se introduce en el personaje mediante la observación de la escena.

ben que desque en tal fecho vos ovieren metido, que por fuerça abredes a fazer[19] lo que ellos quisieren et que avredes a seguir su voluntad desque fuéredes en el grant mester,[20] así commo siguen ellos la vuestra agora que estades en paz; et por aventura cuydan que por el vuestro pleyto endereçarán ellos sus faziendas, lo que se les non guisa en quanto vos vivierdes en asusiego,[21] et conteçervos ya[22] lo que dezía el genués a la su alma; mas, por el mi conseio, en cuanto pudierdes aver paz et assossiego a vuestra onra et sin vuestra mengua, non vos metades en cosa que lo ayades todo aventurar.

Al conde plogo mucho del consejo que Patronio le dava. Et fízolo así et fallóse ende bien.

Et quando don Iohan falló este exienplo, tóvolo por bueno et non quiso fazer viessos de nuebo, sinon que puso ý una palabra[23] que dizen las viejas en Castiella. Et la palabra dize así:

Quien bien se siede[24] *non se lieve.*[25]

Et la ystoria deste exenplo es ésta que se sigue:

EXEMPLO VII.º

DE LO QUE CONTESÇIÓ A UNA MUGER QUEL DIZIÉN[1] DOÑA TRUHANA

Otra vez fablava el conde Lucanor con Patronio en esta guisa:

—Patronio, un omne me dixo una razón et amostróme la manera cómmo podría seer. Et bien vos digo que tantas maneras de aprovechamiento ha en ella que, si Dios quiere que se faga assí commo me él dixo, que sería mucho mi pro: ca tantas cosas

---

[19] *abredes a fazer:* tendréis que hacer.   [20] *mester:* necesidad.   [21] *asusiego:* sosiego, paz.   [22] *conteçervos ya:* os sucedería.   [23] *palabra:* sentencia.   [24] *siede:* siente.   [25] *lieve:* levante.

[1] *quel dizién:* a quien llamaban.

son que nasçen las unas de las otras, que al cabo es muy grant fecho ademas.

Et contó a Patronio la manera cómmo podría seer. Desque Patronio entendió aquellas razones, respondió al conde en esta manera:

—Señor conde Lucanor, siempre oý dezir que era buen seso atenerse omne a las cosas çiertas et non a las vanas fuzas;[2] ca muchas vezes a los que se atienen a las fuzas, contésçeles lo que contesçió a doña Truana.

Et el conde preguntó cómmo fuera aquello.

—Señor conde —dixo Patronio—, una muger fue que avié nonbre doña Truana et era asaz más pobre que rica; et un día yva al mercado et levava una olla de miel en la cabeça. Et yendo por el camino, començó a cuydar[3] que vendría[4] aquella olla de miel et que conpraría una partida de huevos, et de aquellos huevos nazçirían gallinas et después, de aquellos dineros que valdrían, conpraría ovejas; et assí fue conprando de las ganançias que faría, fasta que fallóse por más rica que ninguna de sus vezinas.

Et con aquella riqueza que ella cuydava que avía, asmó[5] cómmo casaría sus fijos et sus fijas, et cómmo yría aguardada[6] por la calle con yernos et con nueras, et cómmo dizían por ella cómmo fuera de buena ventura en llegar a tan grant riqueza, seyendo tan pobre commo solía seer.

Et pensando en esto, començó a reýr con grand plazer que avía de la su buena andança, et, en riendo, dio con la mano en su fruente,[7] et entonçes cayól la olla de la miel en tierra et quebróse. Quando vio la olla quebrada, començó a fazer muy grant duelo, toviendo que avía perdido todo lo que cuydava que avría si la olla non le quebrara. Et porque puso todo su pensamiento por fuza vana, non se fizo al cabo nada de lo que ella cuydava.

Et vos, señor conde, si queredes que lo que vos dixieren et lo que vos cuydardes sea todo cosa çierta, cred et cuydat sienpre to-

---

das cosas tales que sean aguisadas[8] et non fuzas dubdosas et vanas. Et si las quisierdes provar, guardatvos que non aventuredes nin pongades de lo vuestro cosa de que vos sintades, por fiuza de la pro de lo que non sodes çierto.

Al conde plogo de lo que Patronio le dixo. Et fízolo assí et fallóse ende bien.

Et porque don Iohan se pagó deste exienplo, fízolo poner en este libro et fizo estos viessos que dizen assí:

> *A las cosas çiertas vos comendat,*
> *et las fuyzas[9] vanas dexat.*

Et la ystoria deste exienplo es ésta que se sigue:

EXEMPLO IX.º

DE LO QUE CONTESÇIÓ A LOS DOS CAVALLOS CON EL LEÓN

Un día fablava el conde Lucanor con Patronio, su consegero, en esta guisa:

—Patronio, grand tiempo ha que yo he un enemigo de que me vino mucho mal, et esso mismo ha él de mí, en guisa que, por las obras et por las voluntades, estamos muy mal en uno.[1] Et agora acaesçió assí: que otro omne muy más poderoso que nós entramos,[2] va començando algunas cosas de que cada uno de nós reçela quel puede venir muy grand daño. Et agora aquel mio enemigo envióme dezir que nos aviniéssemos en uno,[3] para nos defender daquel otro que quiere ser contra nós; ca si amos fuéremos ayuntados,[4] es çierto que nos podremos defender; et si el uno de nós se desvaría[5] del otro, es çierto que qualquier de

---

[8] *aguisadas:* reales, comprobables.   [9] *fuyzas* (como *fuzas* y *fiuzas*): esperanzas.
[1] *muy mal en uno:* muy enemistados.   [2] *entramos:* entrambos.   [3] *nos aviniéssemos en uno:* nos aliásemos.   [4] *ayuntados:* juntos, reunidos.   [5] *se desvaría:* se desvía, se aparta.

nós que quiera estroýr[6] aquel de que nos reçelamos, que lo puede fazer ligeramente. Et de que el uno de nós fuere estroýdo,
qualquier de nós que fincare sería muy ligero de estroýr. Et yo
agora estó en muy grand duda de este fecho: ca de una parte me
temo mucho que aquel mi enemigo me querría engañar, et si
él una vez en su poder me toviesse, non sería yo bien seguro de
la vida; et si grant amor pusiéremos en uno, non se puede escusar de fiar yo en él et él en mí. Et esto me faze estar en grand
reçelo. De otra parte, entiendo que si non fuéremos amigos assí
commo me lo envía rogar, que nos puede venir muy grand daño
por la manera que vos ya dixe. Et por la grant fiança que yo he
en vos et en el vuestro buen entendimiento, ruégovos que me
conseiedes lo que faga en este fecho.

   —Señor conde Lucanor —dixo Patronio—, este fecho es muy
grande et muy peligroso, et para que meior entendades lo que
vos cunplía[7] de fazer, plazerme ýa que sopiéssedes lo que contesçió en Túnez a dos cavalleros que bivían con el infante don
Enrique.

   El conde le preguntó cómmo fuera aquello.

   —Señor conde —dixo Patronio—, dos cavalleros que vivían
con el infante don Enrique en Tunes eran entramos muy amigos et posavan sienpre en una posada. Et estos dos cavalleros
non tenían más de sendos cavallos, et assí commo los cavalleros
se querían muy grant bien, bien assí los cavallos se querían muy
grand mal. Et los cavalleros non eran tan ricos que pudiessen
mantener dos posadas, et por la malquerençia de los cavallos
non podían posar en una posada, et por esto avían a vevir vida
muy enojosa. Et de que esto les duró un tienpo et vieron que
non lo podían más sofrir, contaron su fazienda[8] a don Enrique
et pediéronle por merçed que echase aquellos cavallos a un león
que el rey de Túnez tenía.

   Don Enrique les gradesçió lo que dezían muy mucho et fabló
con el rey de Túnez. Et fueron los cavallos muy bien pechados[9]

---

   [6] *estroýr:* destruir.   [7] *cunplía:* convenía.   [8] *fazienda:* asunto, situación.   [9] *pechados:* pagados.

a los cavalleros, et metiéronlos en un corral do estava el león.
Quando los cavallos se vieron en el corral, ante que el león saliesse de la casa[10] do yazía ençerrado, començáronse a matar lo
más bravamente del mundo. Et estando ellos en su pellea, abrie-
ron la puerta de la casa en que estava el león, et de que salió al
corral et los cavallos lo vieron, començaron a tremer[11] muy fieramente et poco a poco fuéronse legando el uno al otro. Et desque fueron entramos juntados en uno, estovieron así una
pieça,[12] et endereçaron entramos al león et paráronlo[13] tal a
muessos[14] et a coçes que por fuerça se ovo de ençerrar en la casa
donde saliera. Et fincaron los cavallos sanos, que les non fizo
ningún mal el león. Et después fueron aquellos cavallos tan bien
avenidos en uno, que comién muy de grado en un pesebre et estavan en uno en casa[15] muy pequeña. Et esta avenençia[16] ovieron entre sí por el grant reçelo que ovieron del león.[(17)].

—Et vos, señor conde Lucanor, si entendedes que aquel vuestro enemigo á tan grand reçelo de aquel otro de que se reçela,
et á tan grand mester a vos por que forçadamente aya de olbidar
quanto mal passó entre vos et él, et entiende que sin vos non se
puede bien defender, tengo que assí commo los cavallos se fueron poco a poco ayuntando en uno fasta que perdieron el reçelo
et fueron bien seguros el uno del otro, que assí devedes vos, poco
a poco, tomar fiança et afazimiento[17] con aquel vuestro enemigo. Et si fallardes en él sienpre buena obra et leal, en tal manera
que seades bien çierto que en ningún tienpo, por bien quel vaya,

---

[10] *casa:* jaula.　[11] *tremer:* temblar.　[12] *pieça:* rato.　[13] *paráronlo:* dejáron-
lo.　[14] *muessos:* mordiscos.　[15] *casa:* establo.　[16] *avenençia:* concordia.　[17] *afazi-*
miento: familiaridad.

(17) Nuevo caso en que don Juan Manuel construye una ficción literaria partiendo de una anécdota histórica protagonizada por un tío suyo,
el más aventurero de sus familiares, de quien se contaba que había aco-
bardado a dos leones con los que intentaron asesinarle, precisamente en
Túnez. Don Juan Manuel cambia el contenido: ahora son dos caballos
los que derrotan a un león. Transformación, por tanto, humorística, surgida de un recuerdo personal del propio autor.

que nunca vos verná[18] dél daño, estonçe faredes bien et será vuestra pro de vos ayudar por que otro omne estraño non vos conquiera[14] nin vos estruya.[20] Ca mucho deven los omnes fazer et sofrir a sus parientes et a sus vezinos por que non sean maltraýdos[21] de los otros estraños. Pero si vierdes que aquel vuestro enemigo es tal o de tal manera, que desque lo oviésedes ayudado en guisa que saliese por vos de aquel peligro, que después que lo suyo fuesse en salvo, que sería contra vos et non podríades dél ser seguro; si él tal fuer, faríades mal seso en le ayudar, ante tengo quel devedes estrañar[22] quanto pudierdes, ca pues viestes que, seyendo él en tan grand quexa,[23] non quiso olvidar el mal talante[24] que vos avía, et entendiestes que vos lo tenía guardado para quando viesse su tienpo que vos lo podría fazer, bien entendedes vos que non vos dexa logar para fazer ninguna cosa por que salga por vos de aquel grand peligro en que está.

Al conde plogo desto que Patronio dixo, et tovo quel dava muy buen consejo.

Et porque entendió don Iohan que este exienplo era bueno, mandólo escrivir en este libro et fizo estos viessos que dizen assí:

> Guardatvos de seer conquerido del estraño,[25]
> seyendo del vuestro bien guardado de daño.

Et la ystoria deste exienplo es ésta que se sigue:

---

[18] *verná:* vendrá. [19] *conquiera:* conquiste. [20] *estruya:* destruya. [21] *maltraýdos:* maltratados. [22] *estrañar:* rehuir. [23] *quexa:* apuro. [24] *mal talante:* mala voluntad. [25] *estraño:* extranjero.

EXEMPLO XI.º

DE LO QUE CONTESÇIÓ A UN DEÁN DE SANCTIAGO CON DON
YLLÁN, EL GRAND MAESTRO DE TOLEDO

Otro día fablava el conde Lucanor con Patronio, et contával
su fazienda en esta guisa:

—Patronio, un omne vino a me rogar quel ayudasse en un fecho que avía mester mi ayuda, et prometióme que faría por mí
todas las cosas que fuessen mi pro et mi onra. Et yo començél
a ayudar quanto pude en aquel fecho. Et ante que el pleito fuesse acabado, teniendo[1] él que ya el su pleito era librado,[2] acaesçió
una cosa en que cunplía que la fiziesse por mí, et roguél que la
fiziesse et él púsome escusa. Et después acaesçió otra cosa que
pudiera fazer por mí, et púsome escusa commo a la otra. Et esto
me fizo en todo lo quel rogué quél fiziesse por mí. Et aquel fecho por que él me rogó non es aún librado, nin se librará si yo
non quisiere. Et por la fiuza que yo he en vos et en el vuestro
entendimiento, ruégovos que me conseiedes lo que faga en esto.

—Señor conde —dixo Patronio—, para que vos fagades en
esto lo que vos devedes, mucho querría que sopiésedes lo que
contesçió a un deán de Sanctiago con don Yllán, el grand maestro que morava en Toledo.

Et el conde le preguntó cómmo fuera aquello.

—Señor conde —dixo Patronio—, en Sanctiago avía un deán
que avía muy grant talante[3] de saber el arte de la nigromançia,[4]
et oyó dezir que don Yllán de Toledo sabía ende[5] más que ninguno que fuesse en aquella sazón,[6] et por ende vínose para Toledo para aprender de aquella sciençia. Et el día que llegó a Toledo adereçó[7] luego a casa de don Yllán et fallólo que estava lle-

---

[1] *teniendo*: pensando.   [2] *librado*: resuelto.   [3] *talante*: voluntad.   [4] *nigromançia*: magia negra.   [5] *ende*: de ello.   [6] *en aquella sazón*: en aquella época.   [7] *adereçó*: se dirigió.

yendo en una cámara muy apartada; et luego que legó a él, reçibiólo muy bien et díxol que non quería quel dixiesse ninguna cosa de lo por que[8] venía fasta que oviese comido. Et pensó[9] muy bien dél et fízol dar muy buenas posadas,[10] et todo lo que ovo mester, et diol a entender quel plazía mucho con su venida.

Et después que ovieron comido, apartósse con él et contól la razón por que allí viniera, et rogól muy affincadamente quel mostrasse aquella sçiençia que él avía muy grant talante de la aprender. Et don Yllán díxol que él era deán et omne de grand guisa[11] et que podía llegar a grand estado —et los omnes que grant estado tienen, de que todo lo suyo an librado a su voluntad, olbidan mucho aýna[12] lo que otrie[13] a fecho por ellos— et él que se reçelava que de que él oviesse aprendido dél aquello que él quería saber, que non le faría tanto bien commo él le prometía. Et el deán le prometió et le asseguró que de qualquier vien que él oviesse, que nunca faría sinon lo que él mandasse. [18]

Et en estas fablas estidieron[14] desque ovieron yantado[15] fasta que fue ora de çena. De que su pleito fue bien assossegado[16] entre ellos, dixo don Yllán al deán que aquella sçiençia non se podía aprender sinon en lugar mucho apartado et que luego essa noche le quería amostrar[17] do avían de estar fasta que oviese aprendido aquello que él quería saber. Et tomól por la mano et levól a una cámara. Et en apartándose de la otra gente, llamó a una mançeba de su casa et díxol que toviesse perdizes para

---

[8] *lo por que:* aquello por lo cual. [9] *pensó:* cuidó. [10] *posadas:* aposentos. [11] *guisa:* condición. [12] *mucho aýna:* muy pronto. [13] *otrie:* otro. [14] *estudieron:* estuvieron. [15] *yantado:* almorzado. [16] *assossegado:* ajustado. [17] *amostrar:* enseñar.

(18) Primer tema importante del «exemplo»: la ingratitud del discípulo para con su maestro. Don Juan Manuel, de nuevo, genera la intriga narrativa mediante la construcción del interior de los personajes: al deán de Santiago le define con la ambición, mientras que a don Yllán le presenta desde la sabiduría que proporciona el estudio. Por ello, queda patente desde el principio el recelo de don Yllán (eje argumental que irá resolviéndose en el transcurso del relato).

que çenassen essa noche, mas que non las pusiessen a assar fasta que él gelo mandasse.

Et desque esto ovo dicho, llamó al deán; et entraron entramos por una escalera de piedra muy bien labrada et fueron descendiendo por ella muy grand pieça,[18] en guisa que paresçía que estavan tan vaxos que passava el río de Tajo por çima[19] dellos. Et desque fueron en cabo del escalera, fallaron una possada muy buena et una cámara mucho apuesta[20] que ý avía, ó estavan los libros et el estudio en que avían de leer.[(19)] De que se assentaron, estavan parando mientes en quáles libros avían de començar. Et estando ellos en esto, entraron dos omnes por la puerta et diéronle una carta quel enviava el arçobispo, su tío, en quel fazía saber que estava muy mal doliente et quel enviava rogar que sil quería veer vivo, que se fuesse luego para él. Al deán pesó mucho con estas nuebas:[21] lo uno por la dolençia de su tío et lo ál porque reçeló que avía de dexar su estudio que avía començado. Pero puso en su coraçón[22] de non dexar aquel estudio tan aýna, et fizo sus cartas de repuesta et enviólas al arçobispo su tío.

Et dende[23] a tres o quatro días llegaron otros omnes a pie que trayan otras cartas al deán en quel fazían saber que el arçobispo era finado, et que estavan todos los de la eglesia en su eslección et que fiavan por la merçed de Dios que eslerían[24] a él, et por esta razón que non se quexasse[25] de yr a lla eglesia, ca mejor era para él en quel eslecyessen seyendo en otra parte que non estando en la eglesia.

---

[18] *pieça:* rato.   [19] *por çima:* por encima.   [20] *apuesta:* lujosa.   [21] *nuebas:* noticias.   [22] *puso en su coraçón:* se empeñó, decidió.   [23] *dende:* de ahí.   [24] *eslerían:* elegirían.   [25] *quexasse:* preocupase.

---

(19) Hay que observar el cuidado minucioso con que don Juan Manuel recrea los ambientes; el recinto oculto y alejado del mundo real al que se trasladan maestro y discípulo lleva implícito el sentido mágico que se infunde a la narración. Toledo había adquirido justa reputación en la Edad Media de ciudad misteriosa por sus cuevas o casas mágicas.

Et dende a cabo de siete o de ocho días, vinieron dos escuderos muy bien vestidos et muy bien aparejados, et quando llegaron a él, vesáronle la mano et mostráronle las cartas en cómmo
le avían esleýdo por arçobispo. Quando don Yllán esto oyó, fue
al electo et díxol cómmo gradesçía mucho a Dios porque estas
buenas nuebas le llegaran a su casa, et pues Dios tanto bien
le fiziera, quel pedía por merçed que el deanadgo que fincava
vagado[26] que lo diesse a un su fijo. Et el electo díxol quel
rogava quel quisiesse consentir que aquel deanadgo que lo
oviesse un su hermano; mas que él le faría bien en guisa que
él fuesse pagado, et quel rogava que fuesse con él para
Sanctiago et que levasse aquel su fijo. Don Yllán dixo que lo
faría.

Fuéronse para Sanctiago. Quando ý llegaron, fueron muy bien
reçibidos et mucho onradamente. Et desque moraron ý un tienpo, un día llegaron al arçobispo mandaderos[27] del Papa con sus
cartas en cómol dava el obispado de Tolosa, et quel fazía gracia
que pudiesse dar el arçobispado a qui quisiesse. Quando don
Yllán oyó esto, retrayéndol[28] mucho affincadamente lo que con
él avía passado, pidiól merçed quel diesse a su fijo. Et el arçobispo le rogó que consentiesse que lo oviesse un su tío, hermano de su padre. Et don Yllán dixo que bien entendié quel fazía
gran tuerto,[29] pero que esto que lo consintía en tal que[30] fuesse
seguro que gelo emendaría adelante. Et el arzobispo le prometió en toda guisa que lo faría assí, et rogól que fuesse con él a
Tolosa et que levasse su fijo.

Et desque llegaron a Tolosa, fueron muy bien reçebidos de
condes et de quantos omnes buenos[31] avía en la tierra.[32] Et desque ovieron ý morado fasta dos años, llegaron los mandaderos
del Papa con sus cartas en cómmo le fazía el Papa cardenal et
quel fazía gracia que diesse el obispado de Tolosa a qui quisiesse. Entonçe fue a él don Yllán et díxol que, pues tantas vezes le

---

[26] *vagado:* vacante.   [27] *mandaderos:* mensajeros.   [28] *retrayéndol:* reprochándo-
le.   [29] *tuerto:* injusticia.   [30] *en tal que:* con tal que.   [31] *omnes buenos:* nobles.   [32] *tierra:* región.

avía fallesçido[33] de lo que con él pusiera,[34] que ya aquí non avía
logar del poner escusa ninguna que non diesse alguna de aquellas dignidades a su fijo. Et el cardenal rogól quel consentiese
que oviesse aquel obispado un su tío, hermano de su madre, que
era omne bueno ançiano; mas que, pues él cardenal era, que se
fuese con él para la Corte, que asaz[35] avía en qué le fazer bien.
Et don Yllán quexósse ende mucho, pero consintió en lo que
el cardenal quiso, et fuesse con él para la Corte.

Et desque ý llegaron, fueron bien reçebidos de los cardenales
et de quantos en la Corte eran. Et moraron ý muy grand tienpo.
Et don Yllán affincando[36] cada día al cardenal quel fiziesse alguna gracia a su fijo, et él poníal sus escusas.

Et estando assí en la Corte, finó el Papa; et todos los cardenales esleyeron aquel cardenal por Papa. Estonçe fue a él don
Yllán et díxol que ya non podía poner escusa de non conplir
lo quel avía prometido. El Papa le dixo que non lo affincasse
tanto, que siempre avría lugar en quel fiziesse merçed segund
fuesse razón. Et don Yllán se començó a quexar mucho, retrayéndol quantas cosas le prometiera et que nunca le avía com-
plido ninguna, et diziéndol que aquello reçelava en la primera
vegada[37] que con él fablara, et pues aquel estado era llegado et
nol[38] cunplía lo quel prometiera, que ya non le fincava logar
en que atendiesse[39] dél bien ninguno. Deste aquexamiento se
quexó mucho el Papa et començól a maltraer diziéndol que si
más le affincasse quel faría echar en una cárçel, que era ereje et
encantador, que bien sabía que non avía otra vida nin otro
offiçio en Toledo do él moraba, sinon bivir por aquella arte
de nigromançia.

Desque don Yllán vio quánto mal le gualardonava[40] el Papa
lo que por él avía fecho, espedióse[41] dél et solamente nol quiso[42] dar el Papa qué comiese por el camino. Estonçe don Yllán
dixo al Papa que pues ál non tenía de comer, que se avría de

---

[33] *fallesçido:* faltado, incumplido.   [34] *pusiera:* conviniera.   [35] *asaz:* bastante.
[36] *affincando:* insistiendo.   [37] *vegada:* vez, ocasión.   [38] *nol:* no le.   [39] *atendiesse:*
esperase.   [40] *gualardonava:* recompensaba.   [41] *espedióse:* despidióse.   [42] *solamente nol quiso:* ni siquiera le quiso.

tornar a las perdizes que mandara assar aquella noche, et llamó
a la muger et díxol que assasse las perdizes. [20]

Quando esto dixo don Yllán, fallósse el Papa en Toledo, deán
de Sanctiago, commo lo era quando ý bino, et tan grand fue la
vergüença que ovo, que non sopo quél dezir. Et don Yllán díxol que fuesse en buena ventura et que assaz avía provado lo
que tenía en él, et que ternía por muy mal enpleado si comiesse
su parte de las perdizes.

Et vos, señor conde Lucanor, pues veedes que tanto fazedes
por aquel omne que vos demanda ayuda et non vos da ende
meiores gracias, tengo que non avedes por qué trabajar nin aven-
turarvos mucho por llegarlo a logar[43] que vos dé tal galardón
commo el deán dio a don Yllán.

El conde tovo esto por buen consejo. Et fízolo assí et fallósse
ende bien.

Et porque entendió don Iohan que era éste muy buen exienplo, fízolo poner en este libro et fizo estos viessos que dizen assí:

> *Al que mucho ayudares et non te lo conosçiere,* [44]
> *menos ayuda abrás dél desque en grand onra subiere.*

Et la estoria deste exienplo es ésta que se sigue:

---

[43] *llegarlo a logar:* ponerlo en situación.   [44] *conosçiere:* reconociere.

---

(20) En este momento queda descubierta la impresionante estructura
temporal que don Juan Manuel ha ido trazando: el ascenso eclesiástico
del deán de Santiago se ha producido en un tiempo mágico, ilusorio;
él no ha salido de la cámara secreta toledana, y el transcurrir de días y
años que con tanto detalle ha perfilado don Juan Manuel ha sido un
sueño, un encantamiento con el que don Yllán ha probado su ingratitud. La breve frase pronunciada ahora por «el grand maestro de Toledo» (la alusión a las perdices) hace desaparecer toda la acción desarrollada en el tiempo mágico y que la narración recupere su dimensión normal: el tiempo real —la hora de la cena— vuelve a existir, descubriendo
el verdadero fondo de los personajes. Igual importancia tiene la suce-
sión de espacios, presentada mediante una rigurosa red de simetrías: cada
cambio de ciudad corresponde a un ascenso más en la carrera del deán
y en la ingratitud consabida. Paralelismo que afecta, incluso, a las uni-

EXEMPLO XIII.º

De lo que contesçió a un omne que tomava[1] perdizes

Fablava otra vez el conde Lucanor con Patronio, su consegero, et díxole:

—Patronio, algunos omnes de grand guisa,[2] et otros que lo
non son tanto, me fazen a las vegadas enojos et daños en mi fazienda et en mis gentes, et quando son ante mí, dan a entender
que les pesa mucho porque lo ovieron a fazer, et que lo non fizieron sinon con muy grand mester et con muy grant cuyta et
non lo pudiendo escusar. Et porque yo querría saber lo que devo
fazer quando tales cosas me fizieren, ruégovos que me digades
lo que entendedes en ello.

—Señor conde Lucanor —dixo Patronio—, esto que vos dezides que a vos contesçe, sobre que me demandades consejo, paresçe mucho a lo que contesçió a un omne que tomava perdizes.

El conde le rogó quel dixiesse cómmo fuera aquello.

—Señor conde —dixo Patronio—, un omne paró[3] sus redes a
las perdizes; et desque las perdizes fueron caýdas en la ret, aquel
que las caçava llegó a la ret en que yazían las perdizes; et assí
como las yva tomando, matávalas et sacávalas de la red, et en
matando las perdizes, dával el viento en los ojos tan reçio quel
fazía llorar. Et una de las perdizes que estava biva en la red començó a dezir a las otras:

—¡Vet, amigas, lo que faze este omne! ¡Commo quiera que[4]
nos mata, sabet que á grant duelo de nós, et por ende está llorando!

---

[1] *tomava:* cazaba.   [2] *de grand guisa:* de alta condición.   [3] *paró:* dispuso, pre-
paró.   [4] *commo quiera que:* aunque.

dades menores del relato: por ejemplo, los mensajeros y los recibimien-
tos que les brindan las distintas ciudades también aumentan en dignidad y en categoría.

Et otra perdiz que estava ý, más sabidora[5] que ella, et que con su sabiduría se guardara de caer en la red, respondiól assí:

—Amiga, mucho gradesco a Dios porque me guardó, et ruego a Dios que guarde a mí et a todas mis amigas del que me quiere matar et fazer mal, et me da a entender quel pesa del mio daño.[(21)]

Et vos, señor conde Lucanor, siempre vos guardat del que vierdes[6] que vos faze enojo et da a entender quel pesa por ello por que lo faze; pero si alguno vos fizier enojo, non por vos fazer daño nin desonra, et el enojo non fuere cosa que vos mucho enpesca,[7] et el omne fuer tal de que ayades tomado serviçio o ayuda, et lo fiziere con quexa o con mester, en tales logares[8] conséjovos yo que çerredes el ojo en ello, pero en guisa que lo non faga tantas vezes, dende[9] se vos siga daño nin vergüença; mas, si de otra manera lo fiziesse contra vos, estrañadlo[10] en tal manera por que vuestra fazienda et vuestra onra sienpre finque guardada.

El conde tovo por buen consejo éste que Patronio le dava. Et fízolo assí et fallósse ende bien.

Et entendiendo don Iohan que este exienplo era muy bueno, mandólo poner en este libro et fizo estos viessos que dizen assí:

> *Quien te mal faz mostrando grand pesar,*
> *guisa[11] cómmo te puedas dél guardar.*

Et la ystoria deste exienplo es ésta que se sigue:

---

[5] *sabidora:* sabia.   [6] *vierdes:* viereis.   [7] *enpesca:* dañe.   [8] *logares:* ocasiones.   [9] *dende:* por lo que.   [10] *estrañadlo:* alejadlo.   [11] *guisa:* piensa, dispón.

(21) La intriga narrativa queda resuelta por medio del empleo del diálogo, fórmula que le permite a don Juan Manuel mostrar el interior del personaje —aquí, la simpleza de la primera perdiz, frente a la sabiduría de la segunda— y utilizar la figura de Patronio como narrador y organizador, por tanto, del material argumental. El diálogo supone, así, una perspectiva nueva de acercamiento a la realidad presentada.

EXEMPLO XIIII.º

DEL MIRAGLO QUE FIZO SANCTO DOMINGO QUANDO PREDICÓ SOBRE EL LOGRERO[1]

Un día fablava el conde Lucanor con Patronio en su fazienda et díxole:

—Patronio, algunos omnes me consejan que ayunte el mayor tesoro que pudiere et que esto me cunple más que otra cosa para que quier que[2] me contesca. Et ruégovos que me digades lo que vos paresçe en ello.

—Señor conde —dixo Patronio—, commo quier que a los grandes señores vos cunple de aver algún tesoro para muchas cosas et señaladamente por que non dexedes, por mengua de aver, de fazer lo que vos cunplier; et pero non entendades que este tesoro devedes ayuntar en guisa que pongades tanto el talante[3] en ayuntar grand tesoro por que dexedes de fazer lo que devedes a vuestras gentes et para guarda de vuestra onra et de vuestro estado, ca si lo fiziésedes podervos ýa acaesçer lo que contesçió a un lonbardo en Bolonia. (22)

El conde le preguntó cómmo fuera aquello.

—Señor conde —dixo Patronio—, en Boloñia avía un lonbardo que ayuntó muy grand tesoro et non catava si era de buena

---

[1] *logrero:* usurero.   [2] *para que quier que:* para cualquier cosa que.   [3] *talante:* voluntad, empeño.

(22) Éste es uno de los casos más claros en que Patronio, para su adoctrinamiento, transforma la pregunta inicial del conde Lucanor, convirtiendo lo que era materia social en asunto religioso y buscando con ello incidir en el tema general del libro: la salvación de cada individuo dentro del estado al que pertenece. No hay que olvidar que don Juan Manuel estuvo muy vinculado a la orden de los dominicos: por eso desarrolla un tema tradicional (el usurero cuyo corazón aparece en su tesoro) como milagro atribuido a Santo Domingo. (Véase Documento 2.1.)

parte o non, sinon ayuntarlo en qualquier manera que pudies-se. El lonbardo adoleçió de dolençia mortal, et un su amigo que avía, desque lo vio en la muerte, conseiól que se confessase con sancto Domingo,[4] que era estonçe en Bollonia. Et el lonbardo quísolo fazer.

Et quando fueron por sancto Domingo, entendió sancto Domingo que non era voluntad de Dios que aquel mal omne non sufriesse la pena por el mal que avía fecho, et non quiso yr allá, mas mandó a un frayre que fuesse allá. Quando los fijos del lonbardo sopieron que avía enviado por sancto Domingo, pesóles ende mucho, teniendo que sancto Domingo faría a su padre que diesse lo que avía por su alma, et que non fincaría nada a ellos. Et quando el frayre vino, dixiéronle que suava[5] su padre, mas quando cunpliesse, que ellos enbiarían por él.

A poco rato perdió el lombardo la fabla, et murió, en guisa que non fizo nada de lo que avía mester para su alma. Otro día, quando lo levaron a enterrar, rogaron a sancto Domingo que predigasse sobre aquel lonbardo. Et sancto Domingo fízolo. Et quando en la predigación ovo de fablar daquel omne, dixo una palabra[6] que dize el Evangelio, que dize assí: «Ubi est tesaurus tuus, ibi est cor tuum.» Que quiere dezir: «Do es el tu tesoro, ý es el tu coraçón.» Et quando esto dixo, tornósse a las gentes et díxoles:

—Amigos, por que beades que la palabra del Evangelio es verdadera, fazet catar[7] el coraçón a este omne y yo vos digo que non lo fallarán en el cuerpo suyo et fallarlo an en el arca que tenía el su tesoro.

Estonçe fueron catar el coraçón en el cuerpo et non lo fallaron ý, et falláronlo en el arca commo sancto Domingo dixo. Et estava lleno de gujanos[8] et olía peor que ninguna cosa por mala nin por podrida que fuesse.

Et vos, señor conde Lucanor, commo quier que el tesoro, com-

---

[4] Santo Domingo de Guzmán (1170-1221), fundador de los dominicos. [5] *suava:* sudaba (agonizaba). [6] *palabra:* sentencia. [7] *catar:* buscar. [8] *gujanos:* gusanos.

mo desuso[9] es dicho, es bueno, guardad dos cosas: la una, en que el tesoro que ayuntáredes, que sea de buena parte; la otra, que non pongades tanto el coraçón en el tesoro por que fagades ninguna cosa que vos non caya de fazer;[10] nin dexedes nada de vuestra onra, nin de lo que devedes fazer, por ayuntar grand tesoro de buenas obras, por que ayades la gracia de Dios et buena fama de las gentes.[(23)]

Al conde plogo mucho deste consejo que Patronio le dio. Et fízolo assí et fallóse ende bien.

Et teniendo don Iohan que este exienplo era muy bueno, fízolo escrivir en este libro et fizo estos viessos que dizen assí:

Gana el tesoro verdadero
et guárdate del falleçedero.

Et la ystoria deste exienplo es ésta que se sigue:

EXEMPLO XV.º

De lo que contesçió a don Lorenço Suárez sobre la çerca[1] de Sevilla

Otra vez fablava el conde Lucanor con Patronio, su consegero, en esta guisa:

—Patronio, a mí acaesçió que ove un rey muy poderoso por enemigo; et desque mucho duró la contienda entre nós, fallamos entramos por nuestra pro de nos avenir.[2] Et commo quiera

---

[9] *desuso:* antes. [10] *caya de fazer:* convenga hacer.
[1] *çerca:* cerco. [2] *nos avenir:* reconciliarnos.

(23) Patronio, con gran sutileza, emplea dos metáforas discursivas («non pongades tanto el coraçón en el tesoro»... «por ayuntar grand tesoro de buenas obras») con las que remite al argumento del «exemplo» contado, uniendo de esta forma enseñanza y narración.

que agora estamos por avenidos et non ayamos guerra, siempre estamos a sospecha el uno del otro. Et algunos, tan bien de los suyos commo de los míos, métenme muchos miedos, et dízenme que quiere buschar achaque para seer contra mí; et por el buen entendimiento que avedes, ruégovos que me consejedes lo que faga en esta razón.

—Señor conde Lucanor —dixo Patronio—, éste es muy grave conseio de dar por muchas razones: lo primero, que todo omne que vos quiera meter en contienda ha muy grant aparejamien-to[3] para lo fazer, ca dando a entender que quiere vuestro servi-cio et vos desengaña et vos apercibe, et se duele de vuestro daño, vos dirá siempre cosas para vos meter en sospecha; et por la sos-pecha, abredes a fazer tales apercibimientos[4] que serán comienço de contienda, et omne del mundo non podrá dezir contra ellos; ca el que dixiere que non guardedes vuestro cuerpo, davos a en-tender que non quiere vuestra vida; et el que dixiere que non labredes[5] et guardedes et bastescades[6] vuestras fortalezas, da a en-tender que non quiere guardar vuestra heredat; et el que dixiere que non ayades muchos amigos et vassallos et les dedes mucho por los aver et los guardar, da a entender que non quiere vues-tra onra nin vuestro defendimiento,[(24)] et todas estas cosas non se faziendo, seríades en grand periglo, et puédese fazer en guisa que será comienço de roýdo;[7] pero pues queredes que vos con-

---

³ *aparejamiento:* oportunidad. ⁴ *apercibimientos:* preparativos. ⁵ *labredes:* edifiquéis, reparéis. ⁶ *bastescades:* abastezcáis. ⁷ *roýdo:* alboroto, bullicio.

---

(24) La estructura narrativa que propone don Juan Manuel es con-trolada en sus más mínimos detalles; Patronio, después de reflexionar sobre la facilidad de engendrar sospechas, ha enumerado tres clases de opiniones, que son perspectivas desde las que la realidad puede enjui-ciarse. Este breve factor narrativo adquirirá un desarrollo más amplio al ser tres los personajes que protagonizarán el «exemplo» y tres los pun-tos de vista derivados de ellos. La realidad social vivida por don Juan Manuel aparece aquí con claridad: recuérdese que Alfonso XI le persi-guió varias veces para darle muerte. (Véanse, en el cuadro cronológico, los años 1334 y 1335.)

seie lo que entiendo en esto, dígovos que querría que sopiésedes lo que contesçió a un buen cavallero.

El conde le rogó quel dixiesse cómmo fuera aquello.

—Señor conde —dixo Patronio—, el sancto et bienaventurado rey don Ferrando tenía cercada a Sevilla. Et entre muchos buenos que eran ý con él, avía ý tres cavalleros que tenían por los meiores tres cavalleros d'armas que entonçe avía en el mundo: et dizían[8] al uno don Lorenço Suárez Gallinato, et al otro don García Périz de Vargas, et del otro non me acuerdo del nonbre. Et estos tres cavalleros ovieron un día porfía[9] entre sí quál era el mejor cavallero d'armas. Et porque non se pudieron avenir en otra manera, acordaron todos tres que se armassen muy bien et que llegassen fasta la puerta de Sevilla, en guisa que diessen con las lanças a la puerta.

Otro día mañana, armáronse todos tres et endereçaron a lla villa; et los moros que estavan por el muro et por las torres, desque vieron que non eran más de tres cavalleros, cuydaron que vinían por mandaderos, et non salió ninguno a ellos; et los tres cavalleros passaron la cava[10] et la barvacana,[11] llegaron a lla puerta de la villa, et dieron de los cuentos[12] de las lanças en ella; et desque ovieron fecho esto, volbieron las riendas a los cavallos et tornáronse para la hueste.

Et desque los moros vieron que non les dizían ninguna cosa, toviéronse por escarnidos[13] et començaron a yr en pos ellos; et quando ellos ovieron avierto la puerta de lla villa, los tres cavalleros que se tornavan su passo,[14] eran ya quanto[15] alongados; et salieron en pos dellos más de mil et quinientos omnes a cavallo, et más de veinte mil a pie. Et desque los tres cavalleros vieron que vinían cerca dellos, bolbieron las riendas de los cavallos contra ellos et asperáronlos. Et quando los moros fueron cerca dellos, aquel cavallero de que olbidé el nonbre, endereçó a ellos et fuelos ferir.[16] Et don Lorenço Suárez et don García Pé-

---

[8] *dizían:* llamaban.　[9] *porfía:* discusión obstinada.　[10] *cava:* foso.　[11] *barvacana:* primeras fortificaciones.　[12] *de los cuentos:* con las puntas.　[13] *escarnidos:* injuriados.　[14] *tornavan su passo:* volvían despacio.　[15] *ya quanto:* algo.　[16] *ferir:* atacar con la lanza.

riz estudieron[17] quedos; et desque los moros fueron más cerca,
don García Périz de Vargas fuelos ferir. Et don Lorenço Xuárez
estudo quedo, et nunca fue a ellos fasta que los moros le fueron
ferir; et desque le començaron a ferir, metióse entrellos et començó a fazer cosas marabillosas d'armas.

Et quando los del real[18] vieron aquellos cavalleros entre los
moros, fuéronles acorrer. Et commo quier que ellos estavan en
muy grand priessa y ellos fueron feridos, fue la merçed de Dios
que non murió ninguno dellos. Et la pellea fue tan grande entre los christianos et los moros, que ovo de llegar ý el rey don
Ferrando. Et fueron los christianos esse día muy bien andantes.
Et desque el rey se fue para su tienda, mandólos prender, diziendo que meresçían muerte, pues que se aventuravan a fazer
tan grant locura, lo uno en meter la hueste en rebato[19] sin mandado del rey, et lo ál en fazer perder tan buenos tres cavalleros.
Et desque los grandes omnes de la hueste pidieron merçed al rey
por ellos, mandólos soltar.

Et desque el rey sopo que, por la contienda[20] que entrellos
oviera, fueron a fazer aquel fecho, mandó llamar quantos buenos omnes eran con él, para judgar quál dellos lo fiziera mejor.
Et desque fueron ayuntados, ovo entrellos grand contienda: ca
los unos dizían que fuera mayor esfuerço el que primero los fuera ferir, et los otros que el segundo, et los otros que el terçero.
Et cada unos dizían tantas buenas razones que paresçían que dizían razón derecha: et, en verdad, tan bueno era el fecho en sí,
que qualquier podría aver muchas buenas razones para lo ala-
bar; pero, a la fin del pleito, el acuerdo fue éste: que si los moros que binían a ellos fueran tantos que se pudiessen vençer por
esfuerço o por vondad que en aquellos cavalleros oviesse, que
el primero que los fuesse a ferir era el meior cavallero, pues començava cosa que se podría acabar; mas, pues los moros eran
tantos que por ninguna guisa non los podrían vençer, que el
que yva a ellos non lo fazía por vençerlos, mas la vergüença le
fazía que non fuyesse; et pues non avía de foýr, la quexa del co-

___

[17] *estudieron:* estuvieron.   [18] *real:* campamento.   [19] *rebato:* alarma.   [20] *contien*
da: disputa.

raçón, porque non podía soffrir el miedo, le fizo que les fuesse ferir. Et el segundo que les fue ferir et esperó más que el primero, tovieron por meior, porque pudo sofrir más el miedo. Mas don Lorenço Xuárez que sufrió todo el miedo et esperó fasta que los moros le ferieron, aquél iudgaron que fuera meior cavallero.[25]

Et vos, señor conde Lucanor, pues veedes que éstos son miedos et espantos, et es contienda que, aunque la començedes, non la podedes acabar, quanto más suffriéredes estos miedos et estos espantos, tanto seredes más esforçado, et demás, faredes mejor seso: ca pues vos tenedes recabdo en lo vuestro et non vos pueden fazer cosa arrebatadamente de que grand daño vos venga, conséjovos yo que non vos fuerçe la quexa del coraçón. Et pues grand colpe non podedes reçebir, esperat ante que vos fieran, et por aventura veredes que estos miedos et espantos que vos ponen, que non son, con verdat, sinon lo que éstos vos dizen porque cunple a ellos, ca non an bien sinon en el mal. Et bien cred que estos tales, tan bien de vuestra parte commo de la otra, que non querrían grand guerra nin grand paz, ca non son para se parar a la guerra, nin querrían paz conplida; mas lo que ellos querrían sería un alboroço[21] con que pudiessen ellos tomar et

---

[21] *alboroço:* tumulto.

(25) Es el primer «exemplo» en que la materia caballeresca —muy importante a lo largo del siglo XIV— adquiere un amplio desarrollo; como en el Ex. IX, don Juan Manuel recrea una historia general partiendo de una anécdota histórica, conservada en este caso en la *Estoria de España* alfonsí. La diferencia fundamental respecto a la fuente histórica radica en que en la obra manuelina son las acciones de los personajes las que construyen la estructura del relato: hay tres personajes, tres líneas de acción y tres soluciones; la primera es histórica —el rey don Fernando obtiene la victoria sobre los moros—, la segunda es ficticia —se genera la intriga: el rey manda prender a los caballeros— y la tercera es narrativa —corresponde a la contienda final por averiguar quién fue mejor caballero: la solución a esta disputa resuelve también el caso planteado por el conde Lucanor.

fazer mal en la tierra, et tener a vos et a la vuestra parte en premia[22] para levar de vos lo que avedes et non avedes, et non aver
reçelo que los castigaredes por cosa que fagan. Et por ende, aunque alguna cosa fagan contra vos, pues non vos pueden mucho
enpeçer en soffrir que se mueba del otro la culpa, venirvos ha
ende mucho bien: lo uno, que aviedes a Dios por vos, que es
una ayuda que cunple mucho para tales cosas; et lo ál, que todas las gentes ternán que fazedes derecho en lo que fizierdes. Et
por aventura, que si non vos movierdes vos a fazer lo que non
devedes, non se movrá[23] el otro contra vos; abredes paz et faredes serviçio a Dios et pro de los buenos, et non faredes vuestro
daño por fazer plazer a los que querrían guaresçer[24] faziendo
mal et se sintrían poco del daño[25] que vos viniesse por esta razón.

   Al conde plogo deste consejo que Patronio le dava. Et fízolo
assí et fallósse ende bien.

   Et porque don Johan tovo que este exienplo que era muy bueno, mandólo escrivir en este libro et fizo estos viessos que dizen
assí:

> *Por quexa non vos fagan ferir,*
> *ca siempre vençe quien sabe sofrir.*

   Et la estoria deste exienplo es ésta que se sigue:

EXEMPLO XVIII.º

DE LO QUE CONTESÇIÓ A DON PERO MELÉNDEZ DE VALDÉS QUANDO SE LE QUEBRÓ[1] LA PIERNA

   Fablava el conde Lucanor con Patronio, su consegero, un día,
et díxole assí:

   —Patronio, vos sabedes que yo he contienda con un mi vezino que es omne muy poderoso et muy onrado; et avemos entre

---

[22] *premia:* apremio.   [23] *movrá:* moverá.   [24] *guaresçer:* salvarse.   [25] *se sintrían poco del daño:* sentirían poco el daño.
[1] *quebró:* rompió.

nós postura[2] de yr a una villa, et qualquier de nós que allá vaya
primero cobraría la villa, et perderla ha el otro; et vos sabedes
cómmo tengo ya toda mi gente ayuntada; et bien fío, por la
merçed de Dios, que si yo fuesse, que fincaría ende con grand
onra et con grand pro. Et agora estó enbargado,[3] que lo non puedo fazer por esta ocasión[4] que me contesçió: que non estó bien
sano. Et commo quier que me es grand pérdida en lo de lla villa, vien vos digo que me tengo por más ocasionado[5] por la mengua que tomo et por la onra que a él ende viene, que aun por
la pérdida. Et por la fiança que yo en vos he, ruégovos que me
digades lo que entendierdes que en esto se puede fazer.

—Señor conde Lucanor —dixo Patronio—, commo quier que
vos fazedes razón[6] de vos quexar, para que en tales cosas commo éstas fiziésedes lo meior siempre, plazerme ýa[7] que sopiésedes lo que contesçió a don Pero Meléndez de Valdés. [(26)]

El conde le rogó quel dixiesse cómmo fuera aquello.

—Señor conde Lucanor —dixo Patronio—, don Pero Meléndez de Valdés era un cavallero mucho onrado del reyno de León,
et avía por costunbre que cada quel[8] acaesçié algún enbargo,
siempre dizía: «¡Bendicho sea Dios, ca pues Él lo faze, esto es lo
mejor!»[(27)]

Et este don Pero Meléndez era consegero et muy privado del
rey de León; et otros sus contrarios,[9] por grand envidia quel

---

   [2] *postura:* acuerdo.   [3] *enbargado:* impedido.   [4] *ocasión:* daño, desgracia.
[5] *ocasionado:* desgraciado.   [6] *fazedes razón:* tenéis razón.   [7] *plazerme ýa:*
me agradaría.   [8] *cada quel:* cada vez que le.   [9] *contrarios:* enemigos.

(26) Es casi constante la tendencia de don Juan Manuel a recrear personajes nobles —históricos o ficticios, como en este caso— para mejor
encauzar la enseñanza originada en los «exemplos» al estado al que pertenece el conde Lucanor (y su creador). Esta pretensión de 'historicidad'
no es más que un afán por lograr una más efectiva difusión didáctica.

(27) Cuando don Juan Manuel pretende lograr un efecto inmediato
de intriga, presenta con gran rapidez al personaje y le define con un único rasgo, llamativo y extraño, que contiene la fuerza narrativa necesaria
como para precisar un desarrollo más amplio y la originalidad suficien-
te como para distanciarse del tema del que parte (un «mal providen-
cial» libra de un mal mayor, casi siempre la muerte).

ovieron, assacáronle[10] muy grand falsedat et buscáronle tanto mal con el rey, que acordó de lo mandar matar.

Et seyendo don Pero Meléndez en su casa, llegól mandado del rey que enviava por él. Et los quel avían a matar estávanle esperando a media legua de aquella su casa. Et queriendo cavalgar don Pero Meléndez para se yr para el rey, cayó de una escalera et quebról la pierna. Et quando sus gentes que avían a yr con él vieron esta ocasión que acaesçiera, pesóles ende mucho et començáronle a maltraer diziéndol:

—¡Ea!, don Pero Meléndez, vos que dezides que lo que Dios faze, esto es lo mejor, tenedvos[11] agora este bien que Dios vos ha fecho.

Et él díxoles que ciertos fuessen que, commo quier que ellos tomavan grand pesar desta ocasión quel contesçiera, que ellos verían que, pues Dios lo fiziera, que aquello era lo meior. Et por cosa[12] que fizieron nunca desta entençión le pudieron sacar.

Et los quel estavan esperando por le matar por mandado del rey, desque vieron que non venía, et sopieron lo quel avía acaesçido, tornáronse paral rey et contáronle la razón por que non pudieran conplir su mandado.[(28)]

Et don Pero Meléndez estudo grand tiempo que non pudo cavalgar; et en quanto[13] él assí estava maltrecho, sopo el rey que aquello que avían asacado a don Pero Meléndez que fuera muy grant falsedat, et prendió a aquellos que ge lo avían dicho. Et fue veer a don Pero Meléndez, et contól la falsedat que dél le dixieron, et cómmo le mandara él matar, et pediól perdón por el yerro que contra él oviera de fazer et fízol mucho bien et mucha

---

[10] *assacáronle:* le achacaron.   [11] *tenedvos:* tomaos.   [12] *por cosa:* por mucho.   [13] *en quanto:* mientras.

---

(28) Eje de simetría perfecto que relaciona las cuatro unidades del desarrollo del relato: (A) amenaza de peligro para la vida de don Pero Meléndez, (B) al cabalgar se rompe una pierna, pero se ratifica en su frase proverbial; y las dos que siguen: (C) el rey se entera de la verdad y (D) pide perdón a don Pero y castiga a los responsables.

onra por le fazer emienda. Et mandó luego fazer muy grand ius-
ticia antél daquellos que aquella falsedat le assacaron.

Et assí libró Dios a don Pero Meléndez, porque era sin culpa,
et fue verdadera la palabra que él sienpre solía dezir: «Que todo
lo que Dios faze, que aquello es lo mejor.»

Et vos, señor conde Lucanor, por este enbargo que vos agora
vino, non vos quexedes, et tenet por çierto en vuestro coraçón
que todo lo que Dios faze, que aquello es lo meior; et si lo assí
pensáredes, Él vos lo sacará[14] todo a bien. Pero devedes entender que las cosas que acaesçen son en dos maneras: la una es
que si viene a omne algún enbargo en que se puede poner algún consejo; la otra es que si viene algún enbargo en que se
non puede poner ningún consejo. Et en los enbargos que se puede poner algún conseio, deve fazer omne quanto pudiere por lo
poner ý[15], et non lo deve dexar por atender que por voluntad
de Dios o por aventura se endereçará, ca esto sería tentar a Dios;
mas, pues el omne ha entendimiento et razón, todas las cosas
que fazer pudiere por poner conseio en las cosas quel acaesçie-
ren, dévelo facer; mas en las cosas en que se non puede poner ý
ningún conseio, aquéllas deve omne tener que, pues se fazen por
voluntad de Dios, que aquello es lo meior. Et pues esto que a
vos acaesçió es de las cosas que vienen por voluntad de Dios, et
en que se non puede poner conseio, poned en vuestro talante
que pues Dios lo faze, que es lo meior; et Dios lo guisará que
se faga assí commo lo vos tenedes en coraçón.

El conde tovo que Patronio le dezía la verdat et le dava buen
consejo. Et fízolo assí et fallósse ende bien.

Et porque don Iohan tovo éste por buen enxienplo, fízolo escrivir en este libro et fizo estos viessos que dizen assí:

> *Non te quexes por lo que Dios fiziere,*
> *ca por tu bien sería quando Él quisiere.*

Et la estoria deste exienplo es ésta que se sigue:

---

[14] *sacará:* llevará.   [15] *ý:* en ellos (en los enbargos).

EXEMPLO XIX.º

De lo que contesçió a los cuervos con los búhos

Fablava un día el conde Lucanor con Patronio, su conseiero, et díxol:

—Patronio, yo he contienda con un omne muy poderoso; et aquel mío enemigo avía en su casa un su pariente et su criado, et omne a quien avía fecho mucho bien. Et un día, por cosas que acaesçieron entre ellos, aquel mío enemigo fizo mucho mal et muchas desonras [a] aquel omne con quien avía tantos debdos.[1] Et veyendo el mal que avía reçebido et queriendo catar manera cómmo se vengasse, vínose para mí, et yo tengo que es muy grand mi pro, ca éste me puede desengañar et aperçebir en cómmo pueda más ligeramente fazer daño [a] aquel mío enemigo. Pero, por la grand fiuza que yo he en vos et en el vuestro entendimiento, ruégovos que me conseiedes lo que faga en este fecho.

—Señor conde Lucanor —dixo Patronio—, lo primero vos digo que este omne non vino a vos sinon por vos engañar; et para que sepades la manera del su engaño, plazerme ía que sopiéssedes lo que contesçió a los búhos et a los cuervos.

El conde le rogó quel dixiesse cómmo fuera aquello.

—Señor conde Lucanor —dixo Patronio—, los cuervos et los búhos avían entre ssí grand contienda, pero los cuervos eran en mayor quexa.[2] Et los búhos, porque es su costunbre de andar de noche et de día estar ascondidos en cuebas muy malas de fallar, vinían de noche a los árboles do los cuervos albergavan et matavan muchos dellos et fazíanles mucho mal. Et passando los cuerbos tanto daño, un cuervo que avía entrellos, muy sabidor, que se dolía mucho del mal que avía reçebido de los buyos,[3] sus

---

[1] *debdos:* obligaciones.   [2] *quexa:* apuro.   [3] *buyos:* búhos.

enemigos, fabló con los cuervos sus parientes, et cató esta manera para se poder vengar.

Et la manera fue ésta: que los cuervos le messaron[4] todo, salvo ende un poco de las alas, con que volava muy mal et muy poco. Et desque fue assí maltrecho, fuesse para los búhos et contóles el mal et el daño que los cuervos le fizieran, señaladamente porque les dizía que non quisiessen seer contra ellos; mas, pues tan mal lo avían fecho contra él, que si ellos quisiessen, que él les mostraría muchas maneras cómmo se podrían vengar de los cuervos et fazerles mucho daño.

Quando los búhos esto oyeron, plógoles mucho, et tovieron que, por este cuervo que era con ellos, era todo su fecho endereçado, et començaron a fazer mucho bien al cuervo et fiar en él todas sus faziendas[5] et sus poridades.[6][(29)]

Entre los otros búhos, avía ý uno que era muy bieio et avía passado por muchas cosas, et desque vio este fecho del cuervo, entendió el engaño con que el cuervo andava, et fuesse paral mayoral[7] de los buyos et díxol quel fuesse çierto que aquel cuervo non viniera a ellos sinon por su daño et por saber sus faziendas, et que lo echasse de su compaña. Mas este búho non fue creýdo de los otros búhos; et desque vio que non le querían creer, partiósse dellos et fue buscar tierra do los cuervos non le pudiessen fallar.[(30)]

---

[4] *messaron:* desplumaron.   [5] *faziendas:* obras.   [6] *poridades:* secretos.   [7] *mayoral:* jefe.

(29) Don Juan Manuel utiliza el recurso tradicional de la personificación en las fábulas como un medio de buscar semejanzas con el plano social en el que se inscribe el problema planteado por el conde Lucanor: por ello son tan perfectas las alusiones a las costumbres y los usos del siglo XIV, que facilitan la comprensión del «exemplo».

(30) Recurso compositivo original de don Juan Manuel es intensificar la narración por medio de anteposiciones argumentales que, por una parte, resuelven la intriga y, por otra, contienen implícitas las unidades de enseñanza: mucho más en este caso, en que el «búho sabidor» simboliza la figura de Patronio.

Et los otros búhos pensaron bien[8] del cuervo. Et desque las péñolas[9] le fueron eguadas,[10] dixo a los búhos que, pues podía volar, que quería yr saber do estavan los cuervos et que vernía dezírgelo por que pudiessen ayuntarse et yr a los estroýr todos. A los buyos plogó mucho desto.

Et desque el cuervo fue con los otros cuervos, ayuntáronse muchos dellos, et sabiendo toda la fazienda de los búhos, fueron a ellos de día quando ellos non buellan[11] et estavan segurados et sin reçelo, et mataron et destruyeron dellos tantos por que fincaron vençedores los cuervos de toda su guerra.

Et todo este mal vino a los búhos porque fiaron en el cuervo que naturalmente[12] era su enemigo.

Et vos, señor conde Lucanor, pues sabedes que este omne que a vos vino es muy adebdado[13] con aquel vuestro enemigo et naturalmente él et todo su linage son vuestros enemigos, conséiovos yo que en ninguna manera non lo trayades en vuestra compaña,[14] ca çierto sed que non vino a vos sinon por engañar et por vos fazer algún daño. Pero si él vos quisiere servir seyendo alongado de vos, de guisa que vos non pueda enpesçer,[15] nin saber nada de vuestra fazienda, et de fecho fiziere tanto mal et tales manzellamientos[16] a aquel vuestro enemigo con quien él ha algunos debdos, que veades vos que non le finca logar[17] para se poder nunca avenir con él, estonce podredes vos fiar en él, pero sienpre fiat en él tanto de que vos non pueda venir daño.

El conde tovo éste por buen conseio. Et fízolo assí et fallóse dello muy bien.

Et porque don Iohan entendió que este exienplo era muy bueno, fízolo escrivir en este libro et fizo estos viessos que dizen assí:

Al que tu enemigo suel seer,
nunca quieras en él mucho creer.

Et la ystoria deste exienplo es ésta que se sigue:

---

[8] *pensaron bien:* le atendieron bien.   [9] *péñolas:* plumas.   [10] *eguadas:* igualadas.   [11] *buellan:* vuelan.   [12] *naturalmente:* por su propia naturaleza.   [13] *adebdado:* relacionado.   [14] *compaña:* conjunto de caballeros servidores de un señor.   [15] *enpesçer:* dañar.   [16] *manzellamientos:* deshonras.   [17] *logar:* oportunidad.

EXEMPLO XX.º

DE LO QUE CONTESÇIÓ A UN REY CON UN OMNE QUEL DIXO QUEL FARÍA ALQUIMIA[1]

Un día, fablava el conde Lucanor con Patronio, su conseiero, en esta manera:

—Patronio, un omne vino a mí et dixo que me faría cobrar muy grand pro et grand onra, et para esto que avía mester que catasse[2] alguna cosa de lo mío con que se començasse aquel fecho; ca, desque fuesse acabado, por un dinero avría diez. Et por el buen entendimiento que Dios en vos puso, ruégovos que me digades lo que vierdes que me cunple de fazer en ello.

—Señor conde, para que fagades en esto lo que fuere más vuestra pro, plazerme ýa que sopiéssedes lo que contesçió a un rey con un omne quel dizía que sabía fazer alquimia.

El conde le preguntó cómmo fuera aquello.

—Señor conde Lucanor —dixo Patronio—, un omne era muy grand golfín[3] et avía muy grand sabor[4] de enrrequesçer et de salir de aquella mala vida que passava. Et aquel omne sopo que un rey, que non era de muy buen recado,[5] se trabaiava[6] de fazer alquimia.

Et aquel golfín tomó çient doblas et limólas, et de aquellas limaduras fizo, con otras cosas que puso con ellas, çient pellas,[7] et cada una de aquellas pellas pesava una dobla, et demás las otras cosas que él mezcló con las limaduras de las doblas. Et fuesse para una villa do era el rey, et vistiósse de paños muy assessegados,[8] et levó aquellas pellas et vendiólas a un espeçiero.[9] Et el espeçiero preguntó que para qué eran aquellas pellas, et el golfín díxol que para muchas cosas, et señaladamente, que sin

---

[1] *alquimia:* química mágica con la que se pretendía encontrar la «piedra filosofal». [2] *catasse:* tomase. [3] *golfín:* farsante. [4] *muy grand sabor:* gran deseo. [5] *recado:* discreción. [6] *se trabaiava:* se esforzaba. [7] *pellas:* bolas, pelotas. [8] *assessegados:* respetables. [9] *espeçiero:* boticario.

aquella cosa, que se non podía fazer el alquimia, et vendiól todas las çient pellas por quantía de dos o tres doblas. Et el espeçiero preguntól cómmo avían nonbre aquellas pellas, et el golfín díxol que avían nonbre tabardíe.[10]

Et aquel golfín moró un tienpo en aquella villa en manera de omne muy assessegado[11] et fue diziendo a unos et a otros, en manera de poridat, que sabía fazer alquimia.

Et estas nuebas llegaron al rey, et envió por él et preguntól si sabía fazer alquimia. Et el golfín, commo quier quel[12] fizo muestra que se quería encobrir et que lo non sabía, al cabo diol a entender que lo sabía, pero dixo al rey quel conseiava que deste fecho non fiasse de omne del mundo nin aventurasse mucho de su aver, pero si quisiesse, que provaría antél un poco et quel amostraría lo que ende sabía. Esto le gradesçió el rey mucho, et paresçiól que segund estas palabras que non podía aver ý ningún engaño. Estonçe fizo traer las cosas que quiso, et eran cosas que se podían fallar, et entre las otras mandó traer una pella de tabardíe. Et todas las cosas que mandó traer non costaban más de dos o tres dineros.[13] Desque las traxieron et las fundieron antel rey salió peso de una dobla de oro fino. Et desque el rey vio que de cosa que costaba dos o tres dineros salía una dobla, fue muy alegre et tóvose por el más bien andante del mundo, et dixo al golfín que esto fazía, que cuydava el rey que era muy buen omne, que fiziesse más.

Et el golfín respondiól, commo si non sopiesse más daquello:[(31)]

—Señor, quanto yo desto sabía, todo vos lo he mostrado, et daquí adelante vos lo faredes tan bien commo yo; pero conviene

---

[10] *tabardíe:* nombre inventado por don Juan Manuel.   [11] *assessegado:* tranquilo.   [12] *commo quier quel:* aunque le.   [13] *dineros:* moneda de poco valor.

(31) Don Juan Manuel se cuida de señalar el proceso psicológico de engaño que el golfín tiende al monarca ambicioso; para ello, utiliza el factor *tiempo*, con el que estructura las acciones y reacciones de los personajes: el golfín permanece un tiempo en la ciudad, enseña al rey a obtener el oro y aguarda hasta que le llame, confiado en su argucia.

que sepades una cosa: que qualquier destas cosas que mengüe[14]
non se podría fazer este oro.

Et desque esto ovo dicho, espedióse del rey et fuesse para su
casa.

El rey provó sin aquel maestro de fazer el oro, et dobló la reçepta et salió peso de dos doblas de oro. Otra vez dobló la reçepta
et salió peso de quatro doblas; et assí commo fue cresçiendo la
reçepta, assí salió pesso de doblas. Desque el rey vio que él podía fazer quanto oro quisiese, mandó traer tanto daquellas cosas
para que pudiese fazer mill doblas. Et fallaron todas las otras
cosas, mas non fallaron el tabardíe. Desque el rey vio que, pues
menguava el tabardíe, que se non podía fazer el oro, envió por
aquel que gelo mostrara fazer, et díxol que non podía fazer el
oro commo solía. Et él preguntól si tenía todas las cosas que él
le diera por escripto. Et el rey díxol que sí, mas quel menguava
el tabardíe.

Estonçe le dixo el golfín que por qualquier cosa que menguasse que non se podía fazer el oro, et que assí lo abía él dicho
el primero día.

Estonçe preguntó el rey si sabía él do avía este tabardíe; et el
golfín le dixo que sí. Entonce le mandó el rey que pues él sabía
do era, que fuesse él por ello et troxiesse tanto por que pudiesse
fazer tanto quanto oro quisiesse. El golfín le dixo que commo
quier que esto podría fazer otri tan bien o mejor que él, si el
rey lo fallasse por su serviçio, que yría por ello: que en su tierra
fallaría ende asaz. Estonçe contó el rey lo que podría costar la
conpra et la despensa[15] et montó[16] muy grand aver.

Et desque el golfín lo tovo en su poder, fuesse su carrera[17] et
nunca tornó al rey.[(32)] Et assí fincó el rey engañado por su mal

---

[14] *mengüe:* falte.   [15] *despensa:* gasto.   [16] *montó:* subió.   [17] *carrera:* camino,
viaje.

(32) Hay que observar la rapidez con que la acción se vuelca en el
desenlace, que contrasta con la detención minuciosa con que don Juan
Manuel traza el proceso de engaño; ha habido un perfecto dominio de
las técnicas narrativas: el cuento se abre con un complejo diseño espa-

recabdo. Et desque vio que tardava más de quanto devía, envió
el rey a su casa por saber si sabían dél algunas nuebas. Et non
fallaron en su casa cosa del mundo, sinon un arca çerrada; et
desque la avrieron, fallaron ý un escripto que dizía assí:

«Bien creed que non á en el mundo tabardíe; mas sabet que
vos he engañado, et quando yo vos dizía que vos faría rico, de-
viérades me dezir que lo feziesse primero a mí et que me cree-
ríedes.»

A cabo de algunos días,[33] unos omnes estavan riendo et trebeiando[18] et escribían todos los omnes que ellos conosçían, cada
uno de quál manera era, et dizían: «Los ardides[19] son fulano et
fulano; et los ricos, fulano et fulano; et los cuerdos, fulano et
fulano.» Et assí de todas las otras cosas buenas o contrarias. Et
quando ovieron a escrivir los omnes de mal recado, escrivieron
ý el rey. Et quando el rey lo sopo, envió por ellos et asseguróles
que les non faría ningún mal por ello, et díxoles que por quél
escrivieran por omne de mal recabdo. Et ellos dixiéronlo: que
por razón que diera tan grand aver a omne estraño et de quien
non tenía ningún recabdo.

Et el rey les dixo que avían errado, et que si viniesse aquel
que avía levado el aver que non fincaría él por omne de mal recabdo. Et ellos le dixieron que ellos non perdían nada de su
cuenta, ca si el otro viniesse, que sacarían al rey del escripto et
que pornían[20] a él.

Et vos, señor conde Lucanor, si queredes que non vos tengan
por omne de mal recabdo, non aventuredes por cosa que non
sea çierta tanto de lo vuestro, que vos arrepintades si lo perdier-
des por fuza[21] de aver grand pro, seyendo en dubda.

---

[18] *trebeiando:* burlando, divirtiéndose.   [19] *ardides:* valientes.   [20] *pornían:* pon-
drían.   [21] *fuza:* confianza.

cial, se estructura por medio de una trama temporal y se culmina con
la presentación del interior de los dos personajes.

(33) Segundo relato que forma parte de la unidad completa del «exemplo». Es un nuevo cuento insertado en el anterior por medio del desarrollo de la solución narrativa. Sirve de contrapunto a la figura de un
monarca dibujado, a pesar de su error, con dignidad de soberano.

Al conde plogo deste consejo. Et fízolo assí et fallóse dello bien.

Et beyendo don Johan que este exienplo era bueno, fízolo escrivir en este libro et fizo estos viessos que dizen assí:

Non aventuredes mucho la tu riqueza,
por consejo del que á grand pobreza.

Et la ystoria deste exienplo es ésta que se sigue:

EXEMPLO XXI.º

DE LO QUE CONTESÇIÓ A UN REY MOÇO CON UN MUY GRANT PHILÓSOPHO A QUI LO ACOMENDARA[1] SU PADRE

Otra vez fablava el conde Lucanor con Patronio, su consegero, en esta guisa:

—Patronio, assí acaesçió que yo avía un pariente a qui amava mucho, et aquel mi pariente finó et dexó un fijo muy pequenuelo, et este moço críolo[2] yo. Et por el gran debdo et grand amor que avía a su padre, et otrosí, por la grand ayuda que yo atiendo dél desque sea en tienpo para me la fazer, sabe Dios quel amo commo si fuesse mi fijo. Et commo quier que el moço ha buen entendimiento et fío por Dios que sería muy buen omne, pero porque la moçedat engaña muchas vezes a los moços et non les dexa fazer todo lo que les cunpliría más, plazerme ýa si la moçedat non engañasse tanto a este moço. Et por el buen entendimiento que vos avedes, ruégovos que me digades en qué manera podría yo guisar[3] que este moço fiziesse lo que fuesse más aprovechoso para el cuerpo et para la su fazienda.

—Señor conde Lucanor —dixo Patronio—, para que vos fiziésedes en fazienda deste mozo lo que al mio cuydar sería me-

---

[1] *acomendara:* encomendara. [2] *críolo:* lo educo yo. [3] *guisar:* disponer.

jor, mucho querría que sopiéssedes lo que contesçió a un muy
grand philósopho con un rey moço, su criado.

El conde le preguntó cómmo fuera aquello.

—Señor conde Lucanor —dixo Patronio—, un rey avía un
fijo et diolo a criar a un philósopho en que fiava mucho; et
quando el rey finó, fincó el rey, su fiio, moço pequeño. Et crió-
lo aquel philósopho fasta que passó por XV años. Mas luego
que entró en la mancebía,[4] començó a despreçiar el conseio daquel que lo criara et allegósse a otros consegeros de los mançe-
bos et de los que non avían tan grand debdo con él por que mucho fiziessen por le guardar de daño. Et trayendo su fazienda en
esta guisa, ante de poco tienpo llegó su fecho a logar[5] que tan
bien[6] las maneras et costumbres del su cuerpo, commo la su fazienda, era todo muy empeorado. Et fablavan todas las gentes
muy mal de cómmo perdía aquel rey moço el cuerpo et la fazienda.

Yendo aquel pleito[7] tan a mal, el philósopho que criara al
rey et se sintía et le pessava ende mucho, non sabía qué fazer,
ca ya muchas vezes provara de lo castigar[8] con ruego et con fa-
lago, et aun maltrayéndolo,[9] et nunca pudo fazer ý nada, ca la
moçedat lo estorvava todo. Et desque el philósopho vio que por
otra manera non podía dar consejo en aquel fecho, pensó esta
manera que agora oyredes. [(34)]

El philósopho començó poco a poco a dezir en casa del rey
que él era el mayor agorero[10] del mundo. Et tantos omnes oyeron esto que lo ovo de saber el rey moço; et desque lo sopo, preguntó el rey al philósopho si era verdat que sabía catar agüero[11]

---

[4] *mançebía:* adolescencia, mocedad. [5] *logar:* situación. [6] *tan bien:* tanto. [7] *pleito:* suceso. [8] *castigar:* aconsejar. [9] *maltrayéndolo:* reprochándo-
le. [10] *agorero:* hombre que sabe interpretar agüeros. [11] *agüero:* señal de la naturaleza que permitía adivinar el futuro.

~~~~~~

(34) Patronio desarrolla la figura del narrador: ser que ordena y organiza los niveles del relato. Hay que tener presente que, de nuevo, Patronio aparece simbolizado en un personaje inventado por él: en este
caso, el filósofo. Otras figuras que cumplieron esta función fueron el
«philósopho cativo» del Ex. I y el «búho sabidor» del Ex. XIX, como

tan bien commo lo dizían. Et el philósopho, commoquier quel dio a entender que lo quería negar, pero al cabo díxol que era verdat, mas que non era mester que omne del mundo lo sopiesse. Et commo los moços son quexosos[12] para saber et para fazer todas las cosas, el rey, que era moço, quexávase mucho por veer cómmo catava los agüeros el philósopho; et quanto el philósopho más lo alongava,[13] tanto avía el rey moço mayor quexa de lo saber, et tanto afincó[14] al philósopho, que puso[15] con él de yr un día de grand mañana[16] con él a los catar en manera que non lo sopiesse ninguno.

Et madurgaron mucho. Et el philósopho endereçó por un valle en que avía pieça[17] de aldeas yermas; et desque passaron por muchas, vieron una corneja que estava dando vozes en un árbol. Et el rey mostróla al philósopho, et él fizo contenente[18] que la entendía.

Et otra corneja començó a dar vozes en otro árbol, et amas[19] las cornejas estudieron assí dando vozes, a vezes la una et a vezes la otra. Et desque el philósopho escuchó esto una pieça començó a llorar muy fieramente et ronpió sus paños, et fazía el mayor duelo del mundo.

Quando el rey moço esto vio, fue muy espantado et preguntó al philósopho que por qué fazía aquello. Et el philósopho diol a entender que gelo quería negar. Et desque lo affincó mucho, díxol que más quería seer muerto que bivo, ca non tan solamente los omnes, mas que aun las aves, entendían ya cómmo, por su mal recabdo, era perdida toda su tierra et toda su fazienda, et su cuerpo despreçiado. Et el rey moço preguntól cómmo era aquello.

Et él díxol que aquellas dos cornejas avían puesto[20] de casar el fijo de la una con la fija de la otra; et que aquella corneja

---

[12] *quexosos:* impacientes. [13] *alongava:* demoraba. [14] *afincó:* apremió. [15] *puso:* convino. [16] *de grand mañana:* muy temprano. [17] *pieça:* abundancia. [18] *contenente:* gesto, expresión. [19] *amas:* ambas. [20] *avían puesto:* habían convenido.

más adelante lo serán el «philósopho» del Ex. XLVI y el «cavallero ançiano» del Ex. L.

que començara a fablar primero, que dezía a la otra que pues
tanto avía que era puesto aquel casamiento, que era bien que
los casassen. Et la otra correia díxol que verdat era que fuera
puesto, mas que agora ella era más rica que la otra, que, loado
a Dios, después que este rey regnara, que eran yermas todas las
aldeas de aquel valle, et que fallava ella en las casas yermas muchas culuebras et lagartos et sapos et otras tales cosas que se
crían en los lugares yermos, por que avían muy mejor de comer
que solía, et por ende que non era estonçe el casamiento egual.
Et quando la otra correja esto oyó, començó a reýr et respondiól que dizía poco seso[21] si por esta razón quería alongar[22] el
casamiento que sol[23] que Dios diesse vida a este rey, que muy
aýna sería ella más rica que ella, ca muy aýna sería yermo aquel
valle otro do ella morava en que avía diez tantas[24] aldeas que
en el suyo, et que por esto non avía por qué alongar el casamiento. Et por esto otorgaron amas las correjas de ayuntar luego el casamiento.

    Quando el rey moço esto oyó, pesól ende mucho, et començó
a cuydar[25] cómmo era su mengua en ermar[26] assí lo suyo. Et desque el philósopho vio el pesar et el cuydar que el rey moço tomava, et que había sabor de cuydar en su fazienda, diol muchos
buenos conseios, en guisa que en poco tienpo fue su fazienda
toda endereçada, tan bien de su cuerpo commo de su regno.[(35)]

    Et vos, señor conde, pues criastes este moço et querríades que
se endereçasse su fazienda, catad alguna manera que por exienplos o por palabras maestradas[27] et falagueras le fagades enten-

---

[21] *poco seso:* algo insensato.   [22] *alongar:* retardar.   [23] *sol:* solamente.   [24] *diez
tantas:* diez veces tantas.   [25] *cuydar:* pensar, reflexionar.   [26] *ermar:* asolar.
[27] *maestradas:* estudiadas, artificiosas.

(35) Compleja estructura narrativa, en la que hay que diferenciar tres
niveles en el relato: *a)* presentación inicial de la acción —imposibilidad
del filósofo por gobernar al rey mozo y ocurrencia de fingirse agorero—;
b) salida al valle y encuentro con las cornejas; *c)* «exemplo» del casamiento de las cornejas. El plano *b* se inserta en el *a* para desarrollar el
mundo interno de los personajes y el plano *c* es un relato engastado en
el *b* que contiene las referencias didácticas buscadas por Patronio.

der su fazienda, mas por cosa del mundo non derrangedes[28] con
él castigándol nin maltrayéndol, cuydándol endereçar; ca la manera de los más de los moços es tal, que luego aborreçen al que
los castiga, et mayormente si es omne de grand guisa,[29] ca lié-
vanlo[30] a manera de monospreçio, non entendiendo quánto lo
yerran; ca non an tan buen amigo en el mundo commo el que
castiga el moço por que non faga su daño, mas ellos non lo toman assí, sinon por la peor manera. Et por aventura caería tal
desamor entre vos et él, que ternía daño a entramos para adelante.

Al conde plogo mucho deste consejo que Patronio le dio. Et
fízolo assí et fallóse ende bien.

Et porque don Iohan se pagó[31] mucho deste exienplo, fízolo
poner en este libro et fizo estos viessos que dizen assí:

Non castigues moço maltrayéndol,
mas dilo commol vaya plaziéndol.

Et la ystoria deste exienplo es ésta que sigue:

EXEMPLO XXIIII.º

DE LO QUE CONTESÇIÓ A UN REY QUE QUERÍA PROVAR A TRES SUS FIJOS

Un día fablava el conde Lucanor con Patronio, su consegero,
et díxole assí:

—Patronio, en la mi casa se crían muchos moços, dellos omnes de grand guisa et dellos[1] que lo non son tanto, et beo en
ellos muchas maneras et muy estrañas.[2] Et por el grand entendimiento que vos avedes, ruégovos que me digades, quanto vos en-

---

[28] *derrangedes:* arremetáis.   [29] *de grand guisa:* de elevada condición.   [30] *lieván-lo:* lo llevan, lo consideran.   [31] *se pagó:* se contentó.
[1] *dellos... dellos:* algunos... otros.   [2] *estrañas:* diferentes.

tendedes, en qué manera puedo yo conosçer quál moço recudrá[3]
a seer meior omne.

—Señor conde —dixo Patronio—, esto que me vos dezides es
muy fuerte[4] cosa de vos lo dezir ciertamente, ca non se puede
saber çiertamente ninguna cosa de lo que es de venir; et esto que
vos preguntades es por venir, et por ende non se puede saber ciertamente; mas lo que desto se puede saber es por señales que paresçen en los moços, tan bien de dentro commo de fuera; et las
que paresçen de dentro son las figuras[5] de la cara et el donaire[6]
et la color et el talle del cuerpo et de los mienbros, ca por estas
cosas paresçe la señal de la conplisión[7] et de los mienbros prinçi-
pales, que son el coraçón et el meollo[8] et el fígado; commo quier
que éstas son señales, non se puede saber lo çierto; ca pocas vezes se acuerdan[9] todas las señales a una cosa: ca si las unas señales muestran lo uno, muestran las otras el contrario; pero a
lo más, segund son estas señales, assí recuden las obras.

Et las más çiertas señales son las de la cara, et señaladamente
las de los ojos, et otrosí el donayre; ca muy pocas vezes fallesçen
éstas. Et non tengades que el donarie[10] se dize por seer omne fermoso en la cara nin feo, ca muchos omnes son pintados[11] et fer-
mosos, et non an donarie de omne, et otros paresçen feos, que
an buen donario para seer omnes apuestos.

Et el talle del cuerpo et de los miembros muestran señal de la
complisión et paresçe si deve seer valiente o ligero, et las tales
cosas. Mas el talle del cuerpo et de los mienbros non muestra
çiertamente quáles deven seer las obras. Et con todo esto, éstas
son señales; et pues digo señales, digo cosa non çierta, ca la señal sienpre es cosa que paresçe por ella lo que deve seer; mas
non es cosa forçada que sea assí en toda guisa. Et éstas son las
señales de dentro que sienpre son muy dubdosas para conosçer
lo que vos me preguntades. Mas para conosçer los moços por
las señales de fuera que son ya quanto[12] más çiertas, plazerme

---

[3] *recudrá:* resultará. [4] *fuerte:* grave. [5] *figuras:* formas. [6] *donaire:* gracia. [7] *conplisión:* constitución. [8] *meollo:* cerebro. [9] *se acuerdan:* concuer-
dan. [10] *donarie:* donaire, como más abajo *donario.* [11] *pintados:* bellos, elegan-
tes. [12] *ya quanto:* algo.

ýa que sopiésedes cómmo provó una vez un rey moro a tres fijos
que avía, por saber quál dellos sería meior omne.

El conde le rogó quel dixiesse cómmo fuera aquello.

—Señor conde Lucanor —dixo Patronio—, un rey moro avía
tres fijos; et porque el padre puede fazer que regne qual fijo de
los suyos él quisiere, después que el rey llegó a la vegez, los omnes buenos de su tierra pidiéronle por merçed que les señalasse
quál daquellos sus fijos quería que regnasse en pos él. Et el rey
díxoles que dende[13] a un mes gelo diría.

Et quando vino a ocho o a dies días,[(36)] una tarde dixo al fijo
mayor que otro día grand mañana[14] quería cavalgar et que fuesse con él. Otro día, vino el infante mayor al rey, pero que non
tan mañana[15] commo el rey, su padre, dixera. Et desque llegó,
díxol el rey que se quería vestir, quel fiziesse traer los paños. El
infante dixo al camarero que troxiesse los paños; el camarero
preguntó que quáles paños quería. El infante tornó al rey et preguntól que quáles paños quería. El rey díxole que el aljuva,[16]
et él tornó al camarero et díxole que el aljuva quería el rey. Et
el camarero le preguntó que quál almexía[17] quería, et el infante
tornó al rey a gelo preguntar. Et assí fizo por cada vestidura,
que sienpre yva et vinía por cada pregunta, fasta que el rey tovo
todos los paños. Et vino el camarero, et le vistió et lo calçó.

Et desque fue vestido et calçado, mandó el rey al infante que
fiziesse traer el cavallo, et él dixo al que guardava los cavallos
del rey quel troxiesse el cavallo; et el que los guardava díxole
que quál cavallo traería; et el infante tornó con esto al rey. Et
assí fizo por la siella et por el freno et por el espada et por las
espuellas; et por todo lo que avía mester para cavalgar, por cada
cosa fue preguntar al rey.

---

[13] *dende:* de allí.   [14] *otro día grand mañana:* al día siguiente muy temprano.   [15] *tan mañana:* tan temprano.   [16] *aljuva:* gabán con mangas cortas y estre-
chas.   [17] *almexía:* manto pequeño.

(36) Don Juan Manuel utiliza las referencias temporales para marcar
cambios en la estructura narrativa; a partir de aquí, comienza el *Desarrollo* del *Núcleo* del «exemplo» (véase el nivel 2.2 del esquema de
la pág. 42).

Desque todo fue guisado,[18] dixo el rey al infante que non podía cavalgar, et que fuesse él andar por la villa et que parasse
mientes a las cosas que vería por que lo sopiesse retraer[19] al rey.
El infante cavalgó et fueron con él todos los onrados omnes del
rey et del regno, et yvan ý muchas trompas et tabales[20] et otros
strumentos. El infante andido[21] una pieça por la villa, et desque tornó al rey, preguntól quél paresçía de lo que viera. Et el
infante díxole que bien le paresçía, sinon quel fazían muy gran
roýdo aquellos estrumentes.[22]

Et a cabo de otros días, mandó el rey al fijo mediano que veniesse a él otro día mañana; et el infante fízolo assí. Et el rey
fizo todas las pruevas que fiziera al infante mayor, su hermano;
et el infante fízolo, et dixo bien commo el hermano mayor.

Et a cabo de otros días, mandó al infante menor, su fijo, que
fuesse con él de grand mañana. Et el infante madurgó ante que
el rey despertasse, et esperó fasta que despertó el rey; et luego
que fue espierto, entró el infante et omillósele[23] con la reverençia
que devía. Et el rey mandól quel fiziesse traer de bestir. Et el infante preguntól qué paños quería, et en una vez[24] le preguntó
por todo lo que avía de bestir et de calçar, et fue por ello et trá-
xogelo todo. Et non quiso que otro camarero lo vestiesse nin lo
calçasse sinon él, dando a entender que se ternía por de buena
ventura si el rey, su padre, tomasse plazer o serviçio de lo que
él pudiesse fazer, et que pues su padre era, que razón et aguisado[25] era de fazer quantos serviçios et omildades[26] pudiesse.

Et desque el rey fue vestido et calçado, mandó al infante quel
fiziesse traer el cavallo. Et él preguntóle quál cavallo quería, et
con quál siella et con quál freno, et quál espada, et por todas
las cosas que eran mester paral cavalgar, et quién quería que cavalgasse con él, et assí por todo quanto cunplía. Et desque todo
lo fizo, non preguntó por ello más de una vez, et tráxolo et agui-
sólo commo el rey lo avía mandado.

---

[18] *guisado:* preparado. [19] *retraer:* referir. [20] *trompas et tabales:* trompetas y
timbales. [21] *andido:* anduvo. [22] *estrumentes:* instrumentos. [23] *omillósele:* hí-
zole acatamiento. [24] *en una vez:* de una vez. [25] *aguisado:* justo. [26] *omildades:*
acatamientos.

Et desque todo fue fecho, dixo el rey que non quería cavalgar, mas que cavalgasse él et quel contasse lo que viesse. Et el
infante cavalgó et fueron con él todos commo fizieran con los
otros sus hermanos; mas él nin ninguno de sus hermanos, nin
omne del mundo, non sabié nada de la razón por que el rey fazía esto.

Et desque el infante cavalgó, mandó quel mostrassen toda la
villa de dentro et las calles, et dó tenía el rey sus tesoros et quántos podían seer, et las mezquitas et toda la nobleza[27] de la villa
de dentro et las gentes que ý moravan. Et después salió fuera et
mandó que saliessen allá todos los omnes de armas et de cavallo
et de pie, et mandóles que trebejassen[28] et le mostrassen todos
los juegos de armas et de trebejos, et vio los muros et las torres
et las fortalezas de la villa. Et desque lo ovo visto, tornósse paral
rey, su padre.

Et quando tornó era ya muy tarde. Et el rey le preguntó de
las cosas que avía visto. Et el infante le dixo que si a él non pe-
sasse, que él le diría lo quel paresçía de lo que avía visto. Et el
rey le mandó, so pena de la su bendición, quel dixiesse lo quel
paresçía. Et el infante le dixo que commo quier que él era muy
leal rey, quel paresçía que non era tan bueno commo devía, ca
si lo fuesse, pues avía tan buena gente et tanta, et tan grand poder et tan grand aver, et que si por él non fincasse, que todo el
mundo devía ser suyo.

Al rey plogo mucho deste denuesto[29] que el infante le dixo.[(37)]

---

[27] *nobleza:* obra noble.   [28] *trebejassen:* hicieran torneos.   [29] *denuesto:* reparo.

(37) Don Juan Manuel ha conseguido diseñar una perfecta estructura
formal: tres son las unidades desarrolladas como tres son los hijos del
rey. La primera unidad ha quedado integrada por cuatro pruebas: ma-
drugar/vestiduras/caballo/visita a la ciudad. La unidad segunda funciona como eje de simetría y, para ello, don Juan Manuel resume con
rapidez la acción. La tercera coincide totalmente con la primera: paralelismo con el que se busca contrastar la incapacidad del hijo mayor,
frente a la inteligencia del menor. Estructura ternaria, por tanto, inte-
riorizada en los personajes, que obtienen de este modo su desarrollo.

Et quando vino el plazo a que avía de dar respuesta a los de la tierra, díxoles que aquel fijo les dava por rey.

Et esto fizo por las señales que vio en los otros et por las que vio en éste. Et commo quier que[30] más quisiera qualquier de los otros para rey, non tovo por aguisado[31] de lo fazer por lo que vio en los unos et en el otro.

Et vos, señor conde, si queredes saber quál moço sería mejor, parat mientes a estas tales cosas, et assí podredes entender algo et por aventura lo más dello que á de ser de los moços.

Al conde plogo mucho de lo que Patronio le dixo.

Et porque don Iohaɴ tovo éste por buen exienplo, fízolo escrivir en este libro et fizo estos viessos que dizen assí:

> *Por obras et maneras podrás conosçer*
> *a los moços quáles deven los más seer.*

Et la ystoria deste exienplo es ésta que se sigue:

EXEMPLO XXV.º

De lo que contesçió al conde de Provençia, cómmo fue librado de la prisión por el consejo que le dio Saladín[38]

El conde Lucanor fablava una vez con Patronio, su consegero, en esta manera:

—Patronio, un mio vasallo me dixo el otro día que quería casar una su parienta, et assí commo él era tenudo de me conseiar

---

[30] *commo quier que:* aunque.   [31] *aguisado:* acertado.

El esquema organizativo sería: I (a+b+c+d)+II+III (a+b+c+d). A partir de este «exemplo» aumenta en el *Libro del Conde Lucanor* el empleo de estructuras compuestas de tres miembros; no hay que olvidar que el número tres (como el cuatro) es símbolo de la perfección en la imagen del hombre medieval. (Véase el esquema completo de este cuento dibujado en la pág. 262.)

(38) Es fundamental este «exemplo» (igual que el Ex. L) para la com-

lo meior que él pudiesse, que me pidía por merçed quel conse-
jasse en esto lo que entendía que era más su pro, et díxome todos los casamientos quel trayán. Et porque éste es omne que yo
querría que lo acertasse muy bien, et yo sé que vos sabedes mucho de tales cosas, ruégovos que me digades lo que entendedes
en esto, por quel yo pueda dar tal conseio que se falle él vien
dello.

—Señor conde Lucanor —dixo Patronio—, para que podades
bien conseiar a todo omne que aya de casar su parienta, plazerme ýa mucho que sopiéssedes lo que contesçió al conde de Provençia con Saladín, que era soldán[1] de Babilonia.

El conde Lucanor le rogó quel dixiesse cómmo fuera aquello.

—Señor conde Lucanor —dixo Patronio—, un conde ovo en
Provençia que fue muy buen omne et deseava mucho fazer en
guisa[2] por quel oviesse Dios merçed al alma et ganasse la gloria
del Paraýso, faziendo tales obras que fuessen a grand su onra et
del su estado. Et para que esto pudiesse conplir, tomó muy grand
gente consigo et muy bien aguisada, et fuesse para la Tierra
Sancta de Ultramar, poniendo en su coraçón que, por quequier[3]
quel pudiesse acaesçer, que sienpre sería omne de buena ventura, pues le vinía estando él derechamente en serviçio de Dios.[39]
Et porque los juyzios de Dios son muy marabillosos et muy ascondidos, et Nuestro Señor tiene por bien de tentar muchas ve-

---

[1] *soldán:* sultán.   [2] *en guisa:* de manera.   [3] *quequier:* cualquier cosa.

prensión del sentido didáctico del *Libro del Conde Lucanor;* los dos son
protagonizados por Saladino, figura mítica en la cosmovisión medieval
y símbolo de sabiduría por sus consejos. Don Juan Manuel, en este
«exemplo», dibuja el retrato del «omne» perfecto: ofrece, para ello,
sus virtudes caballerescas, por las que podrá lograr su salvación. En el
Ex. L, el «omne» será desarrollado en sus virtudes morales. La unión
de los dos planos determina el modelo de «omne» buscado en este primer libro de «exemplos».

(39) La vida de este conde desarrolla las cualidades que don Juan Manuel, en el Ex. III, había especificado: el noble debe lograr la salvación
cumpliendo las obligaciones de su estado; entre ellas, la de mayor importancia era la guerra contra los moros. (Véanse 13 y 53.)

zes a los sus amigos, pero si aquella tenptaçión saben sofrir, sienpre Nuestro Señor guisa que torne el pleito a onra et a pro de
aquel a quien tienta; et por esta razón tovo Nuestro Señor por
bien de tenptar al conde de Provençia, et consentió que fuesse
preso en poder del soldán. Et commo quier que estava preso, sabiendo Saladín la grand vondat del conde, fazíale mucho bien
et mucha onra, et todos los grandes fechos que avía de fazer, todos los fazía por su conseio. Et tan bien le conseiava el conde
et tanto fiava dél el soldán que, commo quier que estava preso,
que tan grand logar et tan grand poder avía, et tanto fazían por
él en toda la tierra de Saladín, commo farían en la suya misma.

Quando el conde se partió de su tierra, dexó una fija muy pe-
queñuela. Et el conde estudo tan grand tienpo en la prisión, que
era ya su fija en tienpo para casar; et la condessa, su muger, et
sus parientes enviaron dezir al conde quántos fijos de reys et
otros grandes omnes la demandavan por casamiento.

Et un día, quando Saladín vino a fablar con el conde, desque
ovieron acordado aquello por que Saladín allí viniera, fabló con
él el conde en esta manera:

—Señor, vos me fazedes a mí tanta merçed et tanta onra et fiades tanto de mí que me ternía por muy de buena ventura si vos
lo pudiesse servir. Et pues vos, señor, tenedes por bien que vos
conseie yo en todas las cosas que vos acaesçen, atreviéndome a
la vuestra merçed et fiando del vuestro entendimiento, pídovos
por merçed que me conseiedes en una cosa que a mí acaesçió.

El soldán gradesçió esto mucho al conde, et díxol quel con-
seiaría muy de grado; et aún, quel ayudaría muy de buena mente en quequiera quel cunpliesse.

Entonçe le dixo el conde de los casamientos quel movían[4]
para aquella su fija et pidiól por merçed quel conseiasse con
quién la casaría.

Et Saladín respondió assí:

—Conde, yo sé que tal es el vuestro entendimiento, que en pocas palabras que vos omne diga entendredes todo el fecho. Et
por ende vos quiero conseiar en este pleito segund lo yo entien-

---

[4] *movían:* proponían.

do. Yo non conosco todos estos que demandan vuestra fija, qué linage o qué poder an, o quáles son en los sus cuerpos o quánta vezindat an convusco,[5] o qué meioría an los unos de los otros, et por ende que non vos puedo en esto consejar çiertamente; mas el mio consejo es éste: que casedes vuestra fija con omne.

El conde gelo tovo en merçed, et entendió muy bien lo que aquello quería dezir. Et envió el conde dezir a la condessa, su muger, et a sus parientes el consejo que el soldán le diera, et que sopiesse de quantos omnes fijos dalgo avía en todas sus comarcas, de qué maneras et de qué costunbres, et quáles eran en los sus cuerpos, et que non catassen[6] por su riqueza nin por su poder, mas quel enviassen por escripto dezir qué tales eran en sí los fijos de los reyes et de los grandes señores que la demandavan et qué tales eran los otros omnes fijos dalgo que eran en las comarcas.

Et la condessa et los parientes del conde se marabillaron desto mucho, pero fizieron lo quel conde les envió mandar, et posieron por escripto todas las maneras et costunbres buenas et contrarias que avían todos los que demandavan la fija del conde, et todas las otras condiçiones que eran en ellos. Et otrosí, escrivieron quáles eran en sí los otros omnes fijos dalgo que eran en las comarcas, et enviáronlo todo contar al conde.

Et desque el conde vio este escripto, mostrólo al soldán; et desque Saladín lo vio, commo quier que todos eran muy buenos, falló en todos los fijos de los reyes et de los grandes señores en cada uno algunas tachas: o de seer mal acostumbrados en comer o en vever, o en seer sañudos, o apartadizos,[7] o de mal reçebimiento a las gentes, et pagarse de malas compañas, o enbargados[8] de su palabra, o alguna otra tacha de muchas que los omnes pueden aver. Et falló que un fijo de un rico omne que non era de muy grand poder, que segund lo que paresçía dél en aquel escripto, que era el meior omne et el más conplido,[9] et más sin ninguna mala tacha de que él nunca oyera fablar. Et desque esto oyó el soldán, conseió al conde que casasse su fija con aquel

---

[5] *convusco:* con vos.   [6] *catassen:* buscasen.   [7] *apartadizos:* huraños.   [8] *enbargados:* impedidos.   [9] *conplido:* conveniente.

omne, ca entendió que, commoquier que aquellos otros eran
más onrados et más fijos dalgo, que mejor casamiento era aquél
et mejor casava el conde su fija con aquél que con ninguno de
los otros en que oviesse una mala tacha, quanto más si oviesse
muchas; et tovo que más de preçiar era el omne por las sus obras
que non por su riqueza, nin por nobleza de su linage.

El conde envió mandar a la condessa et a a sus parientes que
casassen su fija con aquel que Saladín les mandara. Et commo
quier que se marabillaron mucho ende, enviaron por aquel fijo
de aquel rico omne et dixiéronle lo que el conde les envió mandar. Et él respondió que bien entendía que el conde era más fijo
dalgo et más rico et más onrado que él, pero que si él tan grant
poder oviesse que bien tenía que toda muger sería bien casada
con él, et que esto que fablavan con él, si lo dizían por non lo
fazer, que tenía que le fazían muy grand tuerto et quel querían
perder de balde.[10] Et ellos dixieron que lo querían fazer en toda
guisa, et contáronle la razón en cómmo el soldán conseiara al
conde quel diesse su fija ante que a ninguno de los fijos de los
reyes nin de los otros grandes señores, señaladamente porquel
escogiera por omne. Desque él esto oyó, entendió que fablavan
verdaderamente en el casamiento et tovo que pues Saladín lo escogiera por omne et le fiziera allegar a tan grand onra, que non
sería él omne si non fiziesse en este fecho lo que pertenesçía.

Et dixo luego a lla condessa et a los parientes del conde que
si ellos querían que creyesse él que gelo dizían verdaderamente,
quel apoderasen[11] luego de todo el condado et de todas las rendas,[12] pero non les dixo ninguna cosa de lo que él avía pensado
de fazer. A ellos plogo de lo que él les dizía, et apoderáronle luego de todo. Et él tomó muy grand aver, et, en grand poridat,
armó pieça de galeas[13] et tovo muy grand aver guardado. Et desque esto fue fecho, mandó guisar sus vodas para un día señalado.

Et desque las vodas fueron fechas muy ricas et muy onradas,
en la noche, quando se ovo de yr para su casa do estava su muger, ante que se echassen en la cama, llamó a la condessa et a

---

[10] *de balde:* sin motivo. [11] *apoderasen:* diesen poder. [12] *rendas:* rentas.
[13] *pieça de galeas:* cantidad de galeras.

sus parientes et díxoles en grant poridat que bien sabién que el
conde le escogiera entre otros muy meiores que él, et que lo fiziera porque el soldán le conseiara que casasse su fija con omne,
et pues el soldán et el conde tanta onra le fizieran et lo escogie-
ran por omne, que ternía él que non era omne si non fiziesse
en esto lo que pertenesçía; et que se quería yr et que les dexava
aquella donzella con qui él avía de casar, et el condado: que él
fiava por Dios que él le endereçaría por que entendiessen las gentes que fazía fecho de omne.

Et luego que esto ovo dicho, [40] cavalgó et fuesse en buena ventura. Et endereçó al regno de Armenia, et moró ý tanto tienpo
fasta que sopo muy bien el lenguage et todas las maneras de la
tierra. Et sopo cómmo Saladín era muy caçador.

Et él tomó muchas buenas aves et muchos buenos canes, et
fuesse para Saladín, et partió aquellas sus galeas et puso una en
cada puerto, et mandóles que nunca se partiessen ende fasta quél
gelo mandasse.

Et desque él llegó al soldán, fue muy bien reçebido, pero non
le besó la mano nin le fizo ninguna reverençia de las que omne
deve fazer a su señor. Et Saladín mandól dar todo lo que ovo
mester, et él gradesçiógelo mucho, mas non quiso tomar dél ninguna cosa et dixo que non viniera por tomar nada dél; mas por
quanto bien oyera dezir dél, que si él por bien toviesse, que quería bevir algún tienpo en la su casa por aprender alguna cosa
de quanto bien avía en él et en las sus gentes; et porque sabía
que el soldán era muy caçador, que él trаýa muchas aves et muy
buenas, et muchos canes, et si la su merçed fuesse, que tomasse
ende lo que quisiesse, et con lo quel fincaría a él, que andaría

---

(**40**) Comienza aquí un nuevo relato; el primero se ha resuelto con la
elección del «omne» pobre, pero de buenas cualidades. Ha quedado pen-
diente una línea de intriga: el viaje misterioso que prepara el yerno del
conde. Don Juan Manuel inicia, por ello, una nueva estructura narrativa: hay cambios de espacio y de tiempo que así lo indican. Este segundo relato resolverá los problemas planteados en el primero, sobre todo
los motivos de la elección matrimonial y el significado de la palabra
«omne».

con él a caça, et le faría quanto serviçio pudiesse en aquello et en ál.

Esto le gradesçió mucho Saladín, et tomó lo que tovo por bien de lo que él traýa, mas por ninguna guisa nunca pudo guisar[14] que el otro tomasse dél ninguna cosa, nin le dixiesse ninguna cosa de su fazienda, nin oviesse entrellos cosa por que él tomasse ninguna carga de Saladín por que fuesse tenido de lo guardar. Et assí andido[15] en su casa un grand tienpo.

Et commo Dios acarrea,[16] quando su voluntad es, las cosas que Él quiere, yendo un día amos a caça, guisó que alançaron[17] los falcones a unas grúas.[18] Et fueron matar la una de llas grúas a un puerto de la mar do estava la una de las galeas que el yerno del conde ý pusiera. Et el soldán, que yva en muy buen cavallo, et él en otro, alongáronse[19] tanto de las gentes, que ninguno dellos non vio por do yva. Et quando Saladín llegó do los falcones estavan con la grúa, descendió mucho aýna[20] por los acorrer. Et el yerno del conde que vinía con él, de quel vio en tierra, llamó a los de la galea.

Et el soldán, que non parava mientes sinon por cevar[21] sus falcones, quando vio la gente de la galea en derredor de sí, fue muy espantado. Et el yerno del conde metió mano a la espada et dio a entender quel quería ferir con ella. Et quando Saladín esto vio, començósse a quexar mucho diziendo que esto era muy grand trayçión. Et el yerno del conde le dixo que non mandasse[22] Dios, que bien sabía él que nunca él le tomara por señor, nin quisiera tomar nada de lo suyo, nin tomar dél ningún encargo por que oviesse razón de lo guardar, mas que sopiesse que Saladín avía fecho todo aquello.

Et desque esto ovo dicho, tomólo et metiólo en la galea, et de que lo tovo dentro, contól cómmo él era el yerno del conde, et que era aquél que él escogiera, entre otros meiores que sí, por omne; et pues él por omne lo escogiera, que bien entendía que non fuera él omne si esto non fiziera; et quel pidía por merçed

---

[14] *guisar:* conseguir. [15] *andido:* anduvo. [16] *acarrea:* dispone. [17] *alançaron:* lanzaron. [18] *grúas:* grullas. [19] *alongáronse:* se alejaron. [20] *mucho aýna:* muy pronto. [21] *cevar:* encarnizarse el halcón con la presa. [22] *mandasse:* demandase.

quel diesse su suegro, por que entendiesse que el consejo que él le diera que era bueno et verdadero, et que se fallava bien dél.

Quando Saladín esto oyó, gradesçió mucho a Dios, et plógol más porque açertó en el su conseio, que sil oviera acaesçido otra pro o otra onra por grande que fuesse. Et dixo al yerno del conde que gelo daría muy de buena mente.

Et el yerno del conde fió en el soldán, et sacólo luego de la galea et fuesse con él. Et mandó a los de la galea que se alongassen del puerto tanto que non los pudiessen veer ningunos que ý llegassen.

Et el soldán et el yerno del conde cevaron muy bien sus falcones. Et quando las gentes ý llegaron, fallaron a Saladín mucho alegre. Et nunca dixo a omne del mundo nada de quanto le avía contesçido.

Et desque llegaron a lla villa, fue luego desçender a la casa do estava el conde preso et levó consigo al yerno del conde. Et desque vio al conde, començól a dezir con muy grand alegría:

—Conde, mucho gradesco a Dios por la merçed que me fizo en acertar tan bien commo acerté en el consejo que vos di en el casamiento de vuestra fija. Evad[23] aquí vuestro yerno, que vos a sacado de presión.[24]

Entonçe le contó todo lo que su yerno avía fecho, la lealdat et el grand esfuerço que fiziera en le prender et en fiar luego en él.

Et el soldán et el conde et quantos esto sopieron, loaron mucho el entendimiento et el esfuerço et la lealdad del yerno del conde. Otrosí, loaron muncho las vondades de Saladín et del conde, et gradesçieron mucho a Dios porque quiso guisar de lo traer a tan buen acabamiento.

Entonçe dio el soldán muchos dones et muy ricos al conde et a su yerno; et por el enojo que el conde tomara en la prisión, diol dobladas todas las rentas que el conde pudiera levar de su tierra en quanto estudo en la prisión, et enviól muy rico et muy onrado et muy bien andante para su tierra.

---

[23] *evad:* tened.   [24] *presión:* prisión.

Et todo este bien vino al conde por el buen consejo que el soldán le dio que casasse su fija con omne.

Et vos, señor conde Lucanor, pues avedes a conseiar aquel vuestro vasallo en razón del casamiento de aquella su parienta, conseialde[25] que la prinçipal cosa que cate en el casamiento que sea aquél con quien la oviere de casar buen omne en sí; ca si esto non fuere, por onra, nin por riqueza, nin por fidalguía que aya, nunca puede ser bien casada. Et devedes saber que el omne con vondad acreçenta la onra et alça su linage et acreçenta las riquezas. Et por seer muy fidalgo nin muy rico, si bueno non fuere, todo sería mucho aýna perdido. Et desto vos podría dar muchas fazañas[26] de muchos omnes de grand guisa que les dexaren sus padres et muy ricos et mucho onrados, et pues non fueron tan buenos commo devían, fue en ellos perdido el linage et la riqueza; et otros de grand guisa et de pequeña que, por la grand vondad que ovieron en sí, acresçentaron mucho en sus onras et en sus faziendas, en guisa que fueron muy más loados et más preçiados por lo que ellos fizieron et por lo que ganaron, que aun por todo su linage. Et assí entendet que todo el pro et todo el daño nasçe et viene de quál el omne es en sí, de qualquier estado que sea. Et por ende, la primera cosa que se deve catar en el casamiento es quáles maneras et quáles costumbres et quál entendimiento et quáles obras á en sí el omne o la muger que á de casar; et esto seyendo primero catado, dende en adelante, quando el linage es más alto et la riqueza mayor et la apostura más conplida et la vezindat más açerca et más aprovechosa, tanto es el casamiento mejor.

Al conde plogo mucho destas razones que Patronio le dixo et tovo que era verdat todo assí commo él le dizía.

Et veyendo don Iohan que este enxienplo era muy bueno, fízolo escrivir en este libro et fizo estos viessos que dizen assí:

> *Qui omne es, faz todos los provechos;*
> *qui non lo es, mengua todos los fechos.*

Et la ystoria deste enxiemplo es ésta que se sigue:

---

[25] *conseialde:* aconsejadle.   [26] *fazañas:* historias.

EXEMPLO XXVI.º

DE LO QUE CONTESÇIÓ AL ÁRVOL DE LA MENTIRA[41]

Un día fablava el conde Lucanor con Patronio, su conseiero, et díxole así:

—Patronio, sabet que estó en muy grand quexa et en grand roýdo con unos omnes que me non aman mucho; et estos omnes son tan reboltosos et tan mintrosos que nunca otra cosa fazen sinon mentir a mí et a todos los otros con quien an de fazer o delibrar[1] alguna cosa. Et las mentiras que dizen, sábenlas tan bien apostar[2] et aprovéchanse tanto dellas, que me traen a muy grand daño, et ellos apodéranse[3] mucho et an las gentes muy fieramente contra mí. Et aun creed que si yo quisiesse obrar por aquella manera, que por aventura lo sabría fazer tan bien commo ellos; mas porque yo sé que la mentira es de mala manera, nunca me pagué della. Et agora, por el buen entendimiento que vos avedes, ruégovos que me conseiedes qué manera tome[4] con estos omnes.

—Señor conde Lucanor —dixo Patronio—, para que vos fagades en esto lo mejor et más a vuestra pro, plazerme ýa mucho que sopiéssedes lo que contesçió a la Verdat et a la Mentira.

El conde le rogó quel dixiesse cómmo fuera aquello.

—Señor conde Lucanor —dixo Patronio—, la Mentira et la Verdat fizieron su conpañía en uno, et de que ovieron estado assí un tienpo, la Mentira, que es más acuçiosa,[5] dixo a la Verdat que sería bien que pusiessen un árbol de que oviessen fructa et pudiessen estar a la su sonbra quando fiziesse calentura. Et

---

[1] *delibrar:* deliberar. [2] *apostar:* adornar. [3] *apodéranse:* se hacen poderosos. [4] *tome:* siga. [5] *acuçiosa:* activa.

(41) «Exemplo» de significación alegórica, que debe asociarse con el Ex. XLIII, en el que se desarrolla el mismo tema: las fuerzas del Mal intentan engañar al Bien o a la Verdad, fracasando en el empeño.

la Verdat, commo es cosa llana et de buen talante,[6] dixo quel plazía.

Et de que el árbol fue puesto et començó a naçer, dixo la Mentira a la Verdat que tomasse cada una dellas su parte de aquel árbol. Et a la Verdat plógol con esto. Et la Mentira, dándol a entender con razones coloradas[7] et apuestas que la raýz del árbol es la cosa que da la vida et la mantenençia al árbol, et que es mejor cosa et más aprovechosa, conseió la Mentira a la Verdat que tomasse las raýzes del árbol que están so tierra et ella que se aventuraría a tomar aquellas ramiellas que avían a salir et estar sobre tierra, commoquier que era muy grand peligro porque estava a aventura de taiarlo o follarlo[8] los omnes o roerlo las vestias o taiarlo las aves con las manos et con los picos o secarle la grand calentura o quemarle el grant yelo, et que de todos estos periglos non avía a soffrir ningunos la raýz. [(42)]

Et quando la Verdat oyó todas estas razones, porque non ay en ella muchas maestrías[9] et es cosa de grand fiança et de grand creençia, fiósse en la Mentira, su compaña,[10] et creó que era verdat lo quel dizía, et tovo que la Mentira le conseiava que tomas-

---

[6] *talante:* voluntad.   [7] *coloradas:* adornadas con *colores* (figuras retóricas).   [8] *follarlo:* pisotearlo.   [9] *maestrías:* astucias.   [10] *compaña:* compañera.

~~~~~~

(42) Don Juan Manuel había declarado que la Mentira se expresa «con razones coloradas et apuestas», es decir, ayudándose con la Retórica. Para demostrarlo, don Juan Manuel va a construir un discurso perfecto, sobrecargado de figuras, con el que reproduce la sutileza y habilidad con que la Mentira intenta engañar a la Verdad; obsérvese la *conduplicatio* en la repetición «raýz del árbol», «árbol», «las raýces del árbol» y, al final, «la raýz», intensificando la parte de ese árbol que la Mentira pretende endosar a la Verdad. Repárese, también, en las perfectas simetrías «taiarlo o follarlo», «roerlo las vestias o taiarlo las aves», «secarle la grand calentura o quemarle el grand yelo» (en este último paralelismo se produce una antítesis). Adviértase el empleo del polisíndeton, de la sinonimia («con las manos et con los picos»), del homoteleuton («aquellas ramiellas») y de la aliteración («tierna, commoquier que era»), y todo ello en un párrafo tan breve, lo que demuestra la capacidad estilística tan prodigiosa que podía desarrollar don Juan Manuel.

se muy buena parte, tomó la raýz del árbol et fue con aquella parte muy pagada. Et quando la Mentira esto ovo acabado, fue mucho alegre por el engaño que avía fecho a su compañera diziéndol mentiras fermosas et apostadas.[11]

La Verdat metiósse so tierra para vevir ó estavan las raýzes que eran la su parte, et la Mentira fincó sobre tierra do viven los omnes et andan las gentes et todas las otras cosas. Et commo es ella muy fallaguera, en poco tienpo fueron todos muy pagados della. Et el su árbol començó a creçer et echar muy grandes ramos et muy anchas fojas que fazían muy fermosa sonbra et paresçieron[22] en él muy apuestas flores de muy fermosas colores et muy pagaderas a paresçençia.[13]

Et desque las gentes vieron aquel árbol tan fermoso, ayuntávanse muy de buena mente[14] a estar cabo dél et pagávanse mucho de la su sombra et de las sus flores tan bien coloradas, et estavan ý sienpre las más de las gentes, et aun los que se fallavan por los otros logares dizían los unos a los otros que si querían estar viçiosos[15] et alegres, que fuessen estar a la sombra del árbol de la Mentira.

Et quando las gentes eran ayuntadas so aquel árbol, commo la Mentira es muy fallaguera et de grand sabiduría, fazía muchos plazeres a las gentes et amostrávales de su sabiduría; et las gentes pagávanse de apprender de aquella su arte mucho. Et por esta manera tiró a ssí[16] todas las más gentes del mundo: ca mostrava a los unos mentiras senziellas, et a los otros, más sotiles mentiras dobladas, et a otros, muy más sabios, mentiras trebles.[17]

Et devedes saber que la mentira senziella es quando un omne dice a otro: «Don Fulano, yo faré tal cosa por vos», et él miente de aquello quel dize. Et la mentira doble es quando faze iuras[18] et omenages[19] et rehenes[20] et da otros por sí que fagan todos aquellos pleitos, et en faziendo estos seguramientos, ha él ya pensado et sabe manera cómmo todo esto tornará en mentira et en

---

[11] *apostadas:* apuestas. [12] *paresçieron:* aparecieron. [13] *et muy pagaderas a paresçençia:* y muy agradables en su aspecto. [14] *de buena mente:* con agrado. [15] *viçiosos:* cómodos, contentos. [16] *tiró a ssí:* atrajo. [17] *trebles:* triples. [18] *iuras:* juramentos. [19] *omenages:* juramentos de fidelidad. [20] *rehenes:* fianzas.

engaño. Mas la mentira treble, que es mortalmente engañosa, es la quel miente et le engaña diziéndol verdat.

Et desta sabiduría tal avía tanta en la Mentira et sabíala tan bien mostrar a los que se pagavan de estar a la sombra del su árbol, que les fazía acabar[21] por aquella sabiduría lo más de las cosas que ellos querían, et non fallavan ningún omne que aquella arte non sopiesse, que ellos non le troxiessen a fazer toda su voluntad. Et lo uno por la fermosura del árbol, et lo ál con la grand arte que de la Mentira aprendían, deseavan mucho las gentes estar a aquella sombra et aprender lo que la Mentira les amostrava.

La Mentira estava mucho onrada et muy preçiada et mucho aconpañada de las gentes, et el que menos se llegava a ella et menos sabía de la su arte, menos le preçiavan todos, et aun él mismo se preçiava menos.

Et estando la Mentira tan bien andante, la lazdrada[22] et despreçiada de la Verdat estava ascondida so tierra, et omne del mundo non sabía della parte, nin se pagava della, nin la quería buscar. Et ella, veyendo que non le avía fincado cosa en que se pudiesse mantener sinon aquellas raýzes del árbol que era la parte quel conseiara tomar la Mentira, et con mengua de otra vianda, óvose a tornar a roer et a tajar et a governarse[23] de las raýzes del árbol de la Mentira. Et commo quier que el árbol tenía muy buenas ramas et muy anchas fojas que fazían muy grand sombra et muchas flores de muy apuestas colores, ante que pudiessen levar fructo, fueron tajadas todas las sus raýzes, ca las ovo a comer la Verdat, pues non avía ál de que se governar.

Et desque las raýzes del árbol de la Mentira fueron todas tajadas, et estando la Mentira a la sombra del su árbol con todas las gentes que aprendían de la su arte, vino un viento et dio en el árbol, et porque las sus raýzes eran todas tajadas, fue muy ligero de derribar et cayó sobre la Mentira et quebrantóla de muy mala manera; et todos los que estavan aprendiendo de la su arte fueron todos muertos et muy mal feridos, et fincaron muy mal andantes.

---

[21] *acabar:* conseguir. [22] *lazdrada:* desgraciada. [23] *governarse:* alimentarse.

Et por el lugar do estava el tronco del árbol salió la Verdat que estava escondida, et quando fue sobre la tierra, falló que la Mentira et todos los que a ella se allegaron eran muy mal andantes et se fallaron muy mal de quanto aprendieron et usaron del arte que aprendieron de la Mentira. [43]

Et vos, señor conde Lucanor, parad mientes que la mentira ha muy grandes ramas, et las sus flores, que son los sus dichos et los sus pensamientos et los sus fallagos, son muy plazenteros, et páganse mucho dellos las gentes, pero todo es sonbra et nunca llega a buen fructo. Por ende, si aquellos vuestros contrarios usan de llas sabidurías et de los engaños de la mentira, guardatvos dellos quanto pudierdes et non querades seer su conpañero en aquella arte, nin ayades envidia de la su buena andança que an por usar del arte de la mentira, ca cierto seed que poco les durará, et non pueden aver buena fin: et quando cuydaren seer más bien andantes, estonçe les fallecerá, [24] assí commo fallesçió el árbol de la Mentira a los que cuydavan estar muy bien andantes a su sonbra; mas, aunque la verdat sea menospreçiada, abraçatvos bien con ella et preciadla mucho, ca çierto seed que por ella seredes bien andante et abredes buen acabamiento et ganaredes la gracia de Dios porque vos dé en este mundo mucho bien et mucha onra paral cuerpo et salvamiento paral alma en el otro.

Al conde plogo mucho deste conseio que Patronio le dio. Et fízolo assí et fallóse ende bien.

Et entendiendo don Iohan que este exienplo era muy bueno, fízolo escrivir en este libro et fizo estos viessos que dizen assí:

> *Seguid verdad por la mentira foýr,*
> *ca su mal cresçe quien usa de mentir.*

Et la ystoria deste exienplo es ésta que se sigue:

---

[24] *fallecerá:* fallará.

(43) La estructura del «exemplo» es ternaria: I (planteamiento de la intriga: discurso retórico con que triunfa la Mentira) + II (desarrollo de la atracción que la Mentira ejerce; el narrador interviene para explicar las clases de mentiras que pueden darse) + III (triunfo de la Verdad, contado de una manera muy rápida).

EXEMPLO XXVII.º

De lo que contesçió a un emperador et a don Alvar Háñez Minaya[1] con sus mugeres

Fablava el conde Lucanor con Patronio, su consegero, un día et díxole assí:

—Patronio, dos hermanos que yo he son casados entramos et biven cada uno dellos muy desbariadamente[2] el uno del otro; ca el uno ama tanto aquella dueña con qui es casado, que abés[3] podemos guisar con él que se parta un día del lugar onde ella es, et non faz cosa del mundo sinon lo que ella quiere, et si ante non gelo pregunta. Et el otro, en ninguna guisa non podemos con él que un día la quiera veer de los ojos, nin entrar en casa do ella sea. Et porque yo he grand pesar desto, ruégovos que me digades alguna manera por que podamos ý poner consejo.

—Señor conde Lucanor —dixo Patronio—, segund esto que vos dezides, entramos vuestros hermanos andan muy errados en sus faziendas; ca el uno nin el otro non devían mostrar tan grand amor nin tan grand desamor commo muestran a aquellas dueñas con qui ellos son casados; mas commo quier que lo ellos yerran, por aventura es por las maneras que an aquellas sus mugeres; et por ende querría que sopiésedes lo que contesçió al emperador Fradrique[4] et a don Alvar Fáñez Minaya con sus mugeres. (44)

---

[1] *Alvar Háñez Minaya:* caballero notable de la corte de Alfonso VI; sobrino de Rodrigo Díaz de Vivar y compañero inseparable del héroe en el *Poema de Mio Cid.* [2] *desbariadamente:* desviadamente, distintamente. [3] *abés:* apenas. [4] *emperador Fradrique:* según Blecua y Ayerbe-Chaux, se tratará de Federico II, emperador de Alemania y rey de Sicilia.

(44) En este «exemplo», don Juan Manuel desarrolla dos aspectos del tratamiento conyugal: *a)* la mujer es tan mala que hay que librarse de ella (caso del emperador don Fadrique) y *b)* la mujer es tan buena que todo puede fiarse en ella (caso de Alvar Fáñez). El tercer posible planteamiento del tema matrimonial lo aborda en el Ex. XXXV: *c)* la mujer es mala, pero puede hacerse buena.

El conde le preguntó cómmo fuera aquello.

—Señor conde Lucanor —dixo Patronio—, porque estos exienplos son dos et non vos los podría entramos dezir en uno, contarvos he primero lo que contesçió al emperador Fradrique, et después contarvos he lo que contesçió a don Alvar Háñez.

Señor conde, el emperador Fradrique casó con una donzella de muy alta sangre, segund le pertenesçía; mas de tanto,[5] non le acaesçió bien, que non sopo, ante que casasse con aquélla, las maneras que avía.

Et después que fueron casados, commoquier que ella era muy buena dueña et muy guardada en el su cuerpo, començó a seer la más brava[6] et la más fuerte[7] et la más rebessada[8] cosa del mundo. Assí que, si el emperador quería comer, ella dizía que quería ayunar; et si el emperador quería dormir, queriese ella levantar; et si el emperador querié bien alguno, luego ella lo desamava.[9] ¿Qué vos diré más? Todas las cosas del mundo en que el emperador tomava plazer, en todas dava ella a entender que tomava pesar, et de todo lo que el emperador fazía, de todo fazía ella el contrario sienpre.

Et desque el emperador sufrió esto un tienpo, et vio que por ninguna guisa non la podía sacar desta entençión por cosa que él nin otros le dixiessen, nin por ruegos, nin por amenazas, nin por buen talante, nin por malo quel mostrasse, et vio que sin el pesar et la vida enoiosa que avía de sofryr quel era tan grand daño para su fazienda et para las sus gentes, que non podía ý poner conseio; et de que esto vio, fuesse paral Papa et contól la su fazienda, tan bien de la vida que passava, commo del grand daño que binía a él et a toda la tierra por las maneras que avía la emperadriz; et quisiera muy de grado, si podría seer, que los partiesse[10] el Papa. Mas vio que segund la ley de los christianos non se podían partir, et que en ninguna manera non podían bevir en uno por las malas maneras que la emperadriz avía, et sabía el Papa que esto era assí.

---

⁵ *mas de tanto:* pero con todo.   ⁶ *brava:* irascible.   ⁷ *fuerte:* terrible.   ⁸ *rebessada:* indomable.   ⁹ *desamava:* aborrecía, rechazaba.   ¹⁰ *partiesse:* divorciase.

Et desque otro cobro[11] no podieron fallar, dixo el Papa al emperador que este fecho que lo acomendava él al entendimiento et a la sotileza[12] del emperador, ca él non podía dar penitençia ante que el pecado fuesse fecho.

Et el emperador partióse del Papa et fuesse para su casa, et trabaió por quantas maneras pudo, por falagos et por amenazas et por conseios et por desengaños et por quantas maneras él et todos los que con él bivían pudieron asmar[13] para la sacar de aquella mala entençión, mas todo esto non tobo ý pro, que quanto más le dizían que se partiesse de aquella manera, tanto más fazía ella cada día todo lo revesado.[14]

Et de que el emperador vio que por ninguna guisa esto non se podía endereçar, díxol un día que él quería yr a la caça de los çiervos et que levaría una partida de aquella yerva[15] que ponen en las saetas con que matan los çiervos, et que dexaría lo ál para otra vegada,[16] quando quisiesse yr a caça, et que se guardasse que por cosa del mundo non pusiesse de aquella yerva en sarna, nin en postiella,[17] nin en lugar donde saliesse sangre; ca aquella yerva era tan fuerte, que non avía en el mundo cosa viva que non matasse. Et tomó de otro ungüento muy bueno et muy aprovechoso para qualquier llaga et el emperador untósse con él antella en algunos lugares que non estavan sanos. Et ella et quantos ý estavan vieron que guaresçía[18] luego con ello. Et díxole que si le fuesse mester, que de aquél pusiesse en qualquier llaga que oviesse. Et esto le dixo ante pieça de omnes et de mugeres. Et de que esto ovo dicho, tomó aquella yerva que avía menester para matar los çiervos et fuesse a su caça, assí como avía dicho.

Et luego que el emperador fue ydo, começó ella a ensañarse et a enbraveçer, et començó a dezir:

—¡Veed el falso del emperador, lo que me fue dezir! Porque él sabe que la sarna que yo he non es de tal manera commo la suya, díxome que me untasse con aquel ungüento que se él untó, porque sabe que non podría guaresçer con él, mas de aquel otro

---

[11] *cobro:* solución.   [12] *sotileza:* agudeza, ingenio.   [13] *asmar:* pensar.   [14] *lo revesado:* lo contrario.   [15] *yerva:* veneno.   [16] *vegada:* vez, ocasión.   [17] *postiella:* postilla.   [18] *guaresçía:* curaba.

ungüento bueno con que él sabe que guarescría, dixo que non tomasse dél en guisa ninguna; mas por le fazer pesar, yo me untaré con él, et quando él viniere, fallarme ha sana. Et só çierta que en ninguna cosa non le podría fazer mayor pesar, et por esto lo faré.

Los cavalleros et las dueñas que con ella estavan travaron[19] mucho con ella que lo non fiziesse, et començáronle a pedir merçed, muy fieramente llorando, que se guardasse de lo fazer, ca çierta fuesse, si lo fiziesse, que luego sería muerta.

Et ella por todo esto non lo quiso dexar. Et tomó la yerva et untó con ella las llagas. Et a poco rato començól a tomar la rabia de la muerte, et ella repintiérase, si pudiera, mas ya non era tienpo en que se pudiesse fazer. Et murió por la manera que avía porfiosa[20] et a su daño.[(45)]

Mas a don Alvar Háñez contesçió el contrario desto, et por que lo sepades todo cómmo fue, contarvos he cómmo acaesçió.

Don Alvar Háñez era muy buen omne et muy onrado et pobló[21] a Yxcar,[22] et morava ý. Et el conde don Pero Ançúrez[23] pobló a Cuéllar,[24] et morava en ella. Et el conde don Pero Ançúrez avía tres fijas.

Et un día, estando sin sospecha[25] ninguna, entró don Alvar Háñez por la puerta; et al conde don Pero Ançúrez plógol mucho con él. Et desque ovieron comido, preguntól que por qué vinía tan sin sospecha. Et don Alvar Háñez díxol que vinía por demandar una de sus fijas para con que casase,[26] mas que quería

---

[19] *travaron:* discutieron. [20] *porfiosa:* obstinada. [21] *pobló:* repobló. [22] *Yxcar:* Iscar, en la provincia de Valladolid. [23] *Pero Ançúrez:* Pedro Ansúrez fue cortesano de Alfonso VI y le acompañó en su destierro de Toledo. [24] *Cuéllar:* en la provincia de Segovia. [25] *sin sospecha:* inadvertidamente. [26] *para con que casase:* con quien casase.

(45) Se le reprochó a don Juan Manuel que no expusiera ningún reparo al «asesinato planeado fríamente» por el Emperador; hay que advertir que el Emperador adopta esta decisión cuando no tiene otro remedio y su «fazienda» se halla en grave peligro: es deber de su *estado* librarse de esa mujer, y él lo hace por medio de su entendimiento y sutileza, tal como le había recomendado el Papa, asegurándole su perdón: «ca él non podía dar penitençia ante que el pecado fuesse fecho».

que gelas mostrasse todas tres et quel dexasse fablar con cada
una dellas, et después que escogería quál quisiesse. Et el conde,
veyendo quel fazía Dios mucho bien en ello, dixo quel plazía
mucho de fazer quanto don Alvar Háñez le dizía.

Et don Alvar Háñez apartósse con la fija mayor et díxol que,
si a ella ploguiesse, que quería casar con ella, pero ante que fablasse más en el pleito, quel quería contar algo de su fazienda.
Que sopiesse, lo primero, que él non era muy mançebo et que
por las muchas feridas que oviera en las lides que se acertara,[27]
que enflaqueçiera[28] tanto la cabeça que por poco vino que viviesse,[29] quel fazié perder luego el entendimiento; et de que estava fuera de su seso, que se asañava tan fuerte que non catava
lo que dizía; et que a las vegadas firía a los omnes en tal guisa,
que se repentía mucho después que tornaba a su entendimiento; et aun, quando se echava a dormir, desque yazía en la cama,
que fazía ý muchas cosas que non enpeçería nin migaja[30] si más
linpias fuessen. Et destas cosas le dixo tantas, que toda muger
quel entendimiento non oviesse muy maduro, se podría tener
dél por non muy bien casada.

Et de que esto le ovo dicho, respondiól la fija del conde que
este casamiento non estava en ella, sinon en su padre et en su
madre.

Et con tanto,[31] partiósse de don Alvar Háñez et fuesse para su
padre. Et de que el padre et la madre le preguntaron qué era su
voluntad de fazer, porque ella non fue de muy buen entendimiento commo le era mester, dixo a su padre et a su madre que
tales cosas le dixiera don Alvar Háñez, que ante quería seer
muerta que casar con él.

Et el conde non lo quiso dezir esto a don Alvar Háñez, mas
díxol que su fija que non avía entonçe voluntad de casar.

Et fabló don Alvar Háñez con la fija mediana; et passaron entre él et ella bien assí commo con el hermana mayor.

---

[27] *se acertara:* había estado presente.   [28] *enflaqueçiera:* se había debilitado
(ejemplos sucesivos de imperfecto de subjuntivo con valor de pluscuamperfecto de
indicativo).   [29] *viviesse:* bebiese.   [30] *non enpeçería nin migaja:* no importaría ni
pizca.   [31] *con tanto:* con eso.

Et después fabló con el hermana menor et díxol todas aquellas cosas que dixiera a las otras sus hermanas.

Et ella respondiól que gradesçía mucho a Dios en que don Alvar Háñez quería casar con ella; et en lo quel dizía quel fazía
mal el vino, que si, por aventura, alguna vez le cunpliesse por
alguna cosa de estar apartado de las gentes por aquello que dizía o por ál, que ella lo encubriría mejor que ninguna otra persona del mundo; et a lo que dizía que él era viejo, que, quanto por esto, non partiría[32] ella el casamiento, que cunplíale[33] a
ella del casamiento el bien et la onra que avía de ser casada con
don Alvar Háñez; et de lo que dizía que era muy sañudo et que
firía a las gentes, que quanto por esto, non fazía fuerça, ca nunca ella le faría por que la firiesse, et si lo fiziesse, que lo sabría
muy bien soffrir.

Et a todas las cosas que don Alvar Háñez le dixo, a todas le
sopo tan bien responder, que don Alvar Háñez fue muy pagado, et gradesçió mucho a Dios porque fallara muger de tan buen
entendimiento.

Et dixo al conde don Pero Ançúrez que con aquélla quería
casar. Al conde plogo mucho ende. Et fizieron ende sus vodas
luego. Et fuesse con su muger luego en buena ventura. Et esta
dueña avía nonbre doña Vascuñana.

Et después que don Alvar Háñez levó a su muger a su casa,
fue ella tan buena dueña et tan cuerda, que don Alvar Háñez se
tovo por bien casado della et tenía por razón que se fiziesse todo
lo que ella querié.

Et esto fazía él por dos razones: la primera, porquel fizo Dios
a ella tanto bien, que tanto amava a don Alvar Háñez et tanto
presçiava el su entendimiento, que todo lo que don Alvar Háñez dizía et fazía, que todo tenía ella verdaderamente que era lo
mejor; et plazíale mucho de quanto dizía et de quanto fazía, et
nunca en toda su vida contralló[34] cosa que entendiesse que a él
plazía. Et non entendades que fazía esto por le lisoniar,[35] nin
por le falagar por mejor estar con él, mas fazíalo porque verda-

---

[32] *partiría:* renunciaría, rechazaría.   [33] *cunpliale:* le compensaba.   [34] *contralló:*
contrarió.   [35] *le lisoniar:* alabarle, lisonjearle.

deramente creýa, et era su entençión, que todo lo que don Alvar Háñez quería et dizía et fazía, que en ninguna guisa non podría seer yerro, nin lo podría otro ninguno mejorar. Et lo uno por esto, que era el mayor bien que podría seer, et lo ál porque ella era de tan buen entendimiento et de tan buenas obras, que sienpre acertava en lo meior. Et por estas cosas amávala et preçiávala tanto don Alvar Háñez que tenía por razón de fazer todo lo que ella quería, ca sienpre ella quería et le conseiava lo que era su pro et su onra. Et nunca tovo mientes por talante, nin por voluntad que oviesse de ninguna cosa, que fiziesse don Alvar Háñez, sinon lo que a él más le pertenesçía, et que era más su onra et su pro.[46]

Et acaesçió que, una vez, seyendo don Alvar Háñez en su casa, que vino a él un so sobrino que vivía en casa del rey, et plógol mucho a don Alvar Háñez con él. Et desque ovo morado con don Alvar Háñez algunos días, díxol un día que era muy buen omne et muy conplido [36] et que non podía poner en él ninguna tacha sinon una. Et don Alvar Háñez preguntól que quál era. Et el sobrino díxol que non fallava tacha que poner sinon que fazía mucho por su muger et la apoderava mucho en toda su fazienda. Et don Alvar Háñez respondiól que, a esto, que dende a pocos días le daría ende la repuesta.

Et ante que don Alvar Háñez viesse a doña Vascuñana, cavalgó et fuesse a otro lugar et anduvo allá algunos días et levó allá aquel su sobrino consigo. Et después envió por doña Vascuñana, et guisó assí don Alvar Háñez que se encontraron en el ca-

---

[36] *conplido:* perfecto.

(46) Concluye aquí el segundo de los tres relatos que integran este «exemplo»; en su planteamiento es idéntico al XXIV (véase **35**): Alvar Fáñez prueba a las tres hijas, presentándoles tres defectos (edad, violencia, suciedades en la cama) que le categorizan como mal marido. La hija mayor (I) le rechaza; de la segunda (II) se hace un sumario breve con el mismo fin; la menor (III) asume las tres tachas de A. Fáñez, aceptándole como esposo. El esquema es I (a+b+c>rechazo)+II (eje de simetría)+III (a+b+c>aceptación).

mino, pero que non fablaron ningunas razones entre sí, nin ovo tienpo aunque lo quisiessen fazer. Et don Alvar Háñez fuesse adelante, et yba con él su sobrino. Et doña Vascuñana vinía en pos dellos.

Et desque ovieron andado assí una pieça don Alvar Háñez et su sobrino, fallaron una pieça de vacas. Et don Alvar Háñez començó a dezir:

—¿Viestes, sobrino, qué fermosas yeguas ha en esta nuestra tierra?

Quando su sobrino esto oyó, maravillóse ende mucho, et cuydó que gelo dizía por trebejo[37] et díxol que cómmo dizía tal cosa, que non eran sinon vacas.

Et don Alvar Háñez se començó mucho de maravillar et dezirle que reçelava que avía perdido el seso, ca bien beyé[38] que aquéllas, yeguas eran.

Et de que el sobrino vio que don Alvar Háñez porfiava tanto sobresto, et que lo dizía a todo su seso, fincó mucho espantado et cuydó que don Alvar Háñez avía perdido el entendimiento.

Et don Alvar Háñez estido[39] tanto adrede en aquella porfía, fasta que asomó doña Vascuñana que vinía por el camino. Et de que don Alvar Háñez la vio, dixo a su sobrino:

—Ea, don sobrino, fe[40] aquí a doña Vascuñana que nos partirá[41] nuestra contienda.

Al sobrino plogo desto mucho. Et desque doña Vascuñana llegó, díxol su cuñado:

—Señora, don Alvar Háñez et yo estamos en contienda, ca él dize por unas vacas, que son yeguas, et yo digo que son vacas; et tanto avemos porfiado, que él me tiene por loco et yo tengo que él non está bien en su seso. Et vos, señora, departidnos agora esta contienda.

Et quando doña Vascuñana esto vio, commo quier que ella tenía que aquéllas eran vacas, pero pues su cuñado le dixo que dizía don Alvar Háñez que eran yeguas, tovo verdaderamente ella, con todo su entendimiento, que ellos erravan, que las non

---

[37] *trebejo:* burla. [38] *beyé:* veía. [39] *estido:* estuvo. [40] *fe:* he. [41] *partirá:* resolverá.

conosçían, mas que don Alvar Háñez non erraría en ninguna
manera en las conosçer; et pues dizía que eran yeguas, que en
toda guisa del mundo, que yeguas eran et non vacas. Et començó
a dezir al cuñado et a quantos ý estavan:

—Por Dios, cuñado, pésame mucho desto que dezides, et sabe
Dios que quisiera que con mayor seso et con mayor pro nos vi-
niéssedes agora de casa del rey, do tanto avedes morado; ca bien
veedes vos que muy grand mengua de entendimiento et de vista
es tener que las yeguas que son vacas.

Et començól a mostrar, tan bien por las colores, commo por
las façiones,[42] commo por otras cosas muchas, que eran yeguas
et non vacas, et que era verdat lo que don Alvar Háñez dizía,
que en ninguna manera el entendimiento et la palabra de don
Alvar Háñez que nunca podría errar. Et tanto le afirmó esto que
ya el cuñado et todos los otros començaron a dubdar que ellos
erravan, et que don Alvar Háñez dizía verdat, que las que ellos
tenían por vacas, que eran yeguas.

Et de que esto fue fecho, fuéronse don Alvar Háñez et su sobrino adelante et fallaron una grand pieça de yeguas. Et don Alvar Háñez dixo a su sobrino:

—¡Ahá, sobrino! Éstas son las vacas, que non las que vos di-
zíades ante, que dizía yo que eran yeguas.

Quando el sobrino esto oyó, dixo a su tío:

—Por Dios, don Alvar Háñez, si vos verdat dezides, el diablo
me traxo a mí a esta tierra; ca çiertamente, si éstas son vacas, perdido he yo el entendimiento, ca, en toda guisa del mundo, éstas,
yeguas son, et non vacas.

Don Alvar Háñez començó a porfiar muy fieramente que eran
vacas. Et tanto duró esta porfía, fasta que llegó doña Vascuñana. Et desque ella llegó et le contaron lo que dizía don Alvar
Háñez et dizía su sobrino, maguer[43] a ella paresçía que el sobrino dizía verdat, non pudo creer por ninguna guisa que don
Alvar Háñez pudiesse errar, nin que pudiesse seer verdat ál sinon lo que él dizía. Et començó a catar[44] razones para provar
que era verdat lo que dizía don Alvar Háñez, et tantas razones

---

[42] *façiones:* rasgos.   [43] *maguer:* aunque.   [44] *catar:* buscar.

et tan buenas dixo, que su cuñado et todos los otros tovieron que el su entendimiento, et la su vista, errava; mas lo que don Alvar Háñez dizía, que era verdat. Et aquesto fincó assí.

Et fuéronse don Alvar Háñez et su sobrino adelante et andudieron tanto, fasta que llegaron a un río en que avía pieça de molinos. Et dando del agua a las vestias en el río, començó a dezir don Alvar Háñez que aquel río que corría contra la parte onde nasçía, et aquellos molinos, que del otra parte les vinía el agua.

Et el sobrino de don Alvar Háñez se tovo por perdido quando esto le oyó; ca tovo que, assí como errara en el conosçimiento de las vacas et de las yeguas, que assí errava agora en cuydar que aquel río vinía al revés de commo dizía don Alvar Háñez. Pero porfiaron tanto sobresto, fasta que doña Vascuñana llegó.

Et desquel dixieron esta porfía en que estava don Alvar Háñez et su sobrino, pero que[45] a ella paresçía que el sobrino dizía verdat, non creó al su entendimiento et tovo que era verdat lo que don Alvar Háñez dizía. Et por tantas maneras sopo ayudar a la su razón,[46] que su cuñado et quantos lo oyeron, creyeron todos que aquélla era la verdat.

Et daquel día acá, fincó por fazaña[47] que si el marido dize que corre el río contra arriba, que la buena muger lo deve crer et deve dezir que es verdat.

Et desque el sobrino de don Alvar Háñez vio que por todas estas razones que doña Vascuñana dizía se provava que era verdat lo que dizía don Alvar Háñez, et que errava él en non conosçer las cosas assí commo eran, tóvose por muy maltrecho, cuydando que avía perdido el entendimiento.

Et de que andudieron assí una gran pieça por el camino, et don Alvar Háñez vio que su sobrino yva muy triste et en grand cuydado, díxole assí:

—Sobrino, agora vos he dado la repuesta a lo que en el otro día me dixiestes que me davan las gentes por grand tacha porque tanto fazía por doña Vascuñana, mi muger; ca bien cred que todo esto que vos et yo avemos passado oy, todo lo fize por

---

[45] *pero que:* aunque.　[46] *razón:* lo dicho.　[47] *fazaña:* sentencia.

que entendiéssedes quién es ella, et que lo que yo por ella fago, que lo fago con razón; ca bien creed que entendía yo que las primeras vacas que nós fallamos, et que dizía yo que eran yeguas, que vacas eran, assí como vos diziádes. Et desque doña Vascuñana llegó et vos oyó que yo dizía que eran yeguas, bien çierto só que entendía que vos diziádes verdat; mas que fió ella tanto en el mio entendimiento, que tien que, por cosa del mundo, non podría errar, tovo que vos et ella errávades en non lo conosçer cómmo era. Et por ende dixo tantas razones et tan buenas, que fizo entender a vos et a quantos allí estavan, que lo que yo dizía era verdat. Et esso mismo fizo después en lo de las yeguas et del río. Et bien vos digo verdat: que del día que comigo casó, que nunca un día le bi fazer nin dezir cosa en que yo pudiesse entender que quería nin tomava plazer, sinon en aquello que yo quis; nin le vi tomar enojo de ninguna cosa que yo fiziesse. Et siempre tiene verdaderamente en su talante que qualquier cosa que yo faga, que aquello es lo mejor; et lo que ella á de fazer de suyo o le yo acomiendo[48] que faga, sábelo muy bien fazer, et siempre lo faze guardando todavía mi onra et mi pro et queriendo que entiendan las gentes que yo só el señor, et que la mi voluntad et la mi onra se cumpla en todo; et non quiere para sí otra pro, nin otra fama de todo el fecho, sinon que sepan que es mi pro, et tome yo plazer en ello. Et tengo que si un moro de allende el mar esto fiziesse, quel devía yo mucho amar et presçiar yo et fazer yo mucho por el su consejo, et demás seyendo casado con ella et seyendo ella tal et de tal linaje de que me tengo por muy bien casado. Et agora, sobrino, vos he dado repuesta a la tacha que el otro día me dixiestes que avía.

Quando el sobrino de don Alvar Háñez oyó estas razones plógol ende mucho, et entendió que pues doña Vascuñana tal era et avía tal entendimiento et tal entención, que fazía muy grand derecho don Alvar Háñez de la amar et fiar en ella et fazer por ella quanto fazía et aun muy más, si más fiziesse.[(47)]

---

[48] *acomiendo:* ordeno.

(47) Final del tercero de los cuentos. En él plantea una nueva estructura de base ternaria: tres han sido las ocasiones (vacas/yeguas/moli-

Et assí fueron muy contrarias la muger del enperador et la muger de don Alvar Háñez.

Et, señor conde Lucanor, si vuestros hermanos son tan desvariados, que el uno faze todo quanto su muger quiere et el otro todo lo contrario, por aventura esto es porque sus mugeres fazen tal vida con ellos commo fazía la enperadriz et doña Vascuñana. Et si ellas tales son, non devedes maravillarvos nin poner culpa a vuestros hermanos; mas si ellas non son tan buenas nin tan revesadas como estas dos de que vos he fablado, sin dubda vuestros hermanos non podrían seer sin grand culpa; ca commo quier que aquel vuestro hermano que faze mucho por su muger, faze bien, entendet que este bien, que se deve fazer con razón et non más; ca si el omne, por aver grand amor a su muger, quiere estar con ella tanto por que dexe de yr a los lugares o a los fechos en que puede fazer su pro et su onra, faze muy grand yerro; nin si por le fazer plazer nin conplir su talante dexa nada de lo que pertenesçe a su estado, nin a su onra, faze muy desaguisado, [49] mas guardando estas cosas, todo buen talante et toda fiança que el marido pueda mostrar a su muger, todo le es fazedero et todo lo deve fazer et le pertenesçe muy bien que lo faga. Et otrosí, deve mucho guardar que por lo que a él mucho non cunple, nin le faze gran mengua, que non le faga pesar nin enojo et señaladamente en ninguna cosa en que puede aver pecado, ca desto vienen muchos daños: lo uno, la maldad et el pecado que omne faze, lo ál, que por fazerle emienda o fazerle plazer por que pierda aquel enojo avrá a fazer cosas que se tornarán en daño de la fazienda et de la fama. Otrosí, el que por su fuerte ventura tal muger oviere commo la del emperador, pues al comienço non pudo o non sopo poner ý consejo en ello non ay sinon pasar su ventura commo Dios gelo quisiere endereçar; pero sabed que para lo uno et para lo ál cumple mucho que

---

[49] *desaguisado:* desacertado.

nos) en que Alvar Fáñez ha probado que su mujer, doña Vascuñana, siempre le dará la razón aunque no la tenga.

del primer día que el omne casa, dé a entender a su muger que él es el señor de todo, et quel faga entender la vida que an de pasar en uno.

Et vos, señor conde, al mi cuydar, parando mientes a estas cosas, podedes consejar a vuestros hermanos en quál manera bivan con sus mugeres.

Al conde plogo mucho destas cosas que Patronio le dixo, et tovo que dezía verdat et muy buen seso.

Et entendiendo don Juan que estos enxemplos eran buenos, fízolos escrivir en este libro et fizo estos versos que dizen así:

> *En el primero día que omne casare deve mostrar*
> *qué vida á de fazer o cómmo á de passar.*

Et la ystoria deste exienplo es ésta que se sigue:

EXEMPLO XXIX

DE LO QUE CONTESÇIÓ A UN RAPOSO QUE SE ECHÓ EN LA CALLE ET SE FIZO MUERTO

Otra ves fablava el conde Lucanor con Patronio, su consegero, et díxole así:

—Patronio, un mio pariente bive en una tierra do non ha tanto poder que pueda estrañar[1] quantas escatimas[2] le fazen, et los que han poder en la tierra querrían muy de grado que fiziesse él alguna cosa por que oviessen achaque[3] para seer contra él. Et aquel mio pariente tiene quel es muy grave cosa de soffrir aquellas terrerías[4] quel fazen, et querría aventurarlo todo ante que soffrir tanto pesar de cada día. Et porque yo querría que él acertasse en lo mejor, ruégovos que me digades en qué manera lo conseje por que passe lo mejor que pudiere en aquella tierra.

---

[1] *estrañar:* evitar.   [2] *escatimas:* insultos, afrentas.   [3] *achaque:* pretexto, acusación.   [4] *terrerías:* amenazas terroríficas.

—Señor conde Lucanor —dixo Patronio—, para que vos le podades conseiar en esto, plazerme ýa que sopiéssedes lo que contesçió una vez a un raposo que se fezo[5] muerto.

El conde le preguntó cómmo fuera aquello.

—Señor conde —dixo Patronio—, un raposo entró una noche en un corral do avía gallinas; et andando en roýdo[6] con las gallinas, quando él cuydó que se podría yr, era ya de día et las gentes andavan ya todos por las calles. Et desque él vio que non se podía asconder, salió escondidamente a la calle, et tendiósse assí commo si fuesse muerto.

Quando las gentes lo vieron, cuydaron que era muerto, et non cató ninguno por él.

A cabo de una pieça,[7] passó por ý un omne, et dixo que los cabellos de la fruente[8] del raposo que eran buenos para poner en la fruente de los moços pequeños por que non les aoien.[9] Et trasquiló con unas tiseras[10] de los cabellos de la fruente del raposo.

Después vino otro, et dixo esso mismo de los cabellos del lomo; et otro, de las yjadas.[11] Et tantos dixieron esto fasta que lo trasquilaron todo. Et por todo esto, nunca se movió el raposo, porque entendía que aquellos cabellos non le fazían daño en los perder.

Después vino otro et dixo que la uña del polgar del raposo que era buena para guaresçer de los panarizos;[12] et sacógela. Et el raposo non se movió.

Et después vino otro que dixo que el diente del raposo era bueno para el dolor de los dientes; et sacógelo. Et el raposo non se movió.[(48)]

---

[5] *fezo:* hizo, fingió.   [6] *en roýdo:* alborotado.   [7] *pieça:* rato.   [8] *fruente:* frente.   [9] *non les aoien:* no les echen mal de ojo.   [10] *tiseras:* tijeras.   [11] *yjadas:* espacios situados entre las falsas costillas y los huesos de la cadera.   [12] *panarizos:* panadizos, inflamaciones en las puntas de los dedos.

(48) Don Juan Manuel ha sabido crear la intriga narrativa mediante una gradación creciente que ha ido presentando la mutilación de que es víctima el animal; este proceso se intensifica por el empleo de la epífora «Et non se movió», que contrastará con el rápido desenlace del cuento.

Et después, a cabo de otra pieça, vino otro que dixo que el coraçón era bueno paral dolor del coraçón, et metió mano a un cochiello[13] para sacarle el coraçón. Et el raposo vio quel querían sacar el coraçón et que si gelo sacassen, non era cosa que se pudiesse cobrar,[14] et que la vida era perdida, et tovo que era meior de se aventurar a quequier[15] quel pudiesse venir, que soffrir cosa por que se perdiesse todo. Et aventuróse et puñó[16] en guaresçer[17] et escapó muy bien.

Et vos, señor conde, conseiad a aquel vuestro pariente que si Dios le echó en tierra do non puede estrañar lo quel fazen commo él querría o commo le cunplía, que en quanto las cosas quel fizieren fueren atales que se puedan soffrir sin grand daño et sin grand mengua, que dé a entender que se non siente dello et que les dé passada;[18] ca en quanto da omne a entender que se non tiene por maltrecho de lo que contra él an fecho, non está tan envergonçado; mas desque da a entender que se tiene por maltrecho de lo que ha reçebido, si dende adelante non faze todo lo que deve por non fincar menguado, non está tan bien commo ante. Et por ende, a las cosas passaderas, pues non se pueden estrañar commo deven, es mejor de les dar passada, mas si llegare el fecho a alguna cosa que sea grand daño o grand mengua, estonçe se aventure et non le sufra, ca mejor es la pérdida o la muerte, defendiendo omne su derecho et su onra et su estado, que bevir passando en estas cosas mal et desonradamente.

El conde tovo éste por buen conseio.

Et don Iohan fízolo escrivir en este libro et fizo estos viessos que dizen assí:

> Sufre las cosas en quanto divieres,[19]
> estraña las otras en quanto pudieres.

Et la ystoria deste exienplo es ésta que se sigue:

---

[13] *cochiello:* cuchillo. [14] *cobrar:* recuperar. [15] *quequier:* cualquier cosa. [16] *puñó:* se esforzó. [17] *guaresçer:* salvarse. [18] *les dé passada:* las soporte. [19] *divieres:* debieres.

EXEMPLO XXXII.º

DE LO QUE CONTESÇIÓ A UN REY CON LOS BURLADORES QUE FIZIERON EL PAÑO

Fablava otra vez el conde Lucanor con Patronio, su conseiero, et dizíale:

—Patronio, un omne vino a mí et díxome muy grand fecho et dame a entender que sería muy grand mi pro; pero dízeme que lo non sepa omne del mundo por mucho que yo en él fíe; et tanto me encaresçe que guarde esta poridat, fasta que dize que si a omne del mundo lo digo, que toda mi fazienda et aun la mi vida es en grand periglo. Et porque yo sé que omne non vos podría dezir cosa que vos non entendades si se dize por vien o por algún engaño, ruégovos que me digades lo que vos paresçe en esto.

—Señor conde Lucanor —dixo Patronio—, para que vos entendades, al mio cuydar, lo que vos más cunple de fazer en esto, plazerme ýa que sopiésedes lo que contesçió a un rey con tres omnes burladores que vinieron a él.

El conde le preguntó cómmo fuera aquello.

—Señor conde —dixo Patronio—, tres omnes burladores vinieron a un rey et dixiéronle que eran muy buenos maestros de fazer paños, et señaladamente que fazían un paño que todo omne que fuesse fijo daquel padre que todos dizían, que vería el paño; mas el que non fuesse fijo daquel padre que él tenía a que las gentes dizían, que non podría ver el paño.

Al rey plogo desto mucho, teniendo que por aquel paño podría saber quáles omnes de su regno eran fijos de aquellos que devían seer sus padres o quáles non, et que por esta manera podría acresçentar mucho lo suyo; ca los moros no heredan cosa de su padre si non son verdaderamente sus fijos. Et para esto mandóles dar un palaçio[1] en que fiziessen aquel paño. [(49)]

---

[1] *palaçio:* sala, aposento.

(49) Los ambientes orientales que dibuja don Juan Manuel son más anecdóticos que reales y no hay que inferir, por ello, que el autor se ins-

Et ellos dixiéronle que por que viesse que non le querían engañar, que les mandasse çerrar en aquel palaçio fasta que el paño fuesse fecho. Desto plogo mucho al rey. Et desque ovieron tomado para fazer el paño mucho oro et plata et seda et muy grand aver, para que lo fiziessen, entraron en aquel palaçio et çerráronlos ý.

Et ellos pusieron sus telares et davan a entender que todo el día texían en el paño. Et a cabo de algunos días, fue el uno dellos dezir al rey que el paño era començado et que era la más fermosa cosa del mundo; et díxol a qué figuras[2] et a qué labores lo començaban de fazer et que, si fuesse la su merçet, que lo fuesse ver et que non entrasse con él omne del mundo. Desto plogo al rey mucho.

Et el rey, queriendo provar[3] aquello ante en otro, envió un su camarero que lo viesse, pero non le aperçibió quel desengañasse. Et desque el camarero vio los maestros et lo que dizían, non se atrevió a dezir que non lo viera. Quando tornó al rey, dixo que viera el paño. Et después envió otro et díxol esso mismo. Et desque todos los que el rey envió le dixieron que vieran el paño, fue el rey a lo veer.

Et quando entró en el palaçio et vio los maestros que estavan texiendo et dizían: «Esto es tal labor, et esto es tal ystoria,[4] et esto es tal figura, et esto es tal color», et conçertavan[5] todos en una cosa, et ellos non texían ninguna cosa, quando el rey vio que ellos non texían et dizían de qué manera era el paño, et él, que non lo veýa et que lo avían visto los otros, tóvose por muerto, ca tovo que porque non era fijo del rey que él tenía por su padre, que por esso non podía ver el paño, et reçeló que si dixiesse que lo non veýa, que perdería el regno. Et por ende co-

---

[2] *figuras:* dibujos, escenas.   [3] *provar:* comprobar.   [4] *ystoria:* dibujo.
[5] *conçertavan:* concordaban.

pirara directamente en materiales de origen árabe. La circunstancia social de la Castilla del siglo XIV conocía de sobra la convivencia entre las dos culturas; así, el que don Juan Manuel proyecte su narración en una corte mora debe entenderse, simplemente, como un rasgo de estilo.

mençó a loar mucho el paño et aprendió muy bien la manera commo dizían aquellos maestros que el paño era fecho.

Et desque fue en su casa con las gentes, començó a dezir maravillas de quánto bueno et quánto maravilloso era aquel paño, et dizía las figuras et las cosas que avía en el paño, pero que[6] él estava con muy mala sospecha.

A cabo de dos o de tres días, mandó a su alguazil que fuesse veer aquel paño. Et el rey contól las maravillas et estrañezas que viera en aquel paño. El alguazil fue allá.

Et desque entró et vio los maestros que texían et dizían las figuras et las cosas que avía en el paño et oyó al rey cómmo lo avía visto et que él non lo veýa, tovo que porque non era fijo daquel padre que él cuydava, que por eso non lo veýa, et tovo que si gelo sopiessen, que perdería toda su onra. Et por ende, començó a loar el paño tanto commo el rey o más.

Et desque tornó al rey et le dixo que viera el paño et que era la más noble et la más apuesta cosa del mundo, tóvose el rey aún más por mal andante, pensando que, pues el alguazil viera el paño et él non lo viera, que ya non avía dubda que él non era fijo del rey que él cuydava. Et por ende, començó más de loar et de firmar[7] más la vondad et la nobleza del paño et de los maestros que tal cosa sabían fazer. Et otro día, envió el rey otro su privado et conteçiól commo al rey et a los otros.

¿Qué vos diré más? Desta guisa, et por este reçelo, fueron engañados el rey et quantos fueron en su tierra, ca ninguno non osava dezir que non veýé el paño.

Et assí passó este pleito, fasta que vino una grand fiesta. Et dixieron todos al rey que vistiesse aquellos paños para la fiesta.

Et los maestros traxiéronlos enbueltos en muy buenas sávanas, et dieron a entender que desbolvían[8] el paño. Et preguntaron al rey qué quería que taiassen[9] de aquel paño. Et el rey dixo quáles vestiduras quería. Et ellos davan a entender que taiavan et que medían el talle[10] que avían de aver las vestiduras, et después que las coserían.

---

[6] *pero que:* aunque.   [7] *firmar:* asegurar.   [8] *desbolvían:* desenvolvían.   [9] *taiassen:* cortasen.   [10] *talle:* proporción del cuerpo.

Quando vino el día de la fiesta, vinieron los maestros al rey, con sus paños taiados et cosidos, et fiziéronle entender quel vistían et quel allanavan[11] los paños. Et assí lo fizieron fasta que el rey tovo que era vestido, ca él non se atrevía a dezir que él non veýa el paño.

Et desque fue vestido tan bien commo avedes oýdo, cavalgó para andar por la villa; mas de tanto le avino bien,[12] que era verano.

Et desque las gentes lo vieron assí venir et sabían que el que non veýa aquel paño que non era fijo daquel padre que cuydava, cuydava cada uno que los otros lo veýan et que pues él non los veýa, que si lo dixiesse, que sería perdido et desonrado. Et por esto fincó aquella poridat[13] guardada, que non se atrevié ninguno a lo descubrir, fasta que un negro, que guardava el cavallo del rey et que non avía qué pudiesse perder, llegó al rey et díxol:

—Señor, a mí non me enpeçe[14] que me tengades por fijo de aquel padre que yo digo, nin de otro, et por ende, dígovos que yo só çiego, o vos desnuyo[15] ydes.[16]

El rey le començó a maltraer[17] diziendo que porque non era fijo daquel padre que él cuydava, que por esso non veýa los sus paños.

Desque el negro esto dixo, otro que lo oyó dixo esso mismo, et assí lo fueron diziendo fasta que el rey et todos los otros perdieron el reçelo de conosçer la verdat et entendieron el engaño que los burladores avían fecho. Et quando los fueron buscar, non los fallaron, ca se fueran con lo que avían levado del rey por el engaño que avedes oýdo. [50]

---

[11] *allanavan:* alisaban. [12] *mas de tanto le avino bien:* pero con todo, tuvo suerte. [13] *poridat:* secreto. [14] *enpeçe:* importa. [15] *desnuyo:* desnudo. [16] *ydes:* vais. [17] *maltraer:* maltratar.

(50) Nueva estructura ternaria: *a*) el rey es engañado, *b*) el engaño se extiende a los miembros de la corte y *c*) resolución final, encomendada a un personaje marginal. Don Juan Manuel ha conseguido trazar un fino cuadro de reacciones psicológicas, donde la vergüenza y la desconfianza son los hilos que mueven las conciencias de los personajes.

Et vos, señor conde Lucanor, pues aquel omne vos dize que non sepa ninguno de los en que vos fiades nada de lo que él vos dize, çierto seed que vos cuyda engañar, ca bien devedes entender que non ha él razón de querer más vuestra pro, que non ha convusco[18] tanto debdo commo todos los que conbusco biven, que an muchos debdos et bien fechos de vos, por que deven querer vuestra pro et vuestro serviçio.

El conde tovo éste por buen consejo. Et fízolo assí et fallóse ende bien.

Et veyendo don Iohan que éste era buen exienplo, fízolo escrivir en este libro et fezo estos viessos que dizen assí:

Quien te conseia encobrir de tus amigos,
sabe que más te quiere engañar que dos figos.[19]

Et la ystoria deste exienplo es ésta que se sigue:

EXEMPLO XXXIII.º

DE LO QUE CONTESÇIÓ A UN FALCÓN SACRE[1] DEL INFANTE DON MANUEL CON UNA ÁGUILA ET CON UNA GARÇA

Fablava otra vez el conde Lucanor con Patronio, su consegero, en esta manera:

—Patronio, a mí contesçió de aver muchas vezes contienda con muchos omnes; et después que la contienda es passada, algunos conséianme que tome otra contienda con otros, et algunos conséianme que fuelgue[2] et esté en paz, et algunos conséianme que comiençe guerra et contienda con los moros. Et porque yo sé que ninguno otro non me podría conseiar mejor que vos, por ende vos ruego que me conseiedes lo que faga en estas cosas.

---

[18] *convusco:* con vos.   [19] *figos:* higos.
[1] *falcón sacre:* una especie de halcones grandes.   [2] *fuelgue:* descanse.

—Señor conde Lucanor —dixo Patronio—, para que vos en esto acertedes en lo mejor, sería bien que sopiéssedes lo que contesçió a los muy buenos falcones garçeros,[3] et señaladamente lo que contesçió a un falcón sacre que era del infante don Manuel.[(51)]

El conde le preguntó cómmo fuera aquello.

—Señor conde —dixo Patronio—, el infante don Manuel andava un día a caça cerca de Escalona, et lançó un falcón sacre a una garça, et montando[4] el falcón con la garça, vino al falcón una águila. El falcón, con miedo del águila, dexó la garça et començó a foýr; et el águila, desque vio que non podía tomar el falcón, fuesse. Et desque el falcón vio yda el águila, tornó a la garça et començó a andar muy bien con ella por la matar.

Et andando el falcón con la garça, tornó otra vez el águila al falcón, et el falcón començó a foýr commo el otra vez; et el águila fuesse, et tornó el falcón a la garça. Et esto fue assí bien tres o quatro vezes: que cada que[5] el águila se yva, luego el falcón tornava a la garça; et cada que el falcón tornava a la garça, luego vinía el águila por le matar.

Desque el falcón vio que el águila non le quería dexar matar la garça, dexóla, et montó sobre el águila, et vino a ella tantas vezes firiéndola, fasta que la fizo desterrar daquella tierra. Et desque la ovo desterrado, tornó a la garça, et andando con ella muy alto, vino el águila otra vez por lo matar. Desque el falcón vio que non le valía cosa que feziesse, subió otra vez sobre el águila et dexóse venir a[6] ella et diol tan grant colpe, quel quebrantó

---

[3] *falcones garçeros:* halcones adiestrados para la caza de garzas.   [4] *montando:* volando sobre el ave que debe atacar.   [5] *que cada que:* que cada vez que.   [6] *dexóse venir a:* se precipitó contra.

(51) Nuevo caso que demuestra cómo don Juan Manuel utiliza figuras históricas para construir mundos de ficción verosímiles: al infante don Manuel, su padre, le atribuye un suceso de caza de altanería que pertenece a una antigua tradición literaria. Se ha querido ver en el halcón la figura simbolizada de don Juan Manuel, que justifica las guerras contra su rey (el águila) porque debía defender su *estado* y mantener su *fazienda* (la caza de la «garça»).

el ala. Et desque ella vino caer, el ala quebrantada, tornó el falcón a la garça et matóla. Et esto fizo porque tenía que la su caça non la devía dexar, luego que fuesse desenbargado de aquella águila que gela enbargaba. (52)

Et vos, señor conde Lucanor, pues sabedes que la vuestra caça et la vuestra onra et todo vuestro bien paral cuerpo et paral alma es que fagades serviçio a Dios, et sabedes que en cosa del mundo, segund el vuestro estado que vos tenedes, non le podedes tanto servir commo en aver guerra con los moros por ençalçar la sancta et verdadera fe católica, conséjovos yo que luego que podades seer seguro de las otras partes, que ayades guerra con los moros. Et en esto faredes muchos bienes: lo primero, faredes serviçio de Dios; lo ál, faredes vuestra onra et obraredes en vuestro offiçio et vuestro meester[7] et non estaredes comiendo el pan de balde, que es una cosa que non paresçe bien a ningund grand señor: ca los señores, quando estades sin ningund mester, non preciades las gentes tanto commo devedes, nin fazedes por ellos todo lo que devíades fazer, er echádesvos a otras cosas que serían a las vezes muy bien de las escusar.[8] Et pues a los señores vos es bueno et aprovechoso aver algund mester, çierto es que de los mesteres non podedes aver ninguno tan bueno et tan onrado et tan a pro del alma et del cuerpo, et tan sin daño, commo la guerra de los moros. Et si quier, parat mientes al enxienplo terçero que vos dixe en este libro, del salto que fizo el rey Richalte de Inglaterra, et quánto ganó por él; et pensat en vuestro coraçón que avedes a morir et que avedes fecho en vuestra vida muchos pesares a Dios, et que Dios es derechurero[9] et de tan grand iustiçia que non podedes salir sin pena de los males que avedes fecho; pero veed si sodes[10] de buena ventura en fallar carrera[11]

---

[7] *meester:* trabajo; igual que *mester.* [8] *escusar:* evitar. [9] *derechurero:* recto, justo. [10] *sodes:* sois. [11] *carrera:* camino, vía.

(52) Estructura dual: dos planos, cada uno compuesto por dos unidades con eje de simetría en la frase «Et esto fue assí bien tres o quatro vezes». I y II desarrollan la derrota del halcón; en III, su victoria parcial, y en IV, su triunfo completo. (Véase el esquema dibujado en la pág. 264.)

para que en un punto podades aver perdón de todos vuestros
pecados, ca si en la guerra de los moros morides, estando en
verdadera penitençia, sodes mártir et muy bienaventurado; et
aunque por armas non murades, las buenas obras et la buena
entençión vos salvará. [53]

El conde tovo éste por buen enxienplo et puso en su coraçón
de lo fazer, et rogó a Dios que gelo guise[12] commo Él sabe que
lo él desea.

Et entendiendo don Iohan que este enxienplo era muy bueno,
fízolo escrivir en este libro et fizo estos viessos que dizen assí:

> *Si Dios te guisare de aver sigurança,*[13]
> *puña de*[14] *ganar la conplida bien andança.*

Et la ystoria deste enxienplo es ésta que se sigue:

EXEMPLO XXXV.º

DE LO QUE CONTESÇIÓ A UN MANÇEBO QUE CASÓ CON UNA
MUGER MUY FUERTE ET MUY BRAVA

Otra vez fablava el conde Lucanor con Patronio, et díxole:
—Patronio, un mio criado me dixo quel trayán[1] cassamiento
con una muger muy rica, et aun, que es más onrada que él; et
que es el casamiento muy bueno para él, sinon por un enbargo[2]

---

[12] *gelo guise:* se lo disponga.   [13] *sigurança:* seguridad.   [14] *puña de:* lucha por.
[1] *trayán:* proponían.   [2] *enbargo:* inconveniente.

(53) La aplicación del cuento perfilada por Patronio es de las más importantes: redunda, de nuevo, en el único modo en que el noble podía
actuar según su estado (la guerra contra los moros) y ofrece la curiosidad de presentar a Patronio como personaje que reflexiona sobre los
«exemplos» que va contando (remite al Ex. III), constituyéndose en un
elemento hilvanador de las distintas situaciones didácticas. (Véanse **13**
y **39**.)

que ý ha, et el enbargo es éste: díxome quel dixeran que aquella muger que era la más fuerte et más brava cosa del mundo. Et agora ruégovos que me conseiedes si le mandaré que case con aquella muger, pues sabe de quál manera es, o sil mandaré que lo non faga.

—Señor conde —dixo Patronio—, si él fuer tal commo fue un fijo de un omne bueno[3] que era moro, conseialde que case con ella, mas si non fuere tal, non gelo conseiedes.

El conde le rogó quel dixiesse cómmo fuera aquello.

Patronio le dixo que en una villa avía un omne bueno que avía un fijo, el mejor mançebo que podía ser, mas non era tan rico que pudiesse conplir tantos fechos et tan grandes commo el su coraçón le dava a entender que devía conplir. Et por esto era él en grand cuydado, ca avía la buena voluntat et non avía el poder.

En aquella villa misma, avía otro omne muy más onrado et más rico que su padre, et avía una fija non más, et era muy contraria de aquel mançebo; ca quanto aquel mançebo avía de buenas maneras, tanto las avía aquella fija del omne bueno de malas et revesadas;[4] et por ende, omne del mundo non quería casar con aquel diablo.

Aquel tan buen mançebo vino un día a su padre et díxole que bien sabía que él non era tan rico que pudiesse darle con que él pudiesse bevir a su onra, et que, pues le convinía a fazer vida menguada[5] et lazdrada[6] o yrse daquella tierra, que si él por bien tobiesse, quel paresçía meior seso[7] de catar algún casamiento con que pudiesse aver alguna passada.[8] Et el padre le dixo quel plazía ende mucho si pudiesse fallar para él casamiento quel cunpliesse.

Entonce le dixo el fijo que, si él quisiesse, que podría guisar que aquel omne bueno que avía aquella fija que gela diesse para él. Quando el padre esto oyó, fue muy maravillado, et díxol que cómmo cuydava en tal cosa: que non avía omne que la conosçiesse que, por pobre que fuese, quisiese casar con ella. El fijo le

---

[3] *omne bueno:* noble.   [4] *revesadas:* contrarias.   [5] *menguada:* pobre.   [6] *lazdra-da:* miserable.   [7] *seso:* consejo.   [8] *passada:* recursos.

dixo quel pidía por merçed quel guisasse aquel casamiento. Et
tanto lo afincó[9] que, commo quier que el padre lo tovo por estraño, que gelo otorgó.

Et él fuesse luego para aquel omne bueno, et amos eran mucho amigos, et díxol todo lo que passara[10] con su fijo et rogól
que, pues su fijo se atrevía a casar con su fija, quel ploguiesse
et que gela diesse para él. Quando el omne bueno esto oyó [a]
aquel su amigo, díxole:

—Par Dios, amigo, si yo tal cosa fiziesse seervos ýa muy falso
amigo, ca vos avedes muy buen fijo, et ternía que fazía muy
grand maldat si yo consintiesse su mal nin su muerte; et só çierto que, si con mi fija casasse, que o sería muerto o le valdría más
la muerte que la vida. Et non entendades que vos digo esto por
non conplir vuestro talante, ca si la quisierdes, a mí mucho me
plaze de la dar a vuestro fijo, o a quienquier que me la saque
de casa.

El su amigo le dixo quel gradesçía mucho quanto le dizía, et
que pues su fijo quería aquel casamiento, quel rogava quel ploguiesse.

El casamiento se fizo, et levaron la novia a casa de su marido.
Et los moros an por costunbre que adovan[11] de çena a los no-
vios et pónenles la mesa et déxanlos en su casa fasta otro día.
Et fiziéronlo [a] aquellos assí; pero estavan los padres et las madres et parientes del novio et de la novia con grand reçelo,
cuydando que otro día fallarían el novio muerto o muy maltrecho.

Luego que ellos fincaron solos en casa, assentáronse a la mesa,
et ante que ella ubiasse[12] a dezir cosa,[13] cató el novio en derredor[14] de la mesa, et vio un perro et díxol ya quanto[15] bravamente:

—¡Perro, danos agua a las manos!

El perro non lo fizo. Et él encomençósse a ensañar et díxol
más bravamente que les diesse agua a las manos. Et el perro non
lo fizo. Et desque vio que lo non fazía, levantóse muy sañudo

---

[9] *afincó:* apremió. [10] *passara:* hablara. [11] *adovan:* preparan. [12] *ubiasse:* lle-
gase. [13] *cosa:* nada. [14] *en derredor:* alrededor. [15] *ya quanto:* algo, bastante.

de la mesa et metió mano a la espada et endereçó[16] al perro. Quando el perro lo vio venir contra sí, començó a foýr, et él en pos él, saltando amos por la ropa et por la mesa et por el fuego, et tanto andido en pos dél fasta que lo alcançó, et cortól la cabeça et las piernas et los braços, et fízolo todo pedaços et ensangrentó toda la casa et toda la mesa et la ropa.

Et assí, muy sañudo et todo ensangrentado, tornóse a sentar a la mesa et cató en derredor, et vio un gato et díxol quel diesse agua a manos; et porque non lo fizo, díxole:

—¡Cómmo, don falso traydor!, ¿et non vistes lo que fiz al perro porque non quiso fazer lo quel mandé yo? Prometo a Dios que, si un punto nin más conmigo porfías, que esso mismo faré a ti que al perro.

El gato non lo fizo, ca tampoco es su costunbre de dar agua a manos, commo del perro. Et porque non lo fizo, levantóse et tomól por las piernas et dio con él a la pared et fizo dél más de çient pedaços, et mostrándol muy mayor saña que contra el perro.

Et assí, bravo et sañudo et faziendo muy malos contenentes,[17] tornóse a la mesa et cató a todas partes. La muger, quel vio esto fazer, tovo que estava loco o fuera de seso, et non dizía nada.

Et desque ovo catado a cada parte, et vio un su cavallo que estava en casa, et él non avía más de aquél, et díxol muy bravamente que les diesse agua a las manos. El cavallo non lo fizo. Desque vio que lo non fizo, díxol:

—¡Cómmo, don cavallo!, ¿cuydades que porque non he otro cavallo, que por esso vos dexaré si non fizierdes lo que yo vos mandare? Dessa[18] vos guardat, que si, por vuestra mala ventura, non fizierdes lo que yo vos mandare, yo juro a Dios que tan mala muerte vos dé commo a los otros; et non ha cosa viva en el mundo que non faga lo que yo mandare, que esso mismo non le faga.

El cavallo estudo quedo. Et desque vio que non fazía su mandado, fue a él et cortól la cabeça con la mayor saña que podía mostrar, et despedaçólo todo.

---

[16] *endereçó:* se dirigió.   [17] *contenentes:* gestos.   [18] *Dessa:* De eso.

Quando la muger vio que matava el cavallo non aviendo otro et que dizía que esto faría a quiquier[19] que su mandado non cunpliesse, tovo que esto ya non se fazía por juego, et ovo tan grand miedo que non sabía si era muerta o biva.

Et él assí, vravo et sañudo et ensangrentado, tornóse a la mesa, jurando que si mil cavallos et omnes et mugeres oviesse en casa quel saliessen de mandado,[20] que todos serían muertos. Et assentósse et cató a cada parte, teniendo la espada sangrienta en el regaço; et desque cató a una parte et a otra et non vio cosa viva, bolvió los ojos contra[21] su muger muy bravamente et díxol con grand saña, teniendo la espada en la mano:

—Levantadvos et datme agua a las manos.

La muger, que non esperava otra cosa sinon que la despedaçaría toda, levantóse muy apriesa et diol agua a las manos. Et díxole él:

—¡A!, ¡cómmo gradesco a Dios porque fiziestes lo que vos mandé, ca de otra guisa, por el pesar que estos locos me fizieron, esso oviera fecho a vos que a ellos![54]

Después mandól quel diesse de comer; et ella fízolo. Et cada quel[22] dizía alguna cosa, tan bravamente gelo dizía et en tal son,[23] que ella ya cuydava que la cabeça era yda del polvo.[24]

Assí passó el fecho entrellos aquella noche, que nunca ella fabló, mas fazía lo quel mandavan. Desque ovieron dormido una pieça, díxol él:

---

[19] *quiquier:* quien quiera. [20] *saliessen de mandado:* desobedeciesen. [21] *contra:* hacia, para. [22] *cada quel:* cada vez que le. [23] *tal son:* tal tono. [24] *del polvo:* al polvo, por el suelo.

---

(54) Las intervenciones en estilo directo desarrollan funciones estructurales; por una parte, generan la intriga narrativa mediante simetrías muy acusadas (obsérvese que las frases dirigidas al perro y a la mujer son breves, mientras que las que destina al gato y al caballo son más amplias) y, por otra parte, presentan sistemáticamente los planos de realidades con los que el mancebo pretende adoctrinar a su mujer. Más adelante, en la única intervención de la mujer se reúnen desenlace y visión cómica del suceso.

—Con esta saña que ove esta noche, non pude bien dormir. Catad que non me despierte cras[25] ninguno; et tenedme bien adobado de comer.

Quando fue grand mañana,[26] los padres et las madres et parientes llegaron a la puerta, et porque non fablava ninguno, cuydaron que el novio estava muerto o ferido. Et desque vieron por entre las puertas a la novia et non al novio, cuydáronlo más.

Quando ella los vio a la puerta, llegó muy passo[27] et con grand miedo, et començóles a dezir:

—¡Locos, traydores!, ¿qué fazedes? ¿Cómmo osades llegar a la puerta nin fablar? ¡Callad, sinon todos, tan bien vos commo yo, todos somos muertos!

Quando todos esto oyeron, fueron marabillados; et desque sopieron cómmo pasaron en uno, presçiaron mucho el mançebo porque assí sopiera fazer lo quel cunplía et castigar[28] tan bien su casa.

Et daquel día adelante, fue aquella su muger muy bien mandada et ovieron muy buena bida.

Et dende a pocos días, su suegro quiso fazer assí commo fiziera su yerno, et por aquella manera mató un gallo, et díxole su muger:

—A la fe,[29] don fulán, tarde vos acordastes, ca ya non vos valdría nada si matássedes çient cavallos: que ante lo oviérades a començar, ca ya bien nos conosçemos.

Et vos, señor conde, si aquel vuestro criado quiere casar con tal muger, si fuere él tal commo aquel mançebo, conseialde que case seguramente, ca él sabrá cómmo passa en su casa; mas si non fuere tal que entienda lo que deve fazer et lo quel cunple, dexadle passe su ventura. Et aun conseio a vos, que con todos los omnes que ovierdes a fazer,[30] que sienpre les dedes a entender en quál manera an de pasar conbusco.

El conde obo éste por buen conseio. Et fízolo assí et fallóse dello vien.

Et porque don Iohan lo tovo por buen enxienplo, fízolo escrivir en este libro et fizo estos viessos que dizen assí:

> *Si al comienço non muestras qui eres,*
> *nunca podrás después quando quisieres.*

Et la ystoria deste enxienplo es ésta que se sigue:

EXEMPLO XXXVI.º

DE LO QUE CONTESÇIÓ A UN MERCADERO QUANDO FALLÓ SU MUGER ET SU FIJO DURMIENDO EN UNO

Un día fablava el conde Lucanor con Patronio, estando muy
sañudo por una cosa quel dixieron, que tenía él que era muy
grand su desonra, et díxole que quería fazer sobrello tan grand
cosa et tan grand movimiento,[1] que para sienpre fincasse por fazaña.[2]

Et quando Patronio lo vio assí sañudo tan arrebatadamente,
díxole:

—Señor conde, mucho querría que sopiéssedes lo que contesçió a un mercadero que fue un día conprar sesos.[3]

El conde le preguntó cómmo fuera aquello.

—Señor conde —dixo Patronio—, en una villa morava un
grand maestro que non avía otro offiçio nin otro mester sinon
vender sesos. Et aquel mercadero de que ya vos fablé, por esto
que oyó, un día fue veer aquel maestro que vendía sesos et díxol
quel vendiesse uno daquellos sesos. Et el maestro díxol que de
quál presçio lo quería, ca segund quisiesse el seso, que assí avía
de dar el presçio por él. Et díxole el mercadero que quería seso
de un maravedí. Et el maestro tomó el maravedí et díxol:

---

[1] *movimiento:* conmoción, suceso.   [2] *fazaña:* sentencia, refrán.   [3] *sesos:* consejos, proverbios.

—Amigo, quando alguno vos convidare, si non sopiéredes los manjares que oviéredes a comer, fartadvos bien del primero que vos traxieren.

El mercadero le dixo que non le avía dicho muy grand seso. Et el maestro le dixo que él non le diera presçio que deviesse dar grand seso. El mercadero le dixo quel diesse seso que valiesse una dobla, et diógela.

El maestro le dixo que, quando fuesse muy sañudo et quisiese fazer alguna cosa arrebatadamente, que se non quexasse[4] nin se arrebatasse fasta que sopiesse toda la verdat.

El mercadero tovo que aprendiendo tales fabliellas[5] podría perder quantas doblas traýa, et non quiso conprar más sesos, pero tovo este seso en el coraçón.

Et acaesçió que el mercadero que fue sobre mar a una tierra muy lueñe,[6] et quando se fue, dexó a su muger en çinta.[7] El mercadero moró,[8] andando en su mercaduría[9] tanto tienpo, fasta que el fijo, que nasçiera de que fincara su muger en çinta, avía más de veinte años. Et la madre, porque non avía otro fijo et tenía que su marido non era vivo, conortávase[10] con aquel fijo et amávalo commo a fijo; et por el grand amor que avía a su padre, llamávalo marido. Et comía sienpre con ella et durmía con ella commo quando avía un año o dos, et assí passaba su vida commo muy buena mujer, et con muy grand cuyta porque non sabía nuebas[11] de su marido.

Et acaesçió que el mercadero libró[12] toda su mercaduría et tornó muy bien andante. Et el día que llegó al puerto de aquella villa do morava, non dixo nada a ninguno; fuesse desconoçidamente para su casa et escondióse en un lugar encubierto por veer lo que se fazía en su casa.

Quando fue contra[13] la tarde, llegó el fijo de la buena muger, et la madre preguntól:

—Di, marido, ¿ónde vienes?

El mercadero, que oyó a su mujer llamar marido a aquel

---

⁴ *quexasse:* impacientase.   ⁵ *fabliellas:* dichos.   ⁶ *lueñe:* lejana.   ⁷ *en çinta:* embarazada.   ⁸ *moró:* tardó.   ⁹ *mercaduría:* negocio, comercio.   ¹⁰ *conortávase:* se confortaba.   ¹¹ *nuebas:* noticias.   ¹² *libró:* vendió.   ¹³ *contra:* hacia.

mançebo, pesól mucho, ca bien tenía que era omne con quien
fazía mal, o a lo meior que era casada con él; et tovo más que
fazía maldat que non que fuese casada, et porque el omne era
tan moço. Quisiéralos matar luego, pero acordándose del seso
que costara una dobla, non se arrebató.[14]

Et desque llegó la tarde assentáronse a comer. De que el mercadero los vio assí estar, fue aun más movido por los matar, pero
por el seso que conprara non se arrebató.

Mas, quando vino la noche et los vio echar en la cama, fízo-
sele muy grave de soffrir et endereçó a ellos por los matar. Et
yendo assí muy sañudo, acordándose del seso que conprara, estido[15] quedo.

Et ante que matassen[16] la candela, começó la madre a dezir
al fijo, llorando muy fuerte:

—¡Ay, marido et fijo! ¡Señor!, dixiéronme que agora llegara
una nabe al puerto et dizían que vinía daquella tierra do fue
vuestro padre. Por amor de Dios, id allá cras de grand mañana,
et por ventura querrá Dios que sabredes algunas buenas nuebas dél.

Quando el mercadero aquello oyó et se acordó cómmo dexara
en çinta a su muger, entendió que aquél era su fijo. Et si ovo
grand plazer, non vos marabilledes. Et otrosí, gradesçió mucho
a Dios porque quiso guardar que los non mató commo lo quisiera fazer, donde fincara muy mal andante por tal ocasión; et
tovo por bien enpleada la dobla que dio por aquel seso, de que
se guardó et que se non arrebató por saña.[(55)]

Et vos, señor conde, commo quier que cuydades que vos es
mengua de sofrir esto que dezides, esto sería verdat de que fués-
sedes çierto de la cosa, mas fasta que ende seades çierto, conséiovos yo que, por saña nin por rebato, que vos non rebatedes a

---

[14] *se arrebató:* se precipitó.   [15] *estido:* estuvo.   [16] *matassen:* apagasen.

(55) La estructura es un tríptico cuyos planos han ido ampliando pro-
gresivamente las unidades argumentales; la intriga narrativa se ha ge-
nerado por la triple repetición del consejo: *a)* «...pero acordándose del
seso que costara una dobla, non se arrebató», *b)* «...pero por el seso que
conprara non se arrebató» y *c)* «...acordándose del seso que conprara, estido quedo».

fazer ninguna cosa; ca pues esto non es cosa que se pierda por tiempo en vos sofrir fasta que sepades toda la verdat, et non perdedes nada; et del rebatamiento[17] podervos ýades[18] muy aýna repentir.[19]

Et conde tovo éste por buen conseio. Et fízolo assí et fallóse ende bien.

Et teniéndolo don Iohan por buen enxienplo, fízol escrivir en este libro et fizo estos viessos que dizen assí:

> *Si con rebato grant cosa fazierdes,*
> *ten que es derecho si te arrepentieres.*

Et la ystoria deste enxienplo es ésta que se sigue:

EXEMPLO XLI.º

De lo que contesçió a un rey de Córdova quel dizían Alhaquem[1]

Un día fablava el conde Lucanor con Patronio, su consegero, en esta guisa:

—Patronio, vos sabedes que yo só muy grand caçador et he fecho muchas caças nuevas que nunca fizo otro omne. Et aun he fecho et eñadido en las piuelas[2] et en los capiellos[3] algunas cosas muy aprovechosas que nunca fueron fechas. Et agora, los que quieren dezir mal de mí fablan en manera de escarnio, et quando loan al Cid Roy Díaz o al conde Ferrant Gónzales de quantas lides vençieron o al sancto et bien aventurado rey don Ferrando de quantas buenas conquistas fizo, loan a mí diziendo que fiz muy buen fecho porque añadí aquello en los capiellos et en las pihuelas. Et porque yo entiendo que este alabamiento más se me torna en denuesto que en alavamiento, ruégovos que

---

[17] *rebatamiento:* precipitación. [18] *podervos ýades:* os podríais. [19] *repentir:* arrepentir.
[1] *Alhaquem:* Califa de Córdoba (961-976). Amplió la mezquita de Córdoba, construida por Abderramán I. [2] *piuelas:* pihuelas, correas de guarnición para sujetar al halcón por los pies. [3] *capiellos:* caperuza de cuero que cubría la cabeza del halcón.

me conseiedes en qué manera faré por que non me escarnezcan[4]
por la buena obra que fiz.

—Señor conde Lucanor —dixo Patronio—, para que vos sepades lo que vos más cunpliría de fazer en esto, plazerme ýa que
sopiéssedes lo que contesçió a un moro que fue rey de Córdova.

Et el conde le preguntó cómmo fuera aquello.

—Señor conde Lucanor —dixo Patronio—, en Córdova ovo
un rey que avía nonbre Alhaquim. Commo quier que mantenía
assaz bien su regno, non se travajava de fazer otra cosa onrada
nin de grand fama de las que suelen et deven fazer los buenos
reys, ca non tan solamente son los reys tenidos de guardar sus
regnos, mas los que buenos quieren seer, conviene que tales
obras fagan por que con derecho acresçienten su regno et fagan
en guisa que en su vida sean muy loados de las gentes, et después de su muerte finquen buenas fazañas[5] de las buenas obras
que ellos ovieren fechas. Et este rey non se trabaiava desto, sinon de comer et folgar et estar en su casa viçioso.[(56)]

Et acaesçió que, estando un día folgando, que tanían antél un
estrumento de que se pagavan mucho los moros, que á nonbre
albogón.[6] Et el rey paró mientes et entendió que non fazía tan
buen son commo era menester, et tomó el albogón et añadió en
él un forado[7] en la parte de yuso[8] en derecho de los otros fora-
dos, et dende adelante faze el albogón muy meior son que fasta
entonçe fazía.

Et commo quier que aquello era buen fecho para en aquella
cosa, porque non era tan grand fecho commo convinía de fazer
a rey, las gentes, en manera de escarnio, começaron aquel fecho a loar et dizían quando loavan a alguno: «V.a. he de ziat
Alhaquim», que quiere dezir: «Este es el añadimiento del rey Alhaquem.»

---

[4] *escarnezcan:* ridiculicen.   [5] *fazañas:* historias.   [6] *albogón:* flauta grande de
siete agujeros, que servía de bajo.   [7] *forado:* agujero.   [8] *de yuso:* de abajo.

(56) Reflexión doctrinal desde la que Patronio presenta una imagen
inicial de este monarca; en realidad funciona como una primera conclusión moral que adelanta la solución narrativa del final.

Et esta palabra[9] fue sonada[10] tanto por la tierra fasta que la ovo de oýr el rey, et preguntó por qué dezían las gentes esta palabra. Et commo quier que gelo quisieran encobrir, tanto los afincó,[11] que gelo ovieron a dezir.

Et desque él esto oyó, tomó ende grand pesar, pero commo era muy buen rey, non quiso fazer mal en los que dizían esta palabra, mas puso en su coraçón de fazer otro añadimiento de que por fuerça oviessen las gentes a loar el su fecho.

Entonçe, porque la mezquita de Córdova non era acabada, añadió en ella aquel rey toda la labor que ý menguava et acabóla.

Esta es la mayor et más conplida et más noble mezquita que los moros avían en España, et, loado a Dios, es agora eglesia et llámanla Sancta María de Córdova, et offreçióla el sancto rey don Ferrando a Sancta María, quando ganó a Córdova de los moros.[12]

Et desque aquel rey ovo acabada la mezquita et fecho aquel tan buen añadimiento, dixo que pues fasta entonçe lo loavan escarniçiéndolo del añadimiento que fiziera en el albogón, que tenía que de allí adellante lo avían a loar con razón del añadimiento que fiziera en la mezquita de Córdova.[(57)]

Et fue depués muy loado. Et el loamiento[13] que fasta estonçe le fazían escarniçiéndolo fincó depués por loor; et oy en día dizen los moros quando quieren loar algún buen fecho: «Éste es el añadimiento de Alhaquem.»

Et vos, señor conde, si tomades pesar o cuydades que vos loan por vos escarnecer del añadimiento que fiziestes en los capiellos et en las pihuelas et en las otras cosas de caça que vos fiziestes, guisad de fazer algunos fechos grandes et buenos et nobles, qua-

---

[9] *palabra:* sentencia.   [10] *fue sonada:* fue divulgada.   [11] *afincó:* apremió.   [12] En el año 1236.   [13] *loamiento:* alabanza.

(57) Desde la perspectiva primera —definición por Patronio del personaje—, don Juan Manuel traza una estructura ternaria con dos acciones enfrentadas entre sí (primera, añadimiento del albogón, y segunda, ampliación de la mezquita cordobesa) y separadas por una intriga que define el movimiento externo del rey árabe: enterado de la burla de que es objeto, pretende modificar esta situación negativa.

les pertenesçen de fazer a los grandes omnes. Et por fuerça las gentes avrán de loar los vuestros buenos fechos, assí commo loan agora por escarnio el añadimiento que fiziestes en las cosas de la caça.

El conde tovo éste por buen conseio. Et fízolo assí et fallóse ende muy bien.

Et porque don Iohan entendió que éste era buen enxienplo, fízolo escrivir en este libro et fizo estos viessos que dizen assý:

> *Si algún bien fizieres*
> *que muy grande non fuere,*
> *faz grandes si pudieres,*
> *que el bien nunca muere.*

Et la ystoria deste enxienplo es ésta que se sigue:

EXEMPLO XLII.º

DE LO QUE CONTESÇIÓ A UNA FALSA VEGUINA[1]

Otra vez fablava el conde Lucanor con Patronio, su consegero, en esta guisa:

—Patronio, yo et otras muchas gentes estávamos fablando et preguntávamos que quál era la manera que un omne malo podría aver para fazer a todas las otras gentes cosa por que más mal les veniesse. Et los unos dizían que por ser omne reboltoso, et los otros dizían que por seer omne muy peleador, et los otros dizían que por seer muy mal fechor en la tierra, et los otros dizían que la cosa por que el omne malo podría fazer más mal a todas las otras gentes que era por seer de mala lengua et assacador.[2] Et por el buen entendimiento que vos avedes, ruégovos

---

[1] *veguina*: beguina, perteneciente a una secta religiosa fundada por Lambert le Bègue en Bélgica (siglo XII). En el «exemplo» es sinónimo de falsa devota o hipócrita. [2] *assacador*: calumniador.

que me digades de quál mal destos podría venir más mal a todas las gentes.

—Señor conde Lucanor —dixo Patronio—, para que vos sepades esto, mucho querría que sopiésedes lo que contesçió al diablo con una muger destas que se fazen beguinas. (58)

El conde le preguntó cómmo fuera aquello.

—Señor conde Lucanor —dixo Patronio—, en una villa avía un muy buen mancebo et era casado con una muger et fazían buena vida en uno, assí que nunca entre ellos avía desabenençia.

Et porque el diablo se despagó sienpre de las buenas cosas, ovo desto muy grand pesar, et pero que³ andido muy grand tienpo por meter mal entre ellos, nunca lo pudo guisar.⁴

Et un día, viniendo el diablo de aquel logar do fazían vida aquel omne et aquella muger, muy triste porque non podía poner ý ningún mal, topó con una veguina. Et desque se conoscieron, preguntól que por qué vinía triste. Et él díxole que vinía de aquella villa do fazían vida aquel omne et aquella muger et que avía muy grand tienpo que andava por poner mal entrellos et nunca pudiera; et desque lo sopiera aquel su mayoral, quel dixiera que, pues tan grand tienpo avía que andava en aquello et pues non lo fazía, que sopiesse que era perdido con él; et que por esta razón vinía triste.

Et ella díxol que se marabillava, pues tanto sabía, cómmo non lo podía fazer, mas que si fiziesse lo que ella querié, que ella le pornía recabdo⁵ en esto.

Et el diablo le dixo que faría lo que ella quisiesse en tal que guisasse cómmo pusiesse mal entre aquel omne et aquella muger.

Et de que el diablo et aquella beguina fueron a esto avenidos,

---

³ *pero que:* aunque.   ⁴ *guisar:* conseguir.   ⁵ *recabdo:* solución.

(58) Don Juan Manuel arremete contra esta orden religiosa, contraria en sus principios e intenciones a los dominicos al favorecer la mística emotiva frente a la teología racionalista y al permitir formas de vida intermedias entre la seglar y la del claustro. Al situar como protagonista del relato a «una falsa beguina», don Juan Manuel satiriza a esta comunidad, ya que él identifica beguinería con hipocresía.

fuesse la beguina para aquel logar do vivían aquel omne et aquella muger, et tanto fizo de día en día, fasta que se fizo conosçer
con aquella muger de aquel mançebo et fízol entender que era
criada de su madre et por este debdo que avía con ella, que era
muy tenuda[6] de la servir et que la serviría quanto pudiesse.

Et la buena muger, fiando en esto, tóvola en su casa et fiava
della toda su fazienda, et esso mismo fazía su marido.

Et desque ella ovo morado muy grand tienpo en su casa et era
privada de entramos, vino un día muy triste et dixo a la muger,
que fiava en ella:

—Fija, mucho me pesa desto que agora oý: que vuestro marido que se paga más de otra muger que non de vos, et ruégovos
quel fagades mucha onra et mucho plazer por que él non se pa-
gue más de otra muger que de vos, ca desto vos podría venir
más mal que de otra cosa ninguna.

Quando la buena muger esto oyó, commoquier que non lo
creýa, tovo desto muy grand pesar et entristeçió muy fieramente. Et desque la mala beguina la vio estar triste, fuesse para en
el logar pora do[7] su marido avía de venir. Et de que se encontró
con él, díxol quel pesava mucho de lo que fazié en tener tan buena muger commo tenié et amar más a otra que non a ella, et
que esto, que ella lo sabía ya, et que tomara grand pesar et quel
dixiera que, pues él esto fazié, fiziéndol ella tanto serviçio, que
cataría[8] otro que la amasse a ella tanto commo él o más, que
por Dios, que guardasse que esto non lo sopiesse su muger, sinon que sería muerta.

Quando el marido esto oyó, commoquier que lo non creyó,
tomó ende grand pesar et fincó muy triste.

Et desque la falsa beguina le dexó assí, fuesse adelante a su
muger et díxol, amostrándol muy grand pesar:

—Fija, non sé qué desaventura es ésta, que vuestro marido es
muy despagado de vos; et por que lo entendades que es verdat,
esto que yo vos digo, agora veredes cómmo viene muy triste et
muy sañudo, lo que él non solía fazer.

---

[6] *era muy tenuda:* estaba muy obligada.   [7] *pora do:* por donde.   [8] *cataría:* buscaría.

Et desque la dexó con este cuydado, fuesse para su marido et díxol esso mismo. Et desque el marido llegó a su casa et falló a su muger triste, et de los plazeres que solían en uno aver que non avían ninguno, estavan cada uno con muy grand cuydado.

Et de que el marido fue a otra parte, dixo la mala beguina a la buena muger que, si ella quisiesse, que buscaría algún omne muy sabidor quel fiziesse alguna cosa con que su marido perdiesse aquel mal talante que avía contra ella. Et la muger, queriendo aver muy buena vida con su marido, díxol quel plazía et que gelo gradescería mucho.

Et a cabo de algunos días, tornó a ella et díxol que avía fallado un omne muy sabidor et quel dixiera que si oviesse unos pocos de cabellos de la varba de su marido de los que están en la garganta, que faría con ellos una maestría[9] que perdiesse el marido toda la saña que avía della, et que vivrían en buena vida como solían o por aventura mejor, et que a la ora que viniesse, que guisasse que se echasse a dormir en su regaço. Et diol una nabaia con que cortasse los cabellos.

Et la buena muger, por el grand amor que avía a su marido, pesándol mucho de la estrañeza[10] que entrellos avía caýdo et cudiçiando[11] más que cosa del mundo tornar a la buena vida que en uno solían aver, díxol quel plazía et que lo faría assí. Et tomó la navaia que la mala beguina traxo para lo fazer.

Et la beguina falsa tornó al marido, et díxol que avía muy grand duelo de la su muerte, et por ende que gelo non podía encobrir: que sopiesse que su muger le quería matar et yrse con su amigo, et por que entendiesse quel dizía verdat, que su muger et aquel su amigo avían acordado que lo matassen en esta manera: que luego que viniesse, que guisaría que él que se adormiesse en su regaço della, et desque fuesse adormido, quel degollase con una navaja que tenía paral degollar.

Et quando el marido esto oyó, fue mucho espantado, et commo quier que ante estava con mal cuydado por las falsas palabras que la mala beguina le avía dicho, por esto que agora dixo

---

[9] *maestría:* medicamento.   [10] *estrañeza:* separación.   [11] *cudiçiando:* deseando intensamente.

fue muy cuytado[12] et puso en su coraçón de se guardar et de lo provar.[13] Et fuesse para su casa.

Et luego que su muger lo vio, reçibiólo meior que los otros días de ante, et díxol que sienpre andava travaiando et que non quería folgar nin descansar, mas que se echasse allí cerca della et que pusiesse la cabeça en su regaço, et ella quel espulgaría.[14]

Quando el marido esto oyó, tovo por çierto lo quel dixiera la falsa beguina, et por provar lo que su muger faría, echósse a dormir en su regaço et començó de dar a entender que durmía. Et de que su muger tovo que era adormido bien, sacó la navaja para le cortar los cabellos, segund la falsa beguina le avía dicho. Quando el marido le vio la navaja en la mano cerca de la su garganta, teniendo que era verdat lo que la falsa beguina le dixiera, sacól la navaja de las manos et degollóla con ella.

Et al roýdo que se fizo quando la degollava, recudieron[16] el padre et los hermanos de la muger. Et quando vieron que la muger era degollada et que nunca fasta aquel día oyeron al su marido nin a otro omne ninguna cosa mala en ella, por el grand pesar que ovieron, endereçaron todos al marido et matáronlo.[(59)]

Et a este roýdo recudieron los parientes del marido et mataron a aquellos que mataron a su pariente. Et en tal guisa se re-

---

[12] *cuytado:* apenado.   [13] *lo provar:* comprobarlo.   [14] *espulgaría:* quitaría pulgas; costumbre amorosa medieval, indicativa de la higiene de la época.   [15] *recudieron:* acudieron.

~~~~~~

(59) Estructura compleja: tríptico que se abre en dualidades narrativas. La primera fase, *proceso de engaño,* genera su propia intriga mediante la preparación del encizañamiento; la beguina logra introducir rencor entre marido y mujer. La segunda fase, *proceso de destrucción,* muestra la treta del pelo de la barba (motivo mágico) y el engaño al marido; la intriga surge aquí del fuerte contraste creado por el paralelismo de las argucias. La tercera fase, *realización de la tragedia,* desarrolla las sospechas entre marido y mujer y culmina con el asesinato final. Don Juan Manuel ha sabido plantear un relato resuelto con unidades breves y dinámicas, cuya función ha sido la de proporcionar explicaciones del carácter de los personajes.

volvió el pleito, que se mataron aquel día la mayor parte de quantos eran en aquella villa.

Et todo esto vino por las falsas palabras que sopo dezir aquella falsa beguina. Pero, porque Dios nunca quiere que el que mal fecho faze que finque sin pena, nin aun que el mal fecho sea encubierto, guisó que fuesse sabido que todo aquel mal viniera por aquella falsa beguina, et fizieron della muchas malas iusticias, et diéronle muy mala muerte et muy cruel.

Et vos, señor conde Lucanor, si queredes saber quál es el pior[16] omne del mundo et de que más mal puede venir a las gentes, sabet que es el que se muestra por buen christiano et por omne bueno et leal, et la su entençión es falsa, et anda asacando falsedades et mentiras por meter mal entre llas gentes. Et conséiovos yo que sienpre vos guardedes de los que vierdes que se fazen gatos religiosos,[17] que los más dellos sienpre andan con mal et con engaño, et para que los podades conosçer, tomad el conseio del Evangelio que dize: «A fructibus eorum coñosçetis eos», que quiere dezir «que por las sus obras los cognosçeredes». Ca çierto sed que non á omne en el mundo que muy luengamente pueda encubrir las obras que tiene en la voluntad, ca bien las puede encobrir algún tienpo, mas non luengamente.

Et el conde tovo que era verdad esto que Patronio le dixo et puso en su coraçón de lo fazer assí. Rogó a Dios quel guardasse a él et a todos sus amigos de tal omne.

Et entendiendo don Iohan que este enxienplo era muy bueno, fízolo escrivir en este libro et fizo estos viessos que dizen assí:

Para mientes[18] a las obras et non a la semejança,
si cobdiçiares ser guardado de aver mala andança.

Et la ystoria deste enxienplo es ésta que se sigue:

---

[16] *pior:* peor.   [17] *gatos religiosos:* hipócritas.   [18] *Para mientes:* Presta atención.

EXEMPLO XLIII.º

DE LO QUE CONTESÇIÓ AL BIEN ET AL MAL, ET AL CUERDO CON EL LOCO

El conde Lucanor fablava con Patronio, su consegero, en esta manera:

—Patronio, a mí contesçe que he dos vezinos: el uno es omne a qui yo amo mucho, et ha muchos buenos deubdos entre mí et él por quel devo amar; et non sé qué pecado o qué ocasión es que muchas vezes me faze algunos yerros et algunas escatimas[1] de que tomo muy grand enojo; et el otro non es omne con quien aya grandes debdos nin grand amor, nin ay entre nos grand razón por quel deva mucho amar; et éste, otrossí, a las vezes, fázeme algunas cosas de que yo non me pago. Et por el buen entendimiento que vos avedes, ruégovos que me conseiedes en qué manera passe[2] con aquellos dos omnes.

—Señor conde Lucanor —dixo Patronio—, esto que vos dezides non es una cosa, ante son dos, et muy revessadas[3] la una de la otra. Et para que vos podades en esto obrar commo vos cunple, plazerme ýa que sopiéssedes dos cosas que acaesçieron:[(60)] la una, lo que contesçió al Bien et al Mal, et la otra, lo que contesçió a un omne bueno con un loco.

El conde le preguntó cómo fuera aquello:

—Señor conde —dixo Patronio—, porque éstas son dos cosas et non vos las podría dezir en uno,[4] dezirvos he primero de lo

---

[1] *escatimas:* afrentas.   [2] *passe:* trate.   [3] *revessadas:* distintas.   [4] *en uno:* a la vez.

(60) Patronio sigue funcionando como narrador u organizador del material narrativo, y, así, se le presenta distinguiendo dos planos en el «exemplo»: cada uno de ellos dará lugar a un cuento. Dos relatos engastados, por tanto, con dos conclusiones diferentes, porque dos fueron también los casos planteados por el conde Lucanor.

que contesçió al Bien et al Mal, et dezirvos he después lo que contesçió al omne bueno con el loco.

Señor conde, el Bien et el Mal acordaron de fazer su compañía en uno. Et el Mal, que es más acuçioso et sienprę anda con rebuelta[5] e non puede folgar, sinon revolver algún engaño et algún mal, dixo al Bien que sería buen recabdo[6] que oviessen algún ganado con que se pudiessen mantener. Al Bien plogo desto. Et acordaron de aver oveias.

Et luego que las oveias fueron paridas, dixo el Mal al Bien que escogiesse en el esquimo[7] daquellas oveias.

El Bien, commo es bueno et mesurado, non quiso escoger, et el Bien dixo al Mal que escogiesse él. Et el Mal, porque es malo et derranchado,[8] plógol ende, et dixo que tomasse el Bien los corderuelos assí commo nasçían, et él, que tomaría la leche et la lana de las oveias. Et el Bien dio a entender que se pagava desta partición.

Et el Mal dixo que era bien que oviessen puercos. Et al Bien plogo desto. Et desque parieron, dixo el Mal que, pues el Bien tomara los fijos de las oveias et él la leche et la lana, que tomasse agora la leche et la lana de las puercas, et que tomaría él los fijos. Et el Bien tomó aquella parte.

Después dixo el Mal que pusiessen alguna ortaliza; et pusieron nabos. Et desque nasçieron, dixo el Mal al Bien que non sabía qué cosa era lo que non veýa, mas, por que el Bien viesse lo que tomava, que tomasse las foias[9] de los nabos que paresçían[10] et estavan sobre tierra, et que tomaría él lo que estava so[11] tierra. Et el Bien tomó aquella parte.

Después, pusieron colles. Et desque nasçieron, dixo el Mal que, pues el Bien tomara la otra vez de los nabos lo que estava sobre tierra, que tomasse agora de las colles lo que estava so tierra. Et el Bien tomó aquella parte.

Después dixo el Mal al Bien que sería buen recabdo que ovies-

---

[5] *rebuelta:* engaño. [6] *recabdo:* gobierno, cuidado. [7] *esquimo:* esquilmo, beneficio sacado del ganado o de la tierra. [8] *derranchado:* audaz, temerario. [9] *foias:* hojas. [10] *paresçían:* aparecían. [11] *so:* bajo.

sen una muger que los serviesse. Et al Bien plogo desto. Et desque la ovieron, dixo el Mal que tomasse el Bien de la çinta[12] contra la cabeça, et que él que tomaría de la çinta contra los pies.
Et el Bien tomó aquella parte.

Et fue assí que la parte del Bien fazía lo que cunplía[13] en casa,
et la parte del Mal era casada con él et avía de dormir con su
marido. La muger fue en çinta et encaesçió de[14] un fijo. Et desque nasçió, quiso la madre dar al fijo de mamar; et quando el
Bien esto vio, dixo que non lo fiziesse, ca la leche de la su parte
era, et que non lo consintría en ninguna manera. Quando el
Mal vino alegre por veer el su fijo quel nasçiera, falló que estava llorando et preguntó a ssu madre que por qué llorava. La madre le dixo que porque non mamava. Et díxol el Mal quel diesse a mamar. Et la muger le dixo que el Bien gelo defendiera[15]
diziendo que la leche era de su parte.

Quando el Mal esto oyó, fue al Bien et díxol, riendo et burlando, que fiziesse dar la leche a su fijo. Et el Bien dixo que la
leche era de su parte et que non lo faría. Et quando el Mal esto
oyó, començól de affincar ende. Et desque el Bien vio la priessa
en que estava el Mal, díxol:

—Amigo, non cuydes que yo tan poco sabía que non entendía quáles partes escogiestes vos sienpre et quáles diestes a mí;
pero nunca vos demandé yo nada de las vuestras partes, et passé
muy lazdradamiente[16] con las partes que me vos dávades, et vos
nunca vos doliestes nin oviestes mensura contra mí,[17] pues si
agora Dios vos traxo a lugar[18] que avedes mester algo de lo mío,
non vos marabilledes si vos lo non quiero dar, et acordatvos de
lo que me feziestes, et soffrid esto por lo ál.

Quando el Mal entendió que el Bien dizía verdat et que su
fijo sería muerto por esta manera, fue muy mal cuytado[19] et començó a rogar et pedir merçet al Bien que, por amor de Dios,
oviesse piedat daquella criatura, et que non parasse mientes a

---

    [12] *çinta:* cintura.   [13]*cunplía:* convenía.   [14] *en çinta et encaesçió de:* embaraza-
da y concibió.   [15] *defendiera:* había prohibido.   [16] *lazdradamiente:* pobremen-
te.   [17] *mensura contra mí:* consideración de mí.   [18] *vos traxo a lugar:* os puso en
ocasión.   [19] *cuytado:* apenado.

las sus maldades, et que dallí adelante sienpre faría quanto mandasse.

Desque el Bien esto vio, tovo quel fiziera Dios mucho bien en traerlo a lugar que viesse el Mal que non podía guaresçer[20] sinon por la vondat del Bien, et tovo que esto le era muy grand emienda, et dixo al Mal que si quería que consintiesse que diesse la muger leche a su fijo, que tomasse el moço a cuestas et que andudiesse por la villa pregonando en guisa que lo oyessen todos, et que dixiesse: «Amigos, sabet que con bien vençe el Vien al Mal»; et faziendo esto, que consintría quel diesse la leche. Desto plogo mucho al Mal, et tovo que avía de muy buen mercado[21] la vida de su fijo, et el Vien tovo que avía muy buena emienda. Et fízose assí. Et sopieron todos que sienpre el Bien vençe con bien.[61]

Mas al omne bueno contesçió de otra guisa con el loco, et fue assí:

Un omne vono[22] avía un baño[23] et el loco vinía al vaño quando las gentes se vañavan et dávales tantos colpes[24] con los cubos et con piedras et con palos et con quanto fallava, que ya omne del mundo non osava yr al vaño de aquel omne bueno. Et perdió su renta.

Quando el omne bueno vio que aquel loco le fazía perder la renta del vaño, madrugó un día et metiósse en el vaño ante que el loco viniesse. Et desnuyóse[25] et tomó un cubo de agua bien

---

[20] *guaresçer:* salvarse. [21] *de muy buen mercado:* por muy buen contrato. [22] *vono:* bueno. [23] *baño:* casa de baños. [24] *colpes:* golpes. [25] *desnuyóse:* desnudóse.

---

(61) El núcleo de este primer relato alegórico (véase 41) está formado por un díptico: el plano A lo constituyen cinco unidades que presentan el proceso por el que el Mal engaña al Bien, quien de todo (*a*: ovejas; *b*: puercos; *c*: nabos; *d*: coles; *e*: mujer) ha aceptado lo malo que se le ha ofrecido (nótese el empleo de la epífora: «Et el Bien tomó aquella parte»); el plano B, desarrollado en tres unidades, muestra el triunfo del Bien, que, a través del estilo directo, resuelve la situación negativa del plano A y obliga al Mal a humillarse delante de todos.

caliente, et una grand maça de madero. Et quando el loco que solía venir al vaño para ferir los que se vañassen llegó, endereçó al vaño commo solía. Et quando el omne bueno que estava atendiendo desnuyo le vio entrar, dexóse yr a él muy bravo et muy sañudo, et diol con el cubo del agua caliente por çima de la cabeça, et metió mano a la maça et diol tantos et tales colpes con ella por la cabeça et por el cuerpo, que el loco cuydó ser muerto, et cuydó que aquel omne bueno que era loco. Et salió dando muy grandes vozes, et topó con un omne et preguntól cómmo vinía assí dando vozes, quexándose tanto; et el loco le dixo:

—Amigo, guardatvos, que sabet que otro loco á en el vaño. [26]

Et vos, señor conde Lucanor, con estos vuestros vezinos passat assí: con el que avedes tales debdos que en toda guisa quered que sienpre seades amigos, et fazedle sienpre buenas obras, et aunque vos faga algunos enoios, datles passada et acorredle sienpre al su mester, pero sienpre lo fazed dándol a entender que lo fazedes por los debdos et por el amor quel avedes, mas non por vençimiento; mas al otro, con quien non avedes tales debdos, en ninguna guisa non le sufrades cosa del mundo, mas datle bien a entender que por quequier que vos faga todo se aventurará sobrello. Ca bien cred que los malos amigos más guardan el amor por varata [27] et por reçelo, que por otra buena voluntad.

El conde tovo éste por muy buen conseio. Et fízolo assí et fallóse ende muy bien.

Et porque don Iohan tovo éstos por buenos enxienplos, fízolos escrivir en este libro et fizo estos viessos que dizen assí:

> *Sienpre el Bien vençe con bien al Mal;*
> *sofrir al omne malo poco val.* [28]

Et la ystoria deste enxienplo es ésta que se sigue:

---

[26] Frase convertida luego en refrán («Otro loco hay en el baño»).   [27] *varata:* beneficio.   [28] *val:* vale.

EXEMPLO XLIIII.º

DE LO QUE CONTESÇIÓ A DON PERO NÚÑEZ EL LEAL ET A DON ROY GONZALES ÇAVALLOS ET A DON GUTIER ROŸZ DE BLAGUIELLO[1] CON EL CONDE DON RODRIGO EL FRANCO

Otra vez fablava el conde Lucanor con Patronio, su consegero, et díxole:

—Patronio, a mí acaesçió de aver muy grandes guerras, en tal guisa que estava la mi fazienda en muy grand peligro. Et quando yo estava en mayor mester, algunos de aquellos que yo crié et a quien fiziera mucho bien dexáronme, et aun señaláronse mucho a me fazer mucho desservicio. Et tales cosas fizieron ante mí aquéllos, que bien vos digo que me fizieron aver muy peor esperança de las gentes de quanto avía, ante que aquellos que assí errassen contra mí. Et por el buen seso que Dios vos dio, ruégovos que me conseiedes lo que vos paresçe que devo fazer en esto.

—Señor conde —dixo Patronio—, si los que assí erraron contra vos fueran tales commo fueron don Pero Núñez de Fuente Almexir et don Roy Gonzales de Çavallos et don Gutier Roŷz de Blaguiello et sopieran lo que les contesçió, non fizieran lo que fizieron. [(62)]

El conde le preguntó cómmo fuera aquello.

—Señor conde —dixo Patronio—, el conde don Rodrigo el Franco fue casado con una dueña, fija de don Gil García de Çagra, et fue muy buena dueña. Et el conde, su marido, asacól[2]

---

[1] Los tres son personajes históricos del siglo XII, presentados aquí como modelos de heroica fidelidad.   [2] *asacól:* le achacó.

(62) A medida que avanzan los «exemplos», la figura de Patronio va ganando en profundidad psicológica: nótese aquí cómo Patronio genera ya la intriga narrativa antes de que el propio relato comience. Ha anticipado un desenlace incierto para provocar expectativas en el lector.

falso testimonio; et ella, quexándose desto, fizo su oración a Dios que si ella era culpada, que Dios mostrasse su miraglo[3] en ella, et si el marido le assacara falso testimonio, que lo mostrasse en él.

Luego que la oración fue acabada, por el miraglo de Dios, engafezió[4] el conde su marido, et ella partiósse dél.[5] Et luego que fueron partidos, envió el rey de Navarra sus mandaderos a la dueña, et casó con ella et fue reyna de Navarra.[63]

El conde, seyendo gafo et veyendo que non podía guaresçer,[6] fuesse para la Tierra Sancta en romería para morir allá. Et commo quier que él era muy onrado et avía muchos buenos vasallos, non fueron con él sinon estos tres cavalleros dichos, et moraron allá tanto tienpo que les non cunplió[7] lo que levaron de su tierra et ovieron de venir a tan grand pobreza, que non avían cosa que dar al conde, su señor, para comer; et por la grand mengua, alquilávanse cada día los dos en la plaça et el uno fincava con el conde, et de lo que ganavan de su alquilé[8] governavan[9] su señor et a ssí mismos.

Et cada noche vañavan al conde et alinpiávanle las llagas de aquella gafedat. Et acaesçió que, en lavándole una noche los pies et las piernas, que, por aventura, ovieron mester de escopir et escupieron. Quando el conde vio que todos escupieron, cuydando que todos lo fazían por asco que dél tomavan, començó a llorar et a quexarse del grand pesar et quebranto[10] que daquello oviera. Et por que el conde entendiesse que non avían asco

---

[3] *miraglo:* milagro. [4] *engafezió:* se volvió leproso *(gafedat:* lepra, *gafo:* leproso).* [5] *partiósse dél:* se divorció. [6] *guaresçer:* curar. [7] *cunplió:* bastó. [8] *alquilé:* salarios. [9] *governavan:* alimentaban, mantenían. [10] *quebranto:* dolor, tristeza.

---

(63) Estos hechos pertenecen al plano de la ficción; los personajes sí son históricos, pero el conde don Rodrigo ni estuvo casado con esa mujer, ni contrajo la lepra. De nuevo, don Juan Manuel no duda en utilizar nombres conocidos para ambientar sus narraciones; lo que sí es real son los usos y costumbres que él refleja: en esta época, la lepra era considerada como castigo —casi milagroso— de los atentados de carácter sexual, y era motivo de separación matrimonial.

de la su dolençia, tomaron con las manos daquella agua que estava llena de podre[11] et de aquellas pustuellas[12] que salían de las llagas de la gafedat que el conde avía, et bevieron della muy grand pieça.

Et passando con el conde su señor tal vida, fincaron con él fasta que el conde murió. Et porque ellos tovieron que les sería mengua de tornar a Castiella sin su señor, vivo o muerto, non quisieron venir sin él. Et commo quier que les dizían quel fiziessen cozer et que levassen los sus huesos, dixieron ellos que tan poco consintrían que ninguno pusiesse la mano en su señor, seyendo muerto commo si fuesse vivo. Et non consintieron quel coxiessen,[13] mas enterráronle et esperaron tanto tienpo fasta que fue toda la carne desfecha. Et metieron los huesos en una arqueta, et tráyenlo a veces[14] a cuestas. Et assí vinían pidiendo las raçiones,[15] trayendo a su señor a cuestas, pero tráyan testimonio de todo esto que les avía conteçido.

Et viniendo ellos tan pobres, pero tan bien andantes, llegaron a tierra de Tolosa, et entrando por una villa, toparon con muy grand gente que levavan a quemar una dueña muy onrada porque la acusava un hermano de su marido. Et dizía que si algún cavallero non la salvasse, que cunpliessen en ella aquella iustiçia. Et non fallavan cavallero que la salvasse.[64]

Quando don Pero Núñez, el Leal et de buena ventura, entendió que, por mengua de cavallero, fazían aquella iustiçia de aquella dueña, dixo a sus compañeros que si él sopiesse que la dueña era sin culpa, que él la salvaría.

Et fuesse luego para la dueña et preguntól la verdat de aquel fecho. Et ella díxol que ciertamente ella nunca fiziera aquel yerro de que la acusavan, mas que fuera su talante de lo fazer.

---

[11] *podre:* pus. [12] *pustuellas:* postillas. [13] *coxiessen:* cociesen. [14] *a veces:* por turno. [15] *pidiendo las raçiones:* pidiendo la comida como mendigos.

(64) El mundo caballeresco aparece plenamente integrado en este relato secundario mediante el desarrollo del duelo judicial, otra costumbre medieval descrita con perfección. El grupo genérico de los libros de caballerías (prosa narrativa) acogerá estas líneas argumentales.

Et commo quier que don Pero Núñez entendió que pues ella de su talante quisiera fazer lo que non devía, que non podía seer que algún mal non le contesçiesse a él que la quería salvar, pero pues lo avía començado et sabía que non fiziera todo el yerro de que la acusavan, dixo que él la salvaría.

Et commo quier que los acusadores lo cuydaron desechar diziendo que non era cavallero, desque mostró el testimonio que traýa, non lo podieron desechar. Et los parientes de la dueña diéronle cavallo et armas, et ante que entrasse en el canpo dixo a sus parientes que, con la merçed de Dios, que él fincaría con onra et salvaría la dueña, mas que non podía seer que a él non le viniesse alguna ocasión[16] por lo que la dueña quisiera fazer.

Desque entraron en el canpo,[17] ayudó Dios a don Pero Núñez, et vençió la lid et salvó la dueña, pero perdió ý don Pero Núñez el ojo, et assí se cunplió todo lo que don Pero Núñez dixiera ante que entrasse en el canpo.

La dueña et los parientes dieron tanto aver a don Pero Núñez con que pudieron traer los huesos del conde su señor, ya quanto[18] más sin lazeria[19] que ante.

Quando las nuebas llegaron al rey de Castiella de cómmo aquellos vien andantes cavalleros vinían et traýan los huesos del conde, su señor, et cómmo vinían tan vien andantes, plógole mucho ende et gradesçió mucho a Dios porque eran del su regno omnes que tal cosa fizieran. Et envióles mandar[10] que viniessen de pie, assí mal vestidos commo vinían. Et el día que ovieron de entrar en el regno de Castilla, salólos a reçebir el rey de pie bien çinco leguas ante que llegassen al su regno, et fízoles tanto bien que oy en día son heredados los que vienen de los sus linages de lo que el rey les dio.

Et el rey, et todos quantos eran con él, por fazer onra al conde, et señaladamente por lo fazer a los cavalleros, fueron con los huesos del conde fasta Osma, do lo enterraron.

Et desque fue enterrado, fuéronse los cavalleros para sus casas.

---

[16] *ocasión:* desgracia, percance.   [17] *canpo:* lugar donde se celebraban los torneos.   [18] *ya quanto:* algo.   [19] *lazeria:* miseria.   [20] *mandar:* orden.

Et el día que don Roy Gonzales llegó a su casa, quando se assentó a la mesa con su muger, desque la buena dueña vio la vianda ante sí, alçó las manos contra Dios, et dixo:

—¡Señor!, ¡vendito seas tú que me dexaste veer este día, ca tú sabes que depués que don Roy Gonzales se partió desta tierra, que ésta es la primera carne que yo comí et el primero vino que yo beví!

A don Roy Gonzales pesó por esto, et preguntól por qué lo fiziera. Et ella díxol que bien sabía él que, quando se fuera con el conde, quel dixiera que él nunca tornaría sin el conde et ella que visquiesse[21] commo buena dueña, que nunca le menguaría pan et agua en su casa; et pues él esto le dixiera, que non era razón quel saliese ella de mandado, et por esto nunca comiera nin biviera sinon pan et agua.

Otrosí, desque don Pero Núñez llegó a ssu casa, desque fincaron él et su muger et sus parientes sin otra conpaña, la buena dueña et sus parientes ovieron con él tan grand plazer, que allí començaron a reýr. Et cuydando don Pero Núñez que fazían escarnio dél porque perdiera el ojo, cubrió el manto por la cabeça et echóse muy triste en la cama. Et quando la buena dueña lo vio assí ser triste, ovo ende muy grand pesar, et tanto le afincó fasta quel ovo a dezir que se sintía mucho porquel fazían escarnio por el ojo que perdiera.

Quando la buena dueña esto oyó, diose con una aguja en el su ojo, et quebrólo, et dixo a don Pero Núñez que aquello fiziera ella porque si alguna vez riesse, que nunca él cuydasse que reýa por le fazer escarnio. [65]

---

[21] *visquiesse:* viviese.

(65) Don Juan Manuel ha sabido crear en este «exemplo» la más compleja de sus estructuras narrativas: hay cuatro relatos, uno principal —(A) viaje a Tierra Santa del conde— y tres secundarios (A1, A2, A3), unidos a él y desarrollados por los caballeros que le acompañaron. A1 (duelo judicial en que Pero Núñez libera a la dueña) se inserta en A, resolviendo además esa línea de acción principal (los caballeros consi-

Et assí fizo Dios vien en todo [a] aquellos buenos cavalleros por el bïen que fizieron.

Et tengo que si los que tan bien non lo acertaron en vuestro serviçio, fueron tales commo éstos et sopieran quánto bien les vino por esto que fizieron, non lo erraran commo erraron; pero vos, señor conde, por vos fazer algún yerro algunos que lo non devían fazer, nunca vos por esso dexedes de fazer bien, ca los que vos yerran, más yerran a ssí mismos que a vos. Et parad mientes que si algunos vos erraron, que muchos otros vos servieron; et más vos cunplió el serviçio que aquéllos vos fizieron, que vos enpeçió [22] nin vos tovo mengua los que vos erraron. Et non creades que de todos los que vos fazedes bien, que de todos tomaredes serviçio, mas un tal acaesçimiento [23] vos podrá acaesçer: que uno vos fará tal serviçio que ternedes [24] por bien enpleado quanto bien fazedes a los otros.

El conde tovo éste por buen consejo et por verdadero.

Et entendiendo don Iohan que este enxienplo era muy bueno, fízolo escrivir en este libro et fizo estos viessos que dizen assí:

> *Maguer que* [25] *algunos te ayan errado,*
> *nunca dexes de fazer aguisado.* [26]

Et la ystoria deste enxienplo es ésta que se sigue:

---

[22] *enpeçió:* dañó.   [23] *acaesçimiento:* suceso.   [24] *ternedes:* tendréis.   [25] *Maguer que:* Aunque.   [26] *aguisado:* lo justo.

guen dinero para volver a Castilla). A2 (la mujer de Ruy González sólo había comido agua y pan) y A3 (la mujer de Pero Núñez se saca un ojo) se engastan en el desarrollo anterior, como demostración de todo el «exemplo»: la fidelidad llevada a cabo hasta sus últimas consecuencias. (Véase el análisis de este cuento en págs. 270-276.)

EXEMPLO XLV.º

DE LO QUE CONTESÇIÓ A UN OMNE QUE SE FIZO AMIGO ET VASALLO DEL DIABLO[66]

Fablava una vez el conde Lucanor con Patronio, su conseiero, en esta guisa:

—Patronio, un omne me dize que sabe muchas maneras, tan bien de agüeros commo de otras cosas, en cómmo podré saber las cosas que son por venir et cómmo podré fazer muchas arterías[1] con que podré aprovechar mucho mi fazienda, pero en aquellas cosas tengo que non se puede escusar de aver ý pecado. Et por la fiança que de vos he, ruégovos que me conseiedes lo que faga en esto.

—Señor conde —dixo Patronio—, para que vos fagades en esto lo que vos más cumple, plazerme ýa que sepades lo que contesçió a un omne con el Diablo.

El conde le preguntó cómmo fuera aquello.

—Señor conde —dixo Patronio—, un omne fuera muy rico et llegó a tan grand pobreza, que non avía cosa de que se mantener. Et porque non á en el mundo tan grand desventura commo seer muy mal andante el que suele seer bien andante, por ende, aquel omne, que fuera muy bien andante, era llegado a tan grand mengua, que se sintía dello mucho. Et un día, yva en su cabo,[2] solo, por un monte, muy triste et cuydando muy fieramente, et yendo assí tan coytado encontróse con el Diablo.

Et commo el Diablo sabe todas las cosas passadas, et sabía el coydado en que vinía aquel omne, et preguntól por qué vinía

---

[1] *arterías:* astucias, engaños.   [2] *en su cabo:* a solas.

(66) La palabra «vasallo» es clave para comprender la imitación de las estructuras sociales que busca don Juan Manuel; en este caso alude a las relaciones feudales contraídas entre un señor y un vasallo, por las que se obligaban a defenderse mutuamente.

tan triste. Et el omne díxole que para qué gelo diría, ca él non le podría dar conseio en la tristeza que él avía.

Et el Diablo díxole que si él quisiesse fazer lo que él le diría, que él le daría cobro[3] paral cuydado que avía; et por que entendiesse que lo podía fazer, quel diría en lo que vinía cuydando et la razón por que estava tan triste. Estonçe le contó toda su fazienda et la razón de su tristeza commo aquel que la sabía muy bien. Et díxol que si quisiesse fazer lo que él le diría, que él le sacaría de toda lazeria et lo faría más rico que nunca fuera él nin omne de su linage, ca él era el Diablo et avía poder de lo fazer.

Quando el omne oyó dezir que era el Diablo, tomó ende muy grand reçelo, pero por la grand cuyta et grand mengua en que estava, dixo al Diablo que si él le diesse manera commo pudiesse seer rico, que faría quanto él quisiesse.

Et bien cred que el Diablo sienpre cata[4] tienpo[5] para engañar a los omnes; quando vee que están en alguna quexa, o de mengua, o de miedo, o de querer conplir su talante, estonçe libra él con ellos todo lo que quiere; et assí cató manera para engañar a aquel omne en el tienpo que estava en aquella coyta.[6]

Estonçe fizieron sus posturas en uno[7] et el omne fue su vasallo. Et desque las avenençias fueron fechas, dixo el Diablo al omne que, dallí adellante, que fuesse a furtar, ca nunca fallaría puerta nin casa, por bien çerrada que fuesse, que él non gela abriesse luego, et si por aventura en alguna priesa[8] se viesse o fuesse preso, que luego que lo llamasse et le dixiesse: «Acorredme, don Martín», que luego fuesse con él et lo libraría de aquel periglo en que estudiesse.

Las posturas fechas entre ellos, partiéronse.

Et el omne endereçó a casa de un mercadero, de noche oscura: ca los que mal quieren fazer sienpre aborrecen la lunbre.[9] Et luego que legó a la puerta, el Diablo avriógela, et esso mismo fizo a las arcas, en guisa que luego ovo ende muy grant aver.

---

[3] *cobro:* remedio. [4] *cata:* busca. [5] *tienpo:* oportunidad. [6] *coyta:* cuita. [7] *posturas en uno:* acuerdos. [8] *priesa:* apuro. [9] *lunbre:* luz.

Otro día fizo otro furto muy grande, et después otro, fasta que fue tan rico que se non acordava de la pobreza que avía passado. Et el mal andante, non se teniendo por pagado de cómmo era fuera de lazeria,[10] començó a furtar aún más; et tanto lo usó fasta que fue preso.

Et luego que lo prendieron llamó a don Martín que lo acorriese; et don Martín llegó muy apriessa et libróle de la prisión.

Et desque el omne vio que don Martín le fuera tan verdadero, començó a furtar commo de cabo,[11] et fizo muchos furtos, en guisa que fue más rico et fuera de lazeria.

Et usando a furtar, fue otra vez preso, et llamó a don Martín, mas don Martín non vino tan aýna commo él quisiera, et los alcaldes del lugar do fuera el furto començaron a fazer pesquisa sobre aquel furto. Et estando assí el pleyto, llegó don Martín; et el omne díxol:

—¡A, don Martín! ¡Qué grand miedo me pusiestes! ¿Por qué tanto tardávades?

Et don Martín le dixo que estava en otras grandes priessas et que por esso tardara; et sacólo luego de la prisión.

El omne se tornó a furtar, et sobre muchos furtos fue preso, et fecha la pesquisa dieron sentençia contra él. Et la sentençia dada, llegó don Martín et sacólo.

Et él tornó a furtar porque veýa que sienpre le acorría don Martín. Et otra vez fue preso, et llamó a don Martín, et non vino, et tardó tanto fasta que fue jubgado a muerte; et seyendo jubgado, llegó don Martín et tomó alçada[12] para casa del rey et librólo de la prisión et fue quito.[13]

Después tornó a furtar et fue preso, et llamó a don Martín, et non vino fasta que jubgaron quel enforcassen.[14] Et seyendo al pie de la forca, llegó don Martín; et el omne le dixo:

—¡A, don Martín, sabet que esto non era juego, que vien vos digo que grand miedo he passado!

Et don Martín le dixo que él le traýa quinientos maravedís en

---

[10] *lazeria:* pena, pobreza.   [11] *de cabo:* al principio.   [12] *alçada:* apelación.   [13] *quito:* libre.   [14] *enforcassen:* ahorcasen.

una limosnera[15] et que los diesse al alcalde et que luego sería libre. El alcalde avía mandado ya que lo enforcassen, et non fallaban soga para lo enforcar. Et en quanto buscavan la soga, llamó el omne al alcalde et diole la limosnera con los dineros. Quando el alcalde cuydó quel dava los quinientos maravedís, dixo a las gentes que ý estavan:

—Amigos, ¡quién vio nunca que menguasse soga para enforcar omne! Çiertamente este omne non es culpado, et Dios non quiere que muera et por esso nos mengua la soga; mas tengámoslo fasta cras,[16] et veremos más en este fecho; ca si culpado es, ý se finca para conplir cras la iustiçia.

Et esto fazía el alcalde por lo librar por los quinientos maravedís que cuydava que le avía dado. Et oviendo esto assí acordado, apartósse el alcalde et avrió la limosnera, et cuydando fallar los quinientos maravedís, non falló los dineros, mas falló una soga en la limosnera. Et luego que esto vio, mandól enforcar.

Et puniéndolo en la forca, vino don Martín et el omne le dixo quel acorriesse. Et don Martín le dixo que sienpre él acorría a todos sus amigos fasta que los llegava a tal lugar. [(67)]

Et assí perdió aquel omne el cuerpo et el alma, creyendo al Diablo et fiando dél. Et çierto sed que nunca omne dél creyó nin fió que non llegasse a aver mala postremería;[17] sinon, parad mientes a todos los agoreros o sorteros[18] o adevinos, o que

---

[15] *limosnera:* bolsa para llevar el dinero de las limosnas.   [16] *cras:* mañana.   [17] *postremería:* final.   [18] *sorteros:* adivinadores del porvenir por medio de las suertes.

(67) La estructura del cuento se ha diseñado en el interior del personaje, al que se dota de profundidad psicológica: es un ser que vive desesperado al principio, que se asusta al ver al Diablo y que adquiere el hábito de la maldad ante la facilidad con que roba. Don Juan Manuel, por medio de la epífora «et librólo de la prisión», «et sacólo luego de la prisión», «et sacólo», «et fue quito», crea una gradación perfecta de las veces en que el individuo es capturado y liberado, lo que contrasta con la detallada explicación de su muerte. Nótese que las citas en estilo directo intensifican su angustia interior.

fazen cercos[19] o encantamientos et destas cosas qualesquier, et veredes que sienpre ovieron malos acabamientos. Et si non me credes, acordat vos de Alvar Núñez et de Garcylasso,[20] que fueron los omnes del mundo que más fiaron en agüeros et en estas tales cosas et veredes quál acabamiento ovieron.

Et vos, señor conde Lucanor, si bien queredes fazer vuestra fazienda paral cuerpo et paral alma, fiat derechamente en Dios et ponet en Él toda vuestra esperança et vos ayudatvos quanto pudierdes, et Dios ayudarvos ha. Et non creades nin fiedes en agüeros, nin en otro devaneo,[21] ca çierto sed que de los pecados del mundo, el que a Dios más pesa et en que omne mayor tuerto et mayor desconosçimiento faze a Dios, es en catar agüero et estas tales cosas.

El conde tovo éste por buen consejo. Et fízolo assý et fallósse muy bien dello.

Et porque don Iohan tovo éste por buen exienplo, fízolo escrivir en este libro et fizo estos viessos que dizen assý:

El que en Dios non pone su esperança,
morrá[22] mala muerte, abrá mala andança.

Et la estoria deste exienplo es ésta que se sigue:

EXEMPLO XLVI.º

DE LO QUE CONTESÇIÓ A UN PHILÓSOPHO QUE POR OCASIÓN ENTRÓ EN UNA CALLE DO MORAVAN MALAS MUGERES

Otra vez fablava el conde Lucanor con Patronio, su consegero, en esta manera:

—Patronio, vos sabedes que una de las cosas del mundo por que omne más deve trabajar es por aver buena fama et por se

---

[19] *cercos:* círculos mágicos. [20] Personajes contemporáneos de don Juan Manuel. [21] *devaneo:* locura. [22] *morrá:* morirá.

guardar que ninguno non le pueda travar[1] en ella. Et porque
yo sé que en esto, nin en ál, ninguno non me podría mejor consejar que vos, ruégovos que me conseiedes en quál manera podré mejor encresçentar[2] et levar adelante et guardar la mi fama.

—Señor conde Lucanor —dixo Patronio—, mucho me plaze
desto que dezides, et para que vos mejor lo podades fazer, plazerme ýa que sopiésedes lo que contesçió a un muy grand philósopho et mucho ançiano.

El conde le preguntó cómmo fuera aquello.

—Señor conde —dixo Patronio—, un muy grand philósopho
morava en una villa del reyno de Marruecos; et aquel philósopho avía una enfermedat: que quandol era mester de se desenbargar de las cosas sobeianas[3] que fincavan de la vianda que avía
reçebido, non lo podía fazer sinon con muy grant dolor et con
muy grand pena, et tardava muy grand tienpo ante que pudiesse seer desenbargado.

Et por esta enfermedat que avía, mandávanle los físicos[4] que
cada quel tomasse talante[5] de se desenbargar de aquellas cosas
sobeianas, que lo provasse luego, et non lo tardasse; porque
quanto aquella manera[6] más se quemasse, más se desecarié et
más endurescrié,[7] en guisa quel serié grand pena et gran daño
para la salud del cuerpo. Et porque esto le mandaron los físicos, fazíalo et fallávasse ende bien.

Et acaesçió que un día, yendo por una calle de aquella villa
do morava et do tenié muchos discípulos que aprendían dél,
quel tomó talante de se desenbargar commo es dicho. Et por fazer lo que los físicos le conseiavan et era su pro, entró en una
calleja para fazer aquello que non pudié escusar.

Et atal fue su ventura, que en aquella calleja do él entró, que
moravan ý las mugeres que públicamente biven en las villas faziendo daño de sus almas et desonra de sus cuerpos. Et desto
non sabía nada el philósopho que tales mugeres moravan en
aquel lugar. Et por la manera de la enfermedat que él avía, et

---

[1] *travar:* censurar. [2] *encresçentar:* acrecentar. [3] *sobeianas:* sobrantes, super-
fluas. [4] *físicos:* médicos. [5] *cada quel tomasse talante:* cada vez que le viniera deseo. [6] *manera:* materia. [7] *endurescrié:* endurecería.

por el grant tienpo que se detovo en aquel lugar et por las semejanças que en él paresçieron quando salió de aquel lugar do
aquellas mugeres moravan, commoquier que él non sabía que
tan compaña[8] allí morava, con todo esso, quando ende salió,
todas las gentes cuydaron que entrara en aquel logar por otro
fecho que era muy desbariado[9] de la vida que él solía et devía
fazer. Et porque paresçe muy peor et fablan muy más et muy peor
las gentes dello quando algún omne de grand guisa[10] faze alguna
cosa quel non pertenesçe et le está peor, por pequeña que sea,
que a otro que saben las gentes que es acostunbrado de non se
guardar de fazer muchas cosas peores, por ende, fue muy fablado[11] et muy tenido a mal, porque aquel philósopho tan onrado
et tan ançiano entrara en aquel lugar quel era tan dañoso paral
alma et paral cuerpo et para la fama.

Et quando fue en su casa, vinieron a él sus discípulos et con
muy grand dolor de sus coraçones et con grand pesar, començaron a dezir qué desaventura o qué pecado fuera aquél por
que en tal manera confondiera a ssí mismo et a ellos, et perdiera
toda su fama que fata[12] entonçe guardara meior que omne del
mundo.

Quando el philósopho esto oyó, fue tanto espantado et pre-
guntóles que por qué dizían esto o qué mal era éste que él fiziera o quándo o en qué lugar. Ellos le dixieron que por qué
fablava assí en ello, que ya por su desabentura dél et dellos, que
non avía omne en la villa que non fablasse de lo que él fiziera
quando entrara en aquel lugar do aquellas talles mugeres moravan.

Quando el philósopho esto oyó, ovo muy grand pesar, pero
díxoles que les rogava que se non quexassen mucho desto, et
que dende[13] a ocho días les daría ende repuesta. [(68)]

---

[8] *compaña:* grupo de personas.   [9] *desbariado:* distinto.   [10] *grand guisa:* alta
condición.   [11] *fablado:* criticado.   [12] *fata:* hasta.   [13] *dende:* de ahí.

(68) En el desarrollo del núcleo de este relato se han creado dos líneas
de acción: 1) narrativa, formada por dos unidades (*a:* el filósofo entra
en una calleja para «desembargarse», y *b:* la gente piensa que buscó tra-
tos con malas mujeres), y 2) reflexiva, que consta también de dos unida-

Et metiósse luego en su estudio, et conpuso un librete pequeño et muy bueno et muy aprovechoso.[69] Et entre muchas cosas
buenas que en él se contienen, fabla ý de la buena bentura et
de la desabentura, et commo en manera de departimiento[14] que
departe con sus discípulos, dize assí:

—Fijos, en la buena ventura et en la desaventura contesçe assí:
a las vegadas es fallada et buscada, et algunas vegadas es fallada
et non buscada. La fallada et buscada es quando algund omne
faze bien et por aquel buen fecho que faze, le biene alguna buena ventura; et esso mismo quando por algún fecho malo que
faze le viene alguna mala ventura; esto tal es ventura, buena o
mala, fallada et buscada, que él busca et faz por quel venga aquel
bien o aquel mal.

Otrosí, la fallada et non buscada es quando un omne, non faziendo nada por ello le viene alguna pro o algún bien: así commo si omne fuesse por algún lugar et fallasse muy grand aver o
otra cosa muy aprovechosa por que él non oviesse nada fecho;
et esso mismo, quando un omne, non faziendo nada por ello,
le viene algún mal o algún daño, assí commo si omne fuesse
por una calle et lançasse otro una piedra a un páxaro et desca-
labrasse a él en la cabeça: ésta es desabentura fallada et non buscada, ca él nunca fizo nin buscó cosa por quel deviesse venir
aquella desaventura. Et, fijos, devedes saber que en la buena ventura o desabentura fallada et buscada ay meester dos cosas: la
una, que se ayude el omne faziendo bien para aver bien o faziendo mal para aver mal; et la otra, que le galardone Dios segund las obras buenas et malas que el omne oviere fecho. Otrosí, en la ventura buena o mala, fallada et non buscada, ay mees-

---

[14] *departimiento:* conversación.

des (*a*: los discípulos reprenden al filósofo, y *b*: éste les promete respuesta). Contraste en el que se produce la intriga.

(69) Curioso dato de sociología literaria: don Juan Manuel hace referencia a la composición de un «librete», describiéndolo e indicando su
función dentro de lo que he denominado «prosa de relato didáctico». Nótese el parecido entre estas «sentencias» y las de los Libros II, III y IV
que continúan este Libro I de *exemplos*.

ter otras dos cosas: la una, que se guarde omne quanto pudiere
de non fazer mal nin meterse en sospecha nin en semejança por
quel deva venir alguna desaventura o mala fama; la otra, es pedir merçed et rogar a Dios que, pues él se guarda quanto puede
por quel nol venga desaventura nin mala fama, quel guarde Dios
que non le venga ninguna desaventura commo vino a mí el otro
día que entré en una calleja por fazer lo que non podía escusar
para la salud del mi cuerpo et que era sin pecado et sin ninguna mala fama, et por mi desaventura moravan ý tales compañas, por que maguer yo era sin culpa, finqué mal enfamado.

Et vos, señor conde Lucanor, si queredes acrescentar et levar
adelante vuestra buena fama, conviene que fagades tres cosas: la
primera, que fagades muy buenas obras a plazer de Dios, et esto
guardado, después, en lo que pudierdes, a plazer de las gentes,
et guardando vuestra onra et vuestro estado, et que non cuydedes que por buena fama que ayades, que la non perderedes si
dexásedes de fazer buenas obras et fiziéredes las contrarias, ca
muchos omnes fizieron bien un tienpo et porque depués non lo
levaron adelante, perdieron el bien que avían fecho et fincaron
con la mala fama postrimera;[15] la otra es que roguedes a Dios
que vos endereçe que fagades[16] tales cosas por que la vuestra buena fama se acresçiente et vaya sienpre adelante et que vos guarde de fazer nin de dezir cosa por que la perdades; la terçera cosa es
que por fecho, nin por dicho, nin por semejança, nunca fagades
cosa por que las gentes puedan tomar sospecha, por que la vuestra fama vos sea guardada commo deve, ca muchas vezes faze
omne buenas obras et por algunas malas semejanças que faze,
las gentes toman tal sospecha, que enpeçe poco menos paral
mundo et paral dicho de las gentes commo si fiziesse la mala
obra. Et devedes saber que en las cosas que tañen[17] a la fama,
que tanto aprovecha o enpeçe lo que las gentes tienen et dizen
commo lo que es verdat en sí; mas quanto para Dios et paral
alma non aprovecha nin enpeçe sinon las obras que el omne
faze et a quál entención son fechas.

---

[15] *postrimera:* última.   [16] *que vos endereçe que fagades:* que os guíe para que hagáis.   [17] *tañen:* atañen, afectan.

Et el conde tovo éste por buen exienplo et rogó a Dios quel dexasse fazer tales obras quales entendía que cunplen para salvamiento de su alma et para guarda de su fama et de su onra et de su estado.

Et porque don Iohan tovo éste por muy buen enxienplo, fízolo escrivir en este libro et fizo estos viessos que dizen assí:

Faz sienpre bien et guárdate de sospecha,
et sienpre será la tu fama derecha.

Et la estoria deste exienplo es ésta que se sigue:

EXEMPLO XLVIII.º

DE LO QUE CONTESÇIÓ A UNO QUE PROVAVA [A] SUS AMIGOS

Otra vez fablava el conde Lucanor con Patronio, su consejero, en esta manera:

—Patronio, segunt el mio cuydar, yo he muchos amigos que me dan a entender que por miedo de perder los cuerpos nin lo que an, que non dexarían de fazer lo que me cumpliesse, que por cosa del mundo que pudiesse acaesçer non se parterían de mí. Et por el buen entendimiento que vos avedes, ruégovos que me digades en qué manera podré saber si estos mis amigos farían por mí tanto commo dizen.

—Señor conde Lucanor —dixo Patronio—, los buenos amigos son la mejor cosa del mundo, et bien cred que quando biene grand mester et la grand quexa, que falla omne muy menos de quantos cuyda; et otrosí, quando el mester non es grande, es grave de provar quál sería amigo verdadero quando la priessa veniesse; pero para que vos podades saber quál es el amigo verdadero, plazerme ýa que sopiéssedes lo que contesçió a un omne bueno con un su fijo que dizía que avía muchos amigos.

El conde le preguntó cómmo fuera aquello.

—Señor conde Lucanor —dixo Patronio—, un omne bueno avía un fijo, et entre las otras cosas quel mandava et le consejava, dizíal sienpre que puñasse[1] en aver muchos amigos et buenos. El fijo fízolo assí, et començó a acompañarse et a partir[2] de lo que avía con muchos omnes por tal de los aver por amigos. Et todos aquellos dizían que eran sus amigos et que farían por él todo quantol cunpliesse, et que aventurarían por él los cuerpos et quanto en el mundo oviessen quandol fuesse mester.

Un día, estando aquel mançebo con su padre, preguntól si avía fecho lo quel mandara, et si avía ganado muchos amigos. Et el fijo díxole que sí, que avía muchos amigos, mas que señaladamente entre todos los otros avía fasta diez que era çierto que por miedo de muerte, nin de ningún reçelo, que nunca le errarién[3] por quexa, nin por mengua, nin por ocasión quel acaesçiesse.

Quando el padre esto oyó, díxol que se marabillava ende mucho porque en tan poco tienpo pudiera aver tantos amigos et tales, ca él, que era mucho ançiano, nunca en toda su vida pudiera aver más de un amigo et medio.

El fijo començó a porfiar[4] diziendo que era verdat lo que él dizía de sus amigos. Desque el padre vio que tanto porfiava el fijo, dixo que los provasse en esta guisa: que matasse un puerco et que lo metiesse en un saco, et que se fuesse a casa de cada uno daquellos sus amigos, et que les dixiesse que aquél era un omne que él avía muerto; et que era çierto que si aquello fuesse sabido, que non avía en el mundo cosa quel pudiesse escapar de la muerte a él et a quantos sopiessen que sabían daquel fecho; et que les rogasse, que pues sus amigos eran, quel encubriessen aquel omne et, si mester le fuesse, que se parassen[5] con él a lo defender.

El mançebo fízolo et fue provar [a] sus amigos según su padre le mandara. Et desque llegó a casa de sus amigos et les dixo aquel

---

[1] *puñasse:* se esforzase.   [2] *partir:* compartir.   [3] *errarién:* faltarían, fallarían.   [4] *porfiar:* insistir.   [5] *se parassen:* estuviesen dispuestos, se preparasen.

fecho perigloso quel acaesçiera, todos le dixieron que en otras cosas le ayudarién; mas que en esto, porque podrían perder los cuerpos et lo que avían, que non se atreverían a le ayudar et que, por amor de Dios, que guardasse que non sopiessen ningunos que avía ydo a sus casas. Pero destos amigos, algunos le dixieron que non se atreverían a fazerle otra ayuda, mas que yrían rogar por él; et otros le dixieron que quando le levassen a la muerte, que non lo desanpararían fasta que oviessen conplido en él la justicia et quel farían onrra al su enterramiento.

Desque el mançebo ovo provado assí todos sus amigos et non falló cobro en ninguno, tornóse para su padre et díxol todo lo quel acaesçiera. Quando el padre así lo vio venir, díxol que bien podía ver ya que más saben los que mucho an visto et provado, que los que nunca passaron por las cosas. Estonçe le dixo que él non avía más de un amigo et medio, et que los fuesse provar.

El mancebo fue provar al que su padre tenía por medio amigo; et llegó a ssu casa de noche et levava el puerco muerto a cuestas, et llamó a la puerta daquel medio amigo de su padre et contól aquella desaventura quel avía contesçido et lo que fallara en todos sus amigos, et rogól que por el amor que avía con su padre quel acorriese en aquella cuyta.

Quando el medio amigo de su padre aquello vio, díxol que con él non avía amor nin affazimiento[6] por que se deviesse tanto aventurar, mas que por el amor que avía con su padre, que gelo encubriría.

Entonçe tomó el saco con el puerco a cuestas, cuydando que era omne, et levólo a una su huerta et enterrólo en un sulco de coles; et puso las coles en el surco assí como ante estavan et envió el mançebo a buena bentura.

Et desque fue con su padre, contól todo lo quel contesçiera con aquel su medio amigo. El padre le mandó que otro día, quando estudiessen en conçejo,[7] que sobre qualquier razón que despartiessen,[8] que començasse a porfiar con aquel su medio

---

[6] *affazimiento:* confianza.   [7] *conçejo:* junta, reunión.   [8] *despartiessen:* conversasen.

amigo, et, sobre la porfía,[9] quel diesse una puñada[10] en el ros-
tro, la mayor que pudiesse.

El mançebo fizo lo quel mandó su padre et quando gela dio,
catól[11] el omne bueno et díxol:

—A buena fe, fijo, mal feziste; mas dígote que por éste nin
por otro mayor tuerto, non descubriré las coles del huerto.

Et desque el mançebo esto contó a su padre, mandól que fuesse provar [a] aquel que era su amigo conplido. Et el fijo fízolo. Et
desque llegó a casa del amigo de su padre et le contó todo lo
que le avía contesçido, dixo el omne bueno, amigo de su padre,
que él le guardaría de muerte et de daño.

Acaesçió, por aventura, que en aquel tienpo avían muerto un
omne en aquella villa, et non podían saber quién lo matara. Et
porque algunos vieron que aquel mançebo avía ydo con aquel
saco a cuestas muchas vezes de noche, tovieron que él lo avía
muerto.

¿Qué vos yré alongando? El mançebo fue jubgado que lo matassen. Et el amigo de su padre avía fecho quanto pudiera por
lo escapar.[12] Desque vio que en ninguna manera non lo pudiera librar de muerte, dixo a los alcaldes que non quería levar pecado de aquel mançebo, que sopiessen que aquel mançebo non
matara el omne, mas que lo matara un su fijo solo que él avía.
Et fizo al fijo que lo cognosçiesse;[13] et el fijo otorgólo; et matáronlo. Et escapó de la muerte el fijo del omne bueno que era amigo de su padre.[(70)]

Agora, señor conde Lucanor, vos he contado cómmo se pruevan los amigos, et tengo que este enxienplo es bueno para saber
en este mundo quáles son los amigos, et que los deve provar

---

[9] *porfía:* discusión.   [10] *puñada:* puñetazo.   [11] *catól:* le miró.   [12] *escapar:* librar.   [13] *cognosçiesse:* reconociese.

(70) Numerosos críticos han considerado la muerte de este hijo como
un desenlace absurdo y contradictorio; la comprensión de este hecho
sólo se produce en las palabras finales de Patronio, que lo interpreta mediante una alegoría de significación religiosa.

ante que se meta en grant periglo por su fuza,[14] et que sepa a quánto se pararan por él sil fuere mester. Ca çierto seet que algunos son buenos amigos, mas muchos, et por aventura los más, son amigos de la ventura,[15] que, assí commo la ventura corre, assí son ellos amigos.

Otrosí, este enxienplo se puede entender spiritualmente en esta manera: todos los omnes en este mundo tienen[16] que an amigos, et quando viene la muerte, anlos de provar en aquella quexa, et van a los seglares et dízenlos que assaz an[17] que fazer en sí; van a los religiosos et dízenles que rogarán a Dios por ellos; van a la muger et a los fijos et dízenles que yrán con ellos fasta la fuessa[18] et que les farán onrra a ssu enterramiento; et así pruevan a todos aquellos que ellos cuydavan que eran sus amigos. Et desque non fallan en ellos ningún cobro para escapar de la muerte, así commo tornó el fijo, después que non falló cobro en ninguno daquellos que cuydava que eran sus amigos, tórnanse a Dios, que es su padre, et Dios dízeles que prueven a los sanctos que son medios amigos. Et ellos fázenlo. Et tan grand es la vondat de los sanctos et sobre todos de Sancta María, que non dexan de rogar a Dios por los pecadores; et Sancta María muéstrale cómmo fue su madre et quánto trabajo tomó en lo tener et en lo criar, et los sanctos muéstranle las lazerias et las penas et los tormentos et las passiones que reçebieron por Él; et todo esto fazen por encobrir los yerros de los pecadores. Et aunque ayan reçebido muchos enojos dellos, non le descubren, así commo non descubrió el medio amigo la puñada quel dio el fijo del su amigo. Et desque el pecador vee spiritualmente que por todas estas cosas non puede escapar de la muerte del alma, tórnasse a Dios, así commo tornó el fijo al padre después que non falló quien lo pudiesse escapar de la muerte. Et nuestro señor Dios, así commo padre et amigo verdadero, acordándose del amor que ha al omne que es su criatura, fizo commo el buen amigo, ca envió al su fijo Ihesu Christo que moriesse, non ovien-

---

[14] *fuza:* confianza.   [15] *ventura:* suerte.   [16] *tienen:* creen.   [17] *assaz an:* bastante tienen.   [18] *fuessa:* fosa.

do ninguna culpa et seyendo sin pecado, por desfazer las culpas et los pecados que los omnes meresçían. Et Ihesu Christo, commo buen fijo, fue obediente a su padre et seyendo verdadero Dios et verdadero omne quiso reçebir, et reçebió, muerte, et redimió a los pecadores por la su sangre. [71]

Et agora, señor conde, parat mientes quáles destos amigos son mejores et más verdaderos, o por quáles devía omne fazer más por los ganar por amigos.

Al conde plogo mucho con todas estas razones, et tovo que eran muy buenas.

Et entendiendo don Iohan que este enxienplo era muy bueno, fízolo escrivir en este libro et fizo estos viessos que dizen assý:

Nunca omne podría tan buen amigo fallar
commo Dios, que lo quiso por su sangre conprar.

Et la estoria deste enxienplo es ésta que se sigue:

---

(71) Éste es el único «exemplo» en que se consigue una integración perfecta entre el núcleo y su aplicación. El relato se ha compuesto de tres planos en donde van alternados desarrollo y desenlace: A) desarrollo: comprobación de las falsas amistades del hijo; desenlace: el padre aduce su experiencia; B) desarrollo: el hijo obtiene del medio amigo ayuda; desenlace: la mantiene pese a la ofensa de la «puñada»; C) desarrollo: acude al amigo y el hijo es acusado; desenlace: el amigo entrega a su hijo para salvarle. Cada uno de los tres desenlaces es interpretado alegóricamente por Patronio: A) los falsos amigos son los hombres del mundo; B) el medio amigo simboliza a los santos; C) el amigo representa a Cristo. Nótese que es al final del libro donde don Juan Manuel desarrolla los temas morales, que sirven para explicar las acciones de la conducta humana. (Véanse **38** y **72**.)

EXEMPLO L.º

De lo que contesçió a Saladín con una dueña, muger de un su vasallo

Fablava el conde Lucanor un día con Patronio, su consegero, en esta guisa:

—Patronio, bien sé yo çiertamente que vos avedes tal entendimiento que omne de los que son agora en esta tierra non podría dar tan buen recabdo a ninguna cosa quel preguntassen commo vos. Et por ende, vos ruego que me digades quál es la mejor cosa que omne puede aver en sí. [72] Et esto vos pregunto porque bien entiendo que muchas cosas á mester el omne para saber acertar en lo mejor et fazerlo, ca por entender omne la cosa et non obrar della bien, non tengo que meiora muncho en su fazienda. Et porque las cosas son tantas, querría saber a lo menos una, por que sienpre me acordasse della para la guardar.

—Señor conde Lucanor —dixo Patronio—, vos, por vuestra merçed, me loades[1] mucho señaladamente et dizides que yo he muy grant entendimiento. Et, señor conde, yo reçelo que vos engañades en esto. Et bien cred que non á cosa en el mundo en que omne tanto nin tan de ligero se engañe commo en cognosçer los omnes quáles son en sí et quál entendimiento an. Et éstas son dos cosas: la una, quál es el omne en sí; la otra, qué entendimiento ha. Et para saber quál es en sí, asse[2] de mostrar en las obras que faze a Dios et al mundo; ca muchos parescen que

---

[1] *loades:* alabáis. [2] *asse:* se ha.

(72) Ya desde la pregunta planteada por el conde Lucanor se remite al Ex. XXV, en el que se desarrolló el tema complementario: allí era cómo debía actuar el «omne», y aquí cómo ha de ser ese «omne» interiormente. No es casual que estos dos «exemplos» ocupen la posición media y final del libro (véase **38**).

fazen buenas obras, et non son buenas: que todo el su bien es para este mundo. Et creet que esta vondat quel costará muy cara, ca por este vien que dura un día, sufrirá mucho mal sin fin. Et otros fazen buenas obras para serviçio de Dios et non cuydan en lo del mundo; et commo quier que éstos escogen la mejor parte et la que nunca les será tirada[3] nin la perderán; pero los unos nin los otros non guardan entreamas las carreras,[4] que son lo de Dios et del mundo.

Et para las guardar amas, ha mester muy buenas obras et muy grant entendimiento, que tan grand cosa es de fazer esto commo meter la mano en el fuego et non sentir la su calentura; pero, ayudándole Dios, et ayudándosse el omne, todo se puede fazer; ca ya fueron muchos buenos reys et otros homnes sanctos; pues éstos buenos fueron a Dios et al mundo. Otrosí, para saber quál ha buen entendimiento, ha mester muchas cosas; ca muchos dizen muy buenas palabras et grandes sesos[5] et non fazen sus faziendas tan bien commo les conplía; mas otros traen muy bien sus faziendas et non saben o non quieren o non pueden dezir tres palabras a derechas. Otros fablan muy bien et fazen muy bien sus faziendas, mas son de malas entençiones, et commo quier que obran bien para sí, obran malas obras para las gentes. Et destos tales dize la Scriptura que son tales como el loco que tiene la espada en la mano, o commo el mal príncipe que ha grant poder.

Mas, para que vos et todos los omnes podades cognosçer quál es bueno a Dios et al mundo, et quál es de buen entendimiento et quál es de buena palabra et quál es de buena entención, para lo escoger verdaderamente, conviene que non judguedes a ninguno sinon por las obras que fiziere luengamente, et non poco tienpo, et por commo viéredes que mejora o que peora[6] su fazienda, ca en estas dos cosas se paresçe todo lo que desuso[7] es dicho.

Et todas estas razones vos dixe agora porque vos loades mucho a mí et al mio entendimiento, et só çierto que, desque a to-

---

[3] *tirada:* quitada. [4] *entreamas las carreras:* ambas carreras. [5] *sesos:* sentencias. [6] *peora:* empeora. [7] *desuso:* antes.

das estas cosas catáredes, que me non loaredes tanto. Et a lo que
me preguntastes que vos dixiesse quál era la mejor cosa que
omne podía aver en sí, para saber desto la verdat, querría mucho que sopiésedes lo que contesçió a Saladín con una muy buena dueña, muger de un cavallero, su vasallo.

Et el conde le preguntó cómmo fuera aquello.

—Señor conde Lucanor —dixo Patronio—, Saladín era soldán de Babilonia et traýa consigo sienpre muy grand gente; et
un día, porque todos non podían posar con él, fue posar a casa
de un cavallero. Et quando el cavallero vio a su señor, que era
tan onrado, en su casa, fízole quanto serviçio et quanto plazer
pudo, et él et su muger et sus fijos et sus fijas servíanle quanto
podían. Et el Diablo, que sienpre se trabaja en que faga el omne
lo más desaguisado, puso en el talante de Saladín que olbidasse
todo lo que devía guardar et que amasse aquella dueña non commo devía.

Et el amor fue tan grande, quel ovo de traer a conseiarse con
un su mal conseiero en qué manera podría conplir lo que él quería. Et devedes saber que todos devían rogar a Dios que guardasse a su señor de querer fazer mal fecho, ca si el señor lo quiere, çierto seed que nunca menguará quien gelo conseje et quien
lo ayude a lo conplir.

Et assí contesçió a Saladín, que luego falló quien lo consejó
cómmo pudiesse conplir aquello que quería. Et aquel mal conseiero, consejól que enviasse por su marido et quel fiziesse mucho vien et quel diesse muy grant gente de que fuesse mayoral;
et a cabo de algunos días, quel enviasse a alguna tierra lueñe[8]
en su serviçio, et en quanto el cavallero estudiesse allá, que podría él conplir toda su voluntad.

Esto plogo a Saladín et fízolo assí. Et desque el cavallero fue
ydo en su serviçio, cuydando que yba muy bien andante et muy
amigo de su señor, fuesse Saladín para su casa. Desque la buena
dueña sopo que Saladín vinía, porque tanta merçed avía fecho
a ssu marido, reçibiólo muy bien et fízole mucho serviçio et
quanto plazer pudo ella et toda su compaña. Desque la mesa

---

[8] *lueñe:* lejana.

fue alçada et Saladín entró en su cámara, envió por la dueña. Et ella, teniendo que enviaba por ál, fue a él. Et Saladín le dixo que la amava mucho. Et luego que ella esto oyó, entendiólo muy bien, pero dio a entender que non entendía aquella razón et díxol quel diesse Dios buena vida et que gelo gradesçié, ca bien sabié Dios que ella mucho deseava la su vida, et que siempre rogaría a Dios por él, commo lo devía fazer, porque era su señor et, señaladamente, por quanta merçed fazía a su marido et a ella.

Saladín le dixo que, sin todas aquellas razones, la amava más que a muger del mundo. Et ella teníagelo en merçed, non dando a entender que entendía otra razón. ¿Qué vos yré más alongando? Saladín le ovo a dezir cómmo la amava. Quando la buena dueña aquello oyó, commo era muy buena et de muy buen entendimiento, respondió assí a Saladín:

—Señor, commo quier que yo só assaz muger de pequeña guisa,[9] pero vien sé que el amor non es en poder del omne, ante es el omne en poder del amor. Et bien sé yo que si vos tan grand amor me avedes commo dezides, que podría ser verdat esto que me vos dezides, pero assí commo esto sé bien, assí sé otra cosa: que quando los omnes, et señaladamente los señores, vos pagades de alguna muger, dades a entender que faredes quanto ella quisiere, et desque ella finca mal andante et escarnida,[10] preçiádesla[11] poco et, commo es derecho, finca del todo mal. Et yo, señor, reçelo que conteçerá assí a mí.

Saladín gelo començó a desfazer prometiéndole quel faría quanto ella quisiesse porque fincasse muy bien andante. Desque Saladín esto le dixo, respondiól la buena dueña que si él le prometiesse de conplir[12] lo que ella le pidría, ante quel fiziesse fuerça nin escarnio, que ella le prometía que, luego que gelo oviesse conplido, faría ella todo lo que él mandasse.

Saladín le dixo que reçelava quel pidría que non le fablasse más en aquel fecho. Et ella díxol que non le demandaría esso nin cosa que él muy bien non pudiesse fazer. Saladín gelo pro-

---

[9] *guisa:* condición.   [10] *escarnida:* deshonrada.   [11] *preçiádesla:* la apreciáis.   [12] *conplir:* conseguir.

metió. La buena dueña le vesó la mano et el pie et díxole que lo que dél quería era quel dixiesse quál era la mejor cosa que omne podía aver en sí, et que era madre et cabeça de todas las vondades. [73]

Quando Saladín esto oyó, començó muy fieramente[13] a cuydar, et non pudo fallar qué respondiesse a la buena dueña. Et porquel avía prometido que non le faría fuerça nin escarnio fasta quel cunpliesse lo quel avía prometido, díxole que quería acordar[14] sobresto. Et ella díxole que prometía que en qualquier tienpo que desto le diesse recado, que ella conpliría todo lo que él mandasse.

Assí fincó pleito puesto entrellos. Et Saladín fuesse para sus gentes; et, commo por otra razón, preguntó a todos sus sabios por esto. Et unos dizían que la mejor cosa que omne podía aver era seer omne de buena alma. Et otros dizían que era verdat para el otro mundo, mas que por seer solamente de buena alma, que non sería muy bueno para este mundo. Otros dizían que lo mejor era seer omne muy leal. Otros dizían que, commo quier que seer leal es muy buena cosa, que podría seer leal et seer muy cobarde, o muy escasso,[15] o muy torpe, o mal acostumbrado, et assí que ál avía mester, aunque fuesse muy leal. Et desta guisa fablavan en todas las cosas, et non podían acertar en lo que Saladín preguntava.

Desque Saladín non falló qui le dixiesse et diesse recabdo a ssu pregunta en toda su tierra, traxo consigo dos jubglares, et esto fizo por que mejor pudiesse con éstos andar por el mundo. Et desconoçidamente passó la mar, et fue a la corte del Papa, do se ayuntan todos los christianos. Et preguntando por aquella razón, nunca falló quien le diesse recabdo. Dende,[16] fue a

---

[13] *fieramente:* fuertemente.   [14] *acordar:* meditar.   [15] *escasso:* avaro.   [16] *Dende:* Desde allí.

---

(73) El «exemplo» se estructura en dos partes: aquí culmina la declaración amorosa de Saladino, interrumpida por la misma pregunta que el conde Lucanor dirigió a Patronio; a partir de este momento comienza el segundo relato, que deberá resolver la cuestión del conde Lucanor y la intriga generada por la perspectiva de la búsqueda de la respuesta.

casa del rey de Françia et a todos los reyes et nunca falló recabdo. Et en esto moró[17] tanto tienpo que era ya repentido de lo
que avía començado.

Et ya por la dueña non fiziera tanto; mas, porque él era tan
buen omne, tenía quel era mengua si dexasse de saber aquello
que avía començado; ca, sin dubda, el grant omne grant mengua faze si dexa lo que una vez comiença, solamente que el fecho non sea malo o pecado; mas, si por miedo o trabajo lo dexa,
non se podría de mengua escusar. Et por ende, Saladín non quería dexar de saber aquello por que salliera de su tierra.

Et acaesçió que un día, andando por su camino con sus jubglares, que toparon[18] con un escudero que vinía de correr monte[19] et avía muerto un ciervo. Et el escudero casara poco tienpo
avía, et abía un padre muy viejo que fuera el mejor cavallero
que oviera en toda aquella tierra. Et por la grant vejez, non veýa
et non podía salir de su casa, pero avía el entendimiento tan bueno et tan conplido, que non le menguava ninguna cosa por la
vejez. El escudero, que venía de su caça muy alegre, preguntó
[a] aquellos omnes que d'onde vinían et qué omnes eran. Ellos
le dixeron que eran joglares.

Quando él esto oyó, plógol ende mucho, et díxoles quél vinía
muy alegre de su caça et para conplir el alegría que, pues eran
ellos muy buenos joglares, que fuessen con él essa noche. Et
ellos le dixeron que yvan a muy grant priessa, que muy grant
tienpo avía que se partieran de su tierra por saber una cosa et
que non pudieron fallar della recabdo et que se querían tornar
et que por esso no podían yr con él essa noche.

El escudero les preguntó tanto, fasta quel ovieron a dezir qué
cosa era aquello que querían saber. Quando el escudero esto
oyó, díxoles que si su padre non les diesse consejo a esto, que
non gelo daría omne del mundo, et contóles qué omne era su
padre.

Quando Saladín, a qui el escudero tenía por ioglar, oyó esto,
plógol ende muncho. Et fuéronse con él.

---

[17] *moró:* pasó.   [18] *toparon:* se encontraron.   [19] *correr monte:* cazar.

Et desque llegaron a casa de su padre, et el escudero le contó cómmo vinía mucho alegre porque caçara muy bien et aún, que avía mayor alegría porque traýa consigo aquellos juglares; et dixo a su padre lo que andavan preguntando, et pidiól por merçed que les dixiesse lo que desto entendía él, ca él les avía dicho que, pues non fallavan quien les diesse desto recabdo, que si su padre non gelo diesse, que non fallarían omne que les diesse recabdo.

Quando el cavallero ançiano esto oyó, entendió que aquél que esta pregunta fazía que non era juglar; et dixo a su fijo que, depués que oviessen comido, que él les daría recabdo a esto que preguntavan.

Et el escudero dixo esto a Saladín, que él tenía por joglar, de que fue Saladín mucho alegre, et alongávasele ya mucho porque avía de atender[10] fasta que oviesse comido.

Desque los manteles fueron levantados et los juglares ovieron fecho su mester, díxoles el cavallero ançiano quel dixiera su fijo que ellos andavan faziendo una pregunta et que non fallavan omne que les diesse recabdo, et quel dixiessen qué pregunta era aquélla et él que les diría lo que entendía.

Entonçe, Saladín, que andava por juglar, díxol que la pregunta era ésta: que quál era la mejor cosa que omne podía aver en sí, et que era madre et cabeça de todas las vondades.

Quando el cavallero ançiano oyó esta razón, entendióla muy bien; et otrosí, conosçió en la palabra que aquél era Saladín; ca él visquiera[21] muy grand tienpo con él en su casa et reçibiera dél mucho vien et mucha merçed, et díxole:

—Amigo, la primera cosa que vos respondo, dígovos que çierto só que fasta el día de oy, que nunca tales juglares entraron en mi casa. Et sabet que, si yo derecho fiziere, que vos debo cognosçer quánto bien de vos tomé, pero desto non vos diré agora nada, fasta que fable conbusco[22] en poridat, por que non sepa ninguno nada de vuestra fazienda. Pero, quanto a la pregunta que fazedes, vos digo que la mejor cosa que omne puede aver

---

[20] *atender:* esperar.   [21] *visquiera:* viviera (=había vivido).   [22] *conbusco:* con vos.

en sí, et que es madre et cabeça de todas las vondades, dígovos que ésta es la vergüença; et por vergüença suffre omne la muerte, que es la más grave cosa que puede seer, et por vergüença dexa omne de fazer todas las cosas que non le paresçen bien, por grand voluntat que aya de las fazer. Et assí, en la vergüença an comienço et cabo todas las vondades, et la vergüença es partimiento [23] de todos los malos fechos.

Quando Saladín esta razón oyó, entendió verdaderamente que era assí commo el cavallero le dizía. Et pues entendió que avía fallado recabdo de la pregunta que fazía, ovo ende muy grant plazer et espidióse del cavallero et del escudero cuyos huéspedes avían seýdo. [24] Mas ante que se partiessen de su casa, fabló con él el cavallero ançiano, et le dixo cómmo lo conosçía que era Saladín, et contól quánto bien dél avía reçebido. Et él et su fijo fiziéronle quanto serviçio pudieron, pero en guisa que non fuesse descubierto.

Et desque estas cosas fueron passadas, endereçó Saladín para yrse para su tierra quanto más aýna pudo. Et desque llegó a ssu tierra, ovieron las gentes con él muy grand plazer et fizieron muy grant alegría por la su venida.

Et después que aquellas allegrías fueron passadas, fuesse Saladín para casa de aquella buena dueña quel fiziera aquella pregunta. Et desque ella sopo que Saladín vinía a su casa, reçibiól muy bien, et fízol quanto serviçio pudo.

Et depués que Saladín ovo comido et entró en su cámara, envió por la buena dueña. Et ella vino a él. Et Saladín le dixo quánto avía trabajado por fallar repuesta çierta de la pregunta quel fiziera et que la avía fallado, et pues le podía dar repuesta conplida, assí comol avía prometido, que ella otrosí cunpliesse lo quel prometiera. Et ella le dixo quel pidía por merçed quel guardasse lo quel avía prometido et quel dixiesse la repuesta a la pregunta quel avía fecho, et que si fuesse tal que él mismo entendiesse que la repuesta era conplida, que ella muy de grado conpliría todo lo quel avía prometido.

---

[23] *partimiento:* separación.   [24] *seýdo:* sido.

Estonçe le dixo Saladín quel plazía desto que ella le dizía, et díxol que la repuesta de la pregunta que ella fiziera, que era ésta: que ella le preguntara quál era la meior cosa que omne podía aver en sí et que era madre et cabeça de todas las vondades, quel respondía que la meior cosa que omne podía aver en sí et que es madre et cabeça de todas las vondades, que ésta es la vergüença.

Quando la buena dueña esta repuesta oyó, fue muy alegre, et díxol:

—Señor, agora conosco que dezides verdat, et que me avedes conplido quanto me prometiestes. Et pídovos por merçed que me digades, assí commo rey deve dezir verdat, si cuydades que ha en el mundo mejor omne que vos.

Et Saladín le dixo que, commo quier que se le fazía vergüença de dezir, pero pues la avía a dezir verdat commo rey, quel dizía que más cuydava que era él mejor que los otros, que non que avía otro meior que él.

Quando la buena dueña esta repuesta oyó, dexósse caer en tierra ante los sus pies, et díxol assí, llorando muy fieramente:

—Señor, vos avedes aquí dicho muy grandes dos verdades: la una, que sodes vos el mejor omne del mundo; la otra, que la vergüença es la mejor cosa que el omne puede aver en sí. Et señor, pues vos esto conosçedes, et sodes el mejor omne del mundo, pídovos por merçed que querades en vos la mejor cosa del mundo, que es la vergüença, et que ayades vergüença de lo que me dezides.

Quando Saladín todas estas buenas razones oyó et entendió cómmo aquella buena dueña, con la su vondat et con el su buen entendimiento, sopiera aguisar[25] que fuesse él guardado de tan grand yerro, gradesçiólo mucho a Dios. Et commoquier que la él amava ante de otro amor, amóla muy más dallí adelantte de amor leal et verdadero, qual deve aver el buen señor et leal a todas sus gentes. Et señaladamente por la su vondat della, envió por su marido et fízoles tanta onra et tanta merçet por que ellos,

---

[25] *aguisar:* advertir.

et todos los que dellos vinieron, fueron muy bien andantes entre todos sus vezinos.[74]

Et todo este bien acaesçió por la vondat daquella buena dueña, et porque ella guisó que fuesse sabido que la vergüença es la meior cosa que omne puede aver en sí, et que es madre et cabeça de todas las vondades.

Et pues vos, señor conde Lucanor, me preguntades quál es la mejor cosa que omne puede aver en sí, dígovos que es la vergüença: ca la vergüença faze a omne ser esforçado et franco[26] et leal et de buenas costunbres et de buenas maneras, et fazer todos los vienes que faze. Ca bien cred que todas estas cosas faze omne más con vergüença que con talante que aya de lo fazer. Et otrosí, por vergüença dexa omne de fazer todas las cosas desaguisadas que da la voluntad al omne de fazer. Et por ende, quán buena cosa es aver el omne vergüença de fazer lo que non deve et dexar de fazer lo que deve, tan mala et dan dañosa et tan fea cosa es el que pierde la vergüença. Et devedes saber que yerra muy fieramente el que faze algún fecho vergonçoso et cuyda que, pues que lo faze encubiertamente, que non deve aver ende vergüença. Et cierto sed que non ha cosa, por encubierta que sea, que tarde o aýna non sea sabida. Et aunque luego que la cosa vergonçosa se faga, non aya ende vergüença, devrié omne cuydar qué vergüença sería quando fuere sabido. Et aunque desto non tomasse vergüença, dévela tomar de ssí mismo, que entiende el pleito vergonçoso que faze. Et quando en todo esto non cuydasse, deve entender quánto sin ventura es (pues sabe que si un moço viesse lo que él faze, que lo dexaría por su vergüença) en non lo dexar nin aver vergüença nin miedo de Dios, que lo

---

[26] *franco:* generoso.

vee et lo sabe todo, et es çierto quel dará por ello la pena que meresciere.

Agora, señor conde Lucanor, vos he respondido a esta pregunta que me feziestes et con esta repuesta vos he respondido a çinquenta preguntas que me avedes fecho.[75] Et avedes estado en ello tanto tienpo que só çierto que son ende enojados muchos de vuestras conpañas, et señaladamente se enojan ende los que non an muy grand talante de oýr nin de aprender las cosas de que se pueden mucho aprovechar. Et contésceles commo a las vestias que van cargadas de oro, que sienten el peso que lievan a cuestas et non se aprovechan de la pro que ha en ello. Et ellos sienten el enojo de lo que oyen et non se aprovechan de las cosas buenas et aprovechosas que oyen. Et por ende, vos digo que lo uno por esto, et lo ál por el trabajo que he tomado en las otras respuestas que vos di, que vos non quiero más responder a otras preguntas que vos fagades, que en este enxienplo et en otro que se sigue adelante desde vos quiero fazer fin a este libro.

El conde tovo éste por muy buen enxienplo. Et quanto de lo que Patronio dixo que non quería quel feziessen más preguntas, dixo que esto fincasse en cómo se pudiesse fazer.

Et porque don Johan tovo este enxienplo por muy bueno, fízolo escrivir en este libro et fizo estos viessos que dizen assí:

> *La vergüença todos los males parte;*
> *por vergüença faze omne bien sin arte.*

Et la estoria deste enxienplo es ésta que se sigue:

---

(75) El propio Patronio señala el fin del libro al haber contestado en este «exemplo» a todas las preguntas anteriores; quiere decir con ello que al explicar cuál es la mejor virtud que el hombre posee, Patronio comprende que esa respuesta es en sí la clave para cualquier actuación humana.

[SEGUNDA PARTE DEL LIBRO DEL CONDE LUCANOR ET DE PATRONIO]

RAZONAMIENTO QUE FAZE DON JUAN POR AMOR DE DON JAIME, SEÑOR DE XÉRICA

Después que yo, don Iohan, fijo del muy noble infante don Manuel, adelantado mayor de la frontera et del regno de Murcia, ove acabado este libro del conde Lucanor et de Patronio que fabla de enxienplos, et de la manera que avedes oýdo, segund paresce por el libro et por el prólogo, fizlo en la manera que entendí que sería más ligero[1] de entender. Et esto fiz porque yo non só muy letrado[2] et queriendo que non dexassen de sse aprovechar dél los que non fuessen muy letrados, assí commo yo, por mengua de lo seer, fiz las razones et enxienplos que en el libro se contienen assaz[3] llanas et declaradas.[4]

Et porque don Jayme, señor de Xérica,[5] que es uno de los omnes del mundo que yo más amo et por ventura non amo a otro tanto commo a él, me dixo que querría que los mis libros fa-

---

[1] *ligero:* fácil.   [2] *letrado:* culto, hombre de letras.   [3] *assaz:* bastante.   [4] *declaradas:* sencillas.   [5] Don Jaime de Jérica fue un caballero aragonés que ayudó varias veces a don Juan Manuel.

blassen más oscuro, et me rogó que si algund libro feziesse, que non fuesse tan declarado. Et só çierto que esto me dixo porque él es tan sotil et tan de buen entendimiento, et tiene por mengua de sabiduría fablar en las cosas muy llana et declaradamente. [76]

Et lo que yo fiz fasta agora, fízlo por las razones que desuso he dicho, et agora que yo só tenudo de conplir en esto et en ál quanto yo pudiesse su voluntad, fablaré en este libro en las cosas que yo entiendo que los omnes se pueden aprovechar para salvamiento de las almas et aprovechamiento de sus cuerpos et mantenimiento de sus onras et de sus estados. Et commo quier que estas cosas no son muy sotiles en sí, assí commo si yo fablasse de la sciençia de theología, o metafísica, o filosofía natural o aun moral, o otras sçiençias muy sotiles, tengo que me cae[6] más, et es más aprovechoso segund el mio estado, fablar desta materia que de otra arte o sciençia. Et porque estas cosas de que yo cuydo fablar non son en sí muy sotiles, diré yo, con la merçed de Dios, lo que dixiere por palabras que los que fueran de tan buen entendimiento commo don Jayme, que las entiendan muy bien, et los que non las entendieren non pongan la culpa a mí, ca yo non lo quería fazer sinon commo fiz los otros libros, mas pónganla a don Jayme, que me lo fizo assí fazer, et a ellos, porque lo non pueden o non quieren entender.

Et pues el prólogo es acabado en que se entiende la razón por que este libro cuydo conponer en esta guisa, daquí adelante co-

---

[6] *tengo que me cae:* pienso que me conviene.

(76) Declaración estilística de suma importancia: don Juan Manuel ha distinguido entre una manera clara de componer, para que todos le entiendan, y una manera «oscura», reservada sólo a aquellos que, como don Jaime, poseen «sutileza» y «entendimiento». No es una intención estética la que mueve a don Juan Manuel, sino moral: si él escribe ahora con oscuridad es porque la materia que va a tratar así lo precisa, y, por ello, sustituye los cuentos anteriores por sentencias o máximas que tienen el mismo propósito: *ejemplificar* acerca de la salvación de las almas y del mantenimiento de la honra y de los estados. (Véase Documento 2.6.)

mençaré la manera[7] del libro; et Dios por la su merçed et piadat
quiera que sea a ssu serviçio et a pro de los que lo leyeren et lo
oyeren, et guarde a mí de dezir cosa de que sea reprehendido.
Et bien cuydo que el que leyere este libro et los otros que yo fiz,
que pocas cosas puedan acaesçer para las vidas et las faziendas
de los omnes, que non fallen algo en ellos, ca yo non quis poner en este libro nada de lo que es puesto en los otros, mas qui
de todos fiziere un libro, fallarlo ha ý más conplido.[8]

Et la manera del libro es que Patronio fabla con el Conde Lucanor segund adelante veredes.

Razonamiento que faze Patronio al conde de muy buenos exemplos

—Señor conde Lucanor —dixo Patronio—, yo vos fablé fasta
agora lo más declaradamente que yo pude, et porque sé que lo
queredes, fablarvos he daquí adelante essa misma manera, mas
non por essa manera que en el otro libro ante déste.[(77)]

Et pues el otro es acabado, este libro comiença assí:

—En las cosas que ha muchas sentençias, non se puede dar
regla general.

—El más conplido de los omnes es el que cognosce la verdat
et la guarda.

—De mal seso es el que dexa et pierde lo que dura et non ha
preçio, por lo que non puede aver término a la su poca durada.[9]

—Non es de buen seso el que cuyda entender por su entendimiento lo que es sobre todo entendimiento.

—De mal seso es el que cuyda que contesçerá a él lo que non
contesçió a otri; de peor seso es si esto cuyda porque non se
guarda.

[...]

---

[7] *manera:* materia.   [8] *conplido:* perfecto.   [9] *durada:* duración.

(77) Patronio adelanta la clave del nuevo procedimiento estilístico:
empleo de juegos de palabras que encubren el sentido real de la frase.
Obsérvese aquí que la palabra «manera» tiene dos acepciones: «misma
manera» (o materia) y «non por esa manera» (no por ese modo).

[TERCERA PARTE
DEL LIBRO DEL CONDE LUCANOR
ET DE PATRONIO]

Escusación de Patronio al conde Lucanor

—Señor conde Lucanor —dixo Patronio—, después que el
otro libro fue acabado, porque entendí que lo queríades vos, començé a fablar en este libro más avreviado et más oscuro que
en el otro. Et commo quier que en esto que vos he dicho en este
libro ay menos palabras que en el otro, sabet que non es menos
el aprovechamiento et el entendimiento deste que del otro, ante
es muy mayor para quien lo estudiare et lo entendiere; ca en el
otro ay cinquenta enxienplos et en éste ay ciento. Et pues en el
uno et en el otro ay tantos enxienplos, que tengo que devedes
tener por assaz, paresçe que faríedes mesura[1] si me dexásedes folgar[2] daquí adelante.

—Patronio —dixo el conde Lucanor—, vos sabedes que naturalmente de tres cosas nunca los omnes se pueden tener por
pagados[3] et siempre querrían más dellas: la una es saber, la otra

---

[1] *mesura:* cortesía.   [2] *folgar:* descansar, holgar.   [3] *pagados:* satisfechos.

es onra et preçiamiento, la otra es abastamiento[4] para en su vida. Et porque el saber es tan buena cosa, tengo que non me devedes culpar por querer ende aver yo la mayor parte que pudiere, et porque sé que de ninguno non lo puedo mejor saber que de vos, creed que, en quanto viva, nunca dexaré de vos affincar[5] que me amostredes[6] lo más que yo pudiere aprender de lo que vos sabedes.[(78)]

—Señor conde Lucanor —dixo Patronio—, pues veo que tan buena razón et tan buena entençión vos muebe a esto, dígovos que tengo por razón de trabajar aún más, et dezirvos he lo que entendiere de lo que aún fata[7] aquí non vos dixe nada. Ca dezir una razón muchas vegadas,[8] si non es por algún provecho señalado, o paresçe que cuyda el que lo dize que aquel que lo ha de oýr es tan boto[9] que lo non puede entender sin lo oýr muchas vezes, o paresçe que ha sabor de fenchir[10] el libro non sabiendo qué poner en él. Et lo que daquí adelante vos he a dezir comiença assí:

—Lo caro es caro, cuesta caro, guárdasse caro, acábalo caro. Lo rehez[11] es rehez, cuesta rehez, guárdase rehez, acábalo rehez. Lo caro es rehez, lo rehez es caro.

—Grant marabilla será, si bien se falla, el que fía su fecho et faze mucho bien al que erró et se partió sin grand razón del con qui avía mayor debdo.

—Non deve omne crer que non se atreverá a él por esfuerço de otri, el que se atreve a otri por esfuerço dél.

—El que quiere enpeçer[12] a otri non deve cuydar que el otro non enpeçerá a él.

---

⁴ *abastamiento:* provisión. ⁵ *affincar:* apremiar, insistir. ⁶ *amostredes:* mostréis. ⁷ *fata:* hasta. ⁸ *vegadas:* veces. ⁹ *boto:* tonto. ¹⁰ *fenchir:* hinchar. ¹¹ *rehez:* barato. ¹² *enpeçer:* dañar.

(78) Hay que tener en cuenta que el *saber* en la Edad Media estaba rodeado de esta aureola de oscuridad y dificultad (recuérdese cómo se muestra a don Yllán en el Ex. XI). Por ello, Patronio dificulta el grado de comprensión de sus sentencias, a medida que en ellas va depositando mayor sabiduría.

—Por seso se mantiene el seso. El seso da seso al que non ha seso. Sin seso non se guarda el seso.

—Tal es Dios et los sus fechos, que señal es que poco lo conoscerán los que mucho fablan en Él.

—De buen seso es el que non puede fazer al otro su amigo, de non lo fazer su enemigo.

[...]

[CUARTA PARTE
DEL LIBRO DEL CONDE LUCANOR
ET DE PATRONIO]

Razonamiento de Patronio al conde Lucanor

—Señor conde Lucanor —dixo Patronio—, porque entendí que era vuestra voluntat, et por el afincamiento que me fiziestes, porque entendí que vos movíades por buena entençión, trabajé[1] de vos dezir algunas cosas más de las que vos avía dicho en los enxienplos que vos dixe en la primera parte deste libro en que ha çinquenta enxienplos que son muy llanos et muy declarados; et pues en la segunda parte ha çient proverbios et algunos fueron ya quanto[2] oscuros et los más assaz declarados; et en esta terçera parte puse çinquenta proverbios, et son más oscuros que los primeros çinquenta enxienplos, nin los çient proverbios. Et assí, con los enxienplos et con los proverbios, hevos[3] puesto en este libro dozientos entre proverbios et enxienplos, et más: ca en los çinquenta enxienplos primeros, en contando el enxienplo, fallaredes en muchos lugares algunos proverbios tan

---

[1] *trabajé:* me esforcé.   [2] *ya quanto:* algo.   [3] *hevos:* os he.

buenos et tan provechosos commo en las otras partes deste libro en que son todos proverbios. Et bien vos digo que qualquier omne que todos estos proverbios et enxienplos sopiesse, et los guardasse et se aprovechasse dellos, quel cunplirían[4] assaz para salvar el alma et guardar su fazienda et su fama et su onra et su estado. Et pues tengo que en lo que vos he puesto en este libro ha tanto que cunple para estas cosas, tengo, que si aguisado[5] quisiéredes catar, que me devíedes ya dexar folgar.[(79)]

—Patronio —dixo el conde—, ya vos he dicho que por tan buena cosa tengo el saber, et tanto querría dél aver lo más que pudiesse, que por ninguna guisa nunca he de partir manera de fazer todo mio poder por saber ende lo más que yo pudiere. Et porque sé que non podría fallar otro de quien más pueda saber que de vos, dígovos que en toda la mi vida nunca dexaré de vos preguntar et affincar por saber de vos lo más que yo pudiere.

—Señor conde Lucanor —dixo Patronio—, pues assí es, et assí lo queredes, yo dezirvos he algo segund lo entendiere de lo que fasta aquí non vos dixe, mas pues veo que lo que vos he dicho se vos faze muy ligero de entender, daquí adelante dezirvos he algunas cosas más oscuras que fasta aquí et algunas assaz llanas. Et si más me affincáredes, avervos he[6] a fablar en tal manera que vos converná[7] de aguzar el entendimiento para las entender.

—Patronio —dixo el conde—, bien entiendo que esto me dezides con saña et con enojo por el affincamiento que vos fago; pero commo quier que segund el mio flaco saber querría más

---

⁴ *cunplirían:* aprovecharían.   ⁵ *aguisado:* advertido.   ⁶ *avervos he:* os habré.   ⁷ *converná:* convendrá.

(79) Curiosa amonestación de Patronio que le otorga una gran profundidad psicológica: es el hombre sabio que solicita descanso para seguir entregado a su labor; don Juan Manuel crea en este diálogo ficticio la imagen real de un señor y un ayo tratando asuntos concernientes a sus funciones sociales. Al mismo tiempo, aprovecha para ofrecer el cómputo de los «exemplos» y proverbios que figuran en el conjunto del libro.

que me fablássedes claro que oscuro, pero tanto tengo que me
cumple lo que vos dezides, que querría ante que me fablássedes
quanto oscuro vos quisierdes, que non dexar de me mostrar algo
de quanto vos sabedes.

—Señor conde Lucanor —dixo Patronio—, pues assí lo queredes, daquí adellante parad bien mientes[8] a lo que vos diré.

—En el presente muchas cosas grandes son un tienpo grandes
et non parescen, et omne nada en el passado las tiene.

—Todos los omnes se engañan en sus fijos et en su apostura
et en sus vondades et en su canto.

—De mengua seso es muy grande por los agenos grandes tener los yerros pequeños por los suyos. [(80)]

—Del grand afazimiento[9] nasçe menospreçio.

[...]

---

[8] *parad bien mientes:* prestad bien atención.   [9] *afazimiento:* familiaridad.

(80) Para aumentar el grado de dificultad, don Juan Manuel altera
por completo el orden de las palabras; hipérbatos oscurísimos que pueden admitir a veces varias interpretaciones; en este caso, el sentido
correcto sería: «Muy grande mengua de seso es tener por grandes los
yerros ajenos et por pequeños los suyos.»

[QUINTA PARTE
DEL LIBRO DEL CONDE LUCANOR
ET DE PATRONIO]

—Señor conde Lucanor —dixo Patronio—, ya desuso[1] vos dixe muchas vezes que tantos enxienplos et proverbios, dellos muy declarados, et dellos[2] ya quanto más oscuros, vos avía puesto en este libro, que tenía que vos cunplía assaz, et por affincamiento que me feziestes ove de poner en estos postremeros[3] treynta proverbios algunos tan oscuramente que será marabilla si bien los pudierdes entender, si yo o alguno de aquellos a qui los yo mostré non vos los declarare; pero seet bien çierto que aquellos que parescen más oscuros o más sin razón que, desque los entendiéredes, que fallaredes que non son menos aprovechosos que qualesquier de los otros que son ligeros de entender. Et pues tantas cosas son escriptas en este libro, sotiles et oscuras et abreviadas, por talante[4] que don Johan ovo de conplir talante de don Jayme, [(81)] dígovos que non quiero fablar ya en este libro

---

[1] *desuso:* anteriormente. [2] *dellos... dellos:* unos... otros. [3] *postremeros:* últimos. [4] *talante:* voluntad.

(81) Complicado juego de perspectivas, que funde el plano de la realidad con el de la ficción: Patronio, personaje inventado por don Juan

de enxienplos, nin de proverbios, mas fablar he un poco en otra cosa que es muy más aprovechosa.

Vos, conde señor, sabedes que quanto las cosas spirituales son mejores et más nobles que las corporales, señaladamente porque las spirituales son duraderas et las corporales se an de corronper, tanto es mejor cosa et más noble el alma que el cuerpo, ca el cuerpo es cosa corrutible et el alma cosa duradera; pues si el alma es más noble et mejor cosa que el cuerpo, et la cosa mejor deve seer más preçiada et más guardada, por esta manera, non puede ninguno negar que el alma non deve seer más preçiada et más guardada que el cuerpo.

Et para seer las almas guardadas ha mester muchas cosas, et entendet que en dezir guardar las almas, non quiere ál dezir sinon fazer tales obras por que se salven las almas; ca por dezir guardar las almas, non se entiende que las metan en un castillo, nin en un arca en que estén guardadas, mas quiere dezir que por fazer omne malas obras van las almas al Infierno. Pues para las guardar que non vayan al Infierno, conviene que se guarde de las malas obras que son carrera para yr al Infierno, et guardándose destas malas obras se guarde del Infierno.

Pero devedes saber que para ganar la gloria del Paraýso, que ha guardarse omne de malas obras, que mester es de fazer buenas obras, et estas buenas obras para guardar las almas et guisar que vayan a Paraýso ha mester ý estas quatro cosas: la primera, que aya omne fee et biva en ley de salvaçión; la segunda, que desque es en tienpo para lo entender, que crea toda su ley et todos sus artículos et que non dubde en ninguna cosa dello; la terçera, que faga buenas obras et a buena entençión por que gane el Paraýso; la quarta, que se guarde de fazer malas obras por que sea guardada la su alma de yr al Infierno.[82]

[...]

Manuel, habla de su autor como personaje también de la obra, cuyo «talante» o voluntad ha desarrollado en las anteriores partes.

(82) Y así continúa Patronio ofreciendo un tratado completo de doctrina cristiana, lógica terminación de una obra que ha recorrido el campo de lo humano (Libro I) y el del saber (Libros II, III y IV), para culminar en el religioso (Libro V).

Documentos y juicios críticos

1. Textos relacionados con don Juan Manuel
   y el *Libro del Conde Lucanor*

.1.   *La obra de don Juan Manuel está muy conectada con su vida social.
      La búsqueda de la perfección de estilo es paralela a su pretensión orgu-
      llosa de ser el noble más importante de España. Estado que explica y
      razona a su hijo don Fernando para que sepa mantenerlo.*

Fijo don Ferrando, [...] yo en Espanna non vos fallo amigo en egual
grado. Ca si fuere el rey de Castiella o su fijo eredero, éstos son vuestros
sennores; mas otro infante, nin otro omne en el sennorío de Castiella
non es amigo en egual grado de vos; ca, loado a Dios, de linage non
devedes nada a ninguno. Et otrosí[1] de la vuestra heredat podedes mantener çerca de mill cavalleros, sin bien fecho del rey, et podedes yr del
reyno de Navarra fasta el reyno de Granada, que cada noche posedes en
villa çercada o en castiellos de llos[2] que yo he. Et segund el estado que
mantovo el infante don Manuel, vuestro abuelo, et don Alfonso, su fijo,
que era su heredero, et yo después que don Alfonso murió et finqué[3]
yo heredero en su lugar, nunca se falla que infante, nin su fijo, nin su
nieto tal estado mantoviesen commo nós tenemos mantenido. Et mán-
dovos et conséjovos que este estado levedes adelante; et non vos faga ninguno creyente que avedes a mantener estado de rico omne, nin tener esa
manera. Ca sabet que el vuestro estado et el de vuestros fijos herederos

---

[1] *otrosí:* además.
[2] *llos:* los.
[3] *finqué:* quedé.

que más se allega a la manera de los reys, que a la manera de los ricos omnes. Et si vos de buena ventura fuéredes et sopiéredes levar vuestro estado adelante, pocos ricos omnes avrá en Castiella que si oviéredes que lis[4] dar, que non sean vuestros vasallos. Et los mejores que ý[5] fueren, et de los más altos solares et más antigos, ternán por razón de tener algo de vos, et catar vos[6] por mayor et por mejor; que así lo fizieron sienpre a aquellos onde[7] vos venides.

> Don Juan Manuel: *Libro enfenido*, en *Obras completas*, I, ed. de José Manuel Blecua, Madrid, Gredos, 1981, pp. 141-189; texto en cap. VII, pp. 162-163.

1.2.   *Don Juan Manuel ayudó al rey Alfonso XI en la batalla del Salado. Según el testimonio de la crónica del reinado de este monarca, el infante castellano da muestras de cobardía rehuyendo el combate, aunque luego decide participar.*

E don Joan Núñez de Lara et don Alfonso Méndez, maestre de Santiago, que yvan en la delantera, desque[1] supieron lo que el rrey enbió a dezir a don Joan Manuel, otro sý[2] veyendo cómo el rrey era ya llegado al rrío e estava en par dellos e ellos no lo avién passado, e veyendo otrosí cómo los moros trayan vençidos a los christianos que estavan de la otra parte, tomaron sus pendones[3] delante sý e passaron el Salado, aviendo grand pelea con los moros que guardavan aquel passo del vado [...].

E en quanto estas gentes fazían esto, el buen rrey de Castilla non estava de vagar,[4] ca[5] passó luego el rrío del Salado [...] e vio que don Joan Manuel, e don Joan, hijo de don Alfonso, e los sus pendones dellos, que quedavan enpós[6] él contra Tariffa ençima del otero, e non yvan con los otros en la delantera [...].

---

[4] *lis:* les.

[5] *ý:* allí.

[6] *catar vos:* miraros.

[7] *onde:* de donde.

[1] *desque:* desde que.

[2] *otro sý:* además.

[3] *pendones:* banderas, estandartes.

[4] *non estava de vagar:* no estaba ocioso.

[5] *ca:* pues.

[6] *enpós:* detrás de.

E de la otra parte don Joan Manuel, e don Joan, fijo de don Alonso, e otros muchos cavalleros que los aguardavan, partieron de allí e passaron el Salado e fueron ayudar a los otros que levavan los moros en alcançe, e fazían los subir e descender por aquellas sierras mal su grado. [7]

> *Gran Crónica de Alfonso XI*, ed. de Diego Catalán, Madrid, Gredos-Seminario «Menéndez Pidal», 1976, t. II, pp. 428, 429 y 432.

3. *Por el contrario, el siguiente documento glorifica la intervención de don Juan Manuel en la misma acción militar. Las contradicciones entre estos textos muestran la dificultad de lograr una objetividad histórica cuando se toma partido por uno u otro bando. Obsérvese cómo Rodrigo Yáñez construye la figura de don Juan Manuel entremezclando datos sobre su orgullo con características que le definen casi como un héroe épico (religiosidad, valor, audacia).*

Fabló luego don Johan,
fijo del infante don Manuel:

«Reyes señores por natura, [1]
altos de generaçión,
tengades agora por mesura, [2]
de oír una razón:

A mí dizen don Johan
que vo [3] en esta cruzada;
aquellos moros miedo han
en las tierras de Granada.

Por honrar el mi estado
en muchas cosas pequé, [4]
contra bos [5] soy muy culpado,
conosco que bos erré.

---

[7] *mal su grado:* a pesar de ellos.

[1] *natura:* naturaleza.
[2] *mesura:* discreción.
[3] *vo:* voy.
[4] Patronio trató este problema en el Ex. III; véase 13.
[5] *bos:* vos.

De lidiar con los paganos
sienpre ove grant sabor,[6]
mucho mal fize a cristianos
de que só muy pecador.

A vos demando perdón
por Dios Padre del Altura,
e pídovos un tal don
que sea buestra mesura,

que bos me dedes sin falla
esta honra si vos ploguier:[7]
los golpes desta batalla
quando aquel día benier.[8]

A fiuza[9] de bençer
cuydo[10] en la lid entrar;
bos avredes grand plazer
quando me viéredes lidiar.

Si en aquel día non es mi fin
e me Dios dexar lograr,[11]
en la tienda del rey de Benamarín
bos conbido para ayantar;[12]

yo conbusco a grant sabor
í vos cuido bien servir;
Dios padre Bençedor
me lo fará así conplir.»

El Poema de Alfonso XI, ed. de Yo Ten Cate, Madrid, CSIC,
1956, pp. 357-361, coplas 1282-1291.

---

[6] *grant sabor:* afición.
[7] *si vos ploguier:* si os agradara.
[8] *benier:* llegara.
[9] *A fiuza:* Con confianza.
[10] *cuydo:* pienso.
[11] *e me Dios dexar lograr:* y Dios me dejara triunfar.
[12] *ayantar:* comer.
[13] *í:* allí.

El siguiente texto muestra el cuidado con que don Juan Manuel se
ocupaba de todos los detalles de su obra; él quería que quedara conser-
vada tal como la escribió. Pero recuérdese que muchos de los libros que
aquí cita se han perdido.

Et recelando[1] yo, don Iohan, que por razón que non se podrá escusar,[2] que los libros que yo he fechos non se ayan de trasladar[3] muchas
vezes; et porque yo he visto que en el trasladar acaeçe[4] muchas vezes,
lo uno por desentendimiento del scrivano, o porque las letras semejan[5]
unas a otras, que en translandando el libro porná[6] una razón por otra,
en guisa que muda[7] toda la entençión et toda la sentençia[8] et será traýdo[9] el que la fizo non aviendo ý[10] culpa; et por guardar esto quanto yo
pudiere, fizi fazer este volumen en que están scriptos todos los libros
que yo fasta aquí he fechos, et son doze. El primero tracta de la razón
por que fueron dadas al infante don Manuel, mio padre, estas armas,
que son alas et leones, et por qué yo et mio fijo, legítimo heredero, et
los herederos del mi linage podemos fazer cavalleros non lo seyendo nós,
et de la fabla[11] que fizo conmigo el rey don Sancho en Madrit, ante de
su muerte. Et el otro, de castigos[12] et de consejos que dó[13] a mi fijo don
Ferrando, et son todas cosas que yo prové; et el otro libro es de los sta-
dos; et el otro es el libro del cavallero et del escudero; et el otro, el libro
de la cavallería; et el otro, de la crónica abreviada; et el otro, la crónica
conplida; et el otro, el libro de los egennos;[14] et el otro, el libro de la
caça; et el otro, el libro de las cantigas[15] que yo fiz; et el otro, de las reglas commo se deve trobar.[16]

---

[1] *recelando:* temiendo.
[2] *escusar:* evitar.
[3] *trasladar:* copiar.
[4] *acaeçe:* sucede.
[5] *semejan:* se parecen.
[6] *porná:* pondrá.
[7] *en guisa que muda:* de manera que cambia.
[8] *sentençia:* contenido.
[9] *traýdo:* traicionado.
[10] *ý:* en ello.
[11] *fabla:* conversación.
[12] *castigos:* enseñanzas.
[13] *dó:* doy.
[14] *libro de los egennos:* quizá algún libro de máquinas bélicas.
[15] *cantigas:* poemas.
[16] *trobar:* componer; se alude a un libro de arte poética; hubiera sido el primero
de esta materia en lengua castellana.

Et ruego a todos los que leyeren qual quier de los libros que yo fiz que si fallaren alguna razón mal dicha, que non pongan a mí la culpa fasta que bean este volumen que yo mesmo concerté;[17] et desque[18] lo vieren, lo que fallaren que es ý menguado,[19] non pongan la culpa a la mi entención, ca Dios sabe buena la ove, mas pónganla a la mengua[20] del mi entendimiento, que erró en dos cosas: la una, en el yerro que ý fallaren, et la otra, porque fue atrevido a me entremeter en fablar en tales materias entendiendo la mengua del mio entendimiento et sabiendo tan poco de las scripturas commo aquel que, yo juro a Dios verdat, que non sabría oy governar un proberbio de terçera persona.[21]

> Don Juan Manuel: *Prólogo general*, en *Obras completas*, I, ed. cit., pp. 27-33; texto en pp. 32-33.

1.5.　　*Don Juan Manuel era un autor apegado a la realidad. Con su obra intenta comprender y hacer comprensible el mundo que le rodea. La mejor manera de lograrlo es convertir su propia experiencia personal en material literario. Él es ejemplo de vida y de costumbres.*

Et porque yo, don Iohan, fijo del infante don Manuel, adelantado mayor de la frontera et del Bega e de Murçia, querría quanto pudiese ayudar a mí et a otros a saber lo más que yo pudiese, teniendo que el saber es la cosa por que omne más debía fazer, por ende asmé[1] de conponer este tractado que tracta de cosas que yo mismo prové en mí mismo et en mi fazienda et bi que conteçió[2] a otros, et de las que fiz et vi fazer et me fallé dellas bien et yo et los otros. Et en diziendo de las que me fallé bien, se entiende que si de algunas fiz en contrario, que me fallé dellas mal. Et si los que este libro leyeren non lo fallaren por buena obra, ruégoles yo que non se maravillen dello, nin me maltrayan,[3] ca yo non lo fiz si non para los que non fuesen de mejor entendimiento que yo. Et

---

[17] *concerté:* revisé.
[18] *desque:* después de que.
[19] *lo que fallaren que es ý menguado:* lo que encontraren que falte ahí.
[20] *mengua:* falta.
[21] *governar un proberbio de terçera persona:* traducir una frase del castellano al latín. Recuérdese que esta declaración es un tópico de falsa modestia.

[1] *asmé:* pensé.
[2] *bi que conteçió:* vi que sucedió.
[3] *maltrayan:* censuren.

si fallaren que ha en él algún aprovechamiento, gradescan lo a Dios et aprovechen se dél; ca Dios sabe que yo non lo fiz sinon a buena entención. Et fiz lo para don Ferrando, mio fijo, que me rogó quel fiziese un libro. Et yo fiz éste para él et para los que non saben más que yo et él, que es agora, quando yo lo començé, de dos annos, por que sepa por este libro quáles son las cosas que yo prové et bi. Et cred por çierto que son cosas probadas et sin ninguna dubda. Et ruégol et mándol que entre las otras sciencias et libros que él aprendiere, que aprenda éste et le estudie bien: ca marabilla será si libro tan pequenno pudiere fallar de que se aproveche tanto. Et porque este libro es de cosas que yo prové, pusi en él las de que me acordé. Et porque las que daquí adelante provaré non sé a qué recudrán, [4] non las pude aquí poner; mas con la merçed de Dios ponerlas he commo las provaré.

> Don Juan Manuel: «Prólogo», en *Libro enfenido*, ob. cit., pp. 147-148.

6. *Este capítulo del* Libro de los Estados *reafirma el único propósito por el que don Juan Manuel escribe: mostrar el camino por el que el hombre —en este caso, el noble— puede lograr salvar su alma según la forma de vida que le ha correspondido. Obsérvese cómo la estructura inicial es idéntica a la del* Libro del Conde Lucanor: *la materia literaria se organizará mediante el método de preguntas-respuestas.*

> *El ii° capítulo fabla en cómmo el sobre dicho don Iohan conpuso este libro en manera de preguntas et de respuestas que fazían entre sí un rey et un infante, su fijo, et un cavallero que crió al infante et un philósofo.*
>
> Por ende, segund el doloroso et triste tienpo en que yo lo fiz, cuydando cómmo podría acertar en lo mejor et más seguro, fiz este libro que vos envío. Et porque los omnes non pueden tan bien entender las cosas por otra manera commo por algunas semejanças, conpús [1] este libro en manera de preguntas et repuestas que fazían entre sí un rey et un infante, su fijo, et un cavallero que crió al infante et un philósofo. Et pus [2] nonbre, al rey, Morabán, et al infante, Johás, et al cavallero, Turín, et al philósofo, Julio.

---

[4] *recudrán:* llegarán.

[1] *conpús:* compuse.
[2] *pus:* puse.

Et porque entiendo que la salvación de las almas á de ser en ley et en estado, por ende convino, et non pude escusar, de fablar alguna cosa en las leys et en los estados. Et porque yo entiendo que segunt la mengua[3] del mio entendimiento et del mio saber, que es grant atrevimiento o mengua de seso de entremeterme yo a fablar en tan altas cosas, por ende, non me atreví yo a publicar[4] este libro fasta que lo vos viésedes.

Don Juan Manuel: *Libro de los Estados*, en *Obras completas*, I, ed. cit., pp. 191-502; texto en p. 208.

1.7.   *Impresionante imagen de las tensiones sociales en el siglo XIV: el rey Sancho IV, que se había rebelado contra su padre Alfonso X, sintiéndose morir llama a su primo don Juan Manuel para confiarle todas las angustias que guardaba su alma.*

Et desque esto ovo dicho, tornó a su razón, et díxome: «Agora, don Iohan,[1] yo vos he a dezir tres razones: lo primero, rogar vos que vos mienbredes[2] et vos dolades[3] de la mi alma; ca, malo mio pecado, en tal guisa passó la mi fazienda, que tengo que la mi alma está en grand vergüença contra Dios. Lo segundo, vos ruego que vos dolades et vos pese de la mi muerte; et devedes lo fazer por muchas razones. La primera, porque perdedes en mí un rey et un sennor, vuestro primo cormano,[4] que vos crió et que vos amava muy verdaderamente, et que non vos finca otro primo cormano en el mundo si non aquel pecador del infante don Iohan,[5] que anda perdido en tierra de moros. La otra es que me vedes morir ante vos et non me podedes acorrer; et bien çierto só que commo quier que[6] vos sodes muy moço, que tan leales fueron vuestro padre et vuestra madre et tan leal seredes vos, que si viésedes venir çient lanças

---

[3] *mengua:* falta.
[4] *publicar:* hacer público, difundir.

[1] *don Iohan:* se refiere a don Juan Manuel.
[2] *mienbredes:* acordéis.
[3] *dolades:* doláis, compadezcáis.
[4] *primo cormano:* primo hermano.
[5] El infante don Juan, hermano menor de Sancho IV, fue uno de los políticos más intrigantes y ambiciosos del siglo XIV. No sólo se alió con los moros en contra del rey niño Fernando IV, sino que pretendió dividir los reinos para aspirar él a la corona de León.
[6] *commo quier que:* aunque.

por me ferir, que vos metredes entre mí et ellas por que feriessen ante
a vos que a mí, et querríades morir ante que yo muriesse. Et agora vedes
que estades vos vivo et sano, et que me matan ante vos, et non me podedes defender nin acorrer. Ca bien cred que esta muerte que yo muero
non es muerte de dolençia, mas es muerte que me dan mios pecados, et
sennaladamente por la maldición que me dieron mios padres[7] por muchos mereçimientos que les yo mereçí. La otra razón por que vos deve
pesar de la mi muerte, es porque yo fío por Dios que vos bivredes mucho et veredes muchos reys en Castiella, mas nunca ý rey avrá que tanto
vos ame et tanto vos reçele et tanto vos tema commo yo.» Et diziendo
esto, tomól una tos tan fuerte, non podiendo echar aquello que arran-
cava de los pechos, que bien otras dos vezes lo tobiemos por muerto. Et
lo uno por cómmo beýemos quál estava, et lo ál, por palabras que me
dizía, bien podedes entender el quebranto et el duelo que teníemos en
los coraçones. «La terçera razón que vos he a dizir et a rogar es que sir-
vades et ayades en acomienda a la reyna donna María,[8] ca so çierto que
lo avrá muy grant mester, et que fallará muchos después de mi muerte
que serán contra ella. Quanto a don Ferrando, mio fijo, nos vos digo
nada, porque só çierto que non faze mester, ca vuestro sennor es et yo
quis que fuésedes su vasallo et só çierto que siempre le seredes leal.»

> Don Juan Manuel: «Razón del rey don Sancho», *Libro de
> las armas*, en *Obras completas*, I, ed. cit., pp. 134-140; texto
> en pp. 136-137.

8. *El Renacimiento español consideró a don Juan Manuel como un clá-
sico por la perfección de su estilo y propiedad de su lengua. Gonzalo
Argote de Molina, humanista y erudito sevillano, hace imprimir en 1575
la colección de cuentos del* Libro del Conde Lucanor, *resaltando la perfecta unión entre el didactismo y la ficción.*

Gonzalo de Argote y de Molina, al curioso Lector.
Estando el año pasado en la Corte de su Magestad, vino a mis manos
este libro del Conde Lucanor, que por ser de Autor tan ilustre me afi-
cioné a leerle, y comencé luego a hallar en él un gusto de la propiedad
y antigüedad de la lengua Castellana que me obligó a comunicarlo a

---

[7] Alfonso X desheredó a Sancho IV antes de morir.

[8] María de Molina, a la muerte de Sancho IV (1294), ejerció una habilísima labor diplomática y política por la que logró mantener unidos los reinos para su
hijo Fernando IV y después para su nieto Alfonso XI.

los ingenios curiosos y aficionados a las cosas de su nación, porque juzgava ser cosa indigna que un Príncipe tan discreto y Cortesano, y de la mejor lengua de aquel tiempo, anduviesse en tan pocas manos [...]; en este libro no solamente se hallará lengua, mas juntamente con esto dotrina de obras y de buenas costumbres, y muy cuerdos consejos con que cada uno se puede governar según su estado; porque el Autor en esta diversidad de exemplos y historias que aquí trata, se acomodó al menester y provecho de todos, mezclando lo dulce con lo provechoso y dando buen sabor y condimento al rigor de los exemplos con la narración de graciosos cuentos y casos notables, entre los quales algunos nos podrán servir de noticia de algunos sucessos famosos de Reyes y Cavalleros Castellanos de que no hallamos memoria en las historias. Y si los libros de Novelas y Fábulas tienen lugar y aceptación pública, los quales tienen un solo intento, que es entretener con apacible y algunas vezes dañoso gusto, más justamente deve ser acetado este libro, pues demás de ser gustoso, tiene (como dicho tengo) tan buena parte de aprovechamiento.

Siguió don Iuan Manuel en esta manera de escrivir este exemplario, o libro de buenos consejos, a la dotrina de la antigua Filosofía, cuyos professores, debaxo de graciosos cuentos y fábulas, enseñavan a los hombres el acertamiento y buen orden de vivir, como vemos que haze Sócrates en Platón algunas vezes.

> *El Conde Lucanor,* dirigido por Gonçalo de Argote y de Molina al muy ilustre señor Don Pedro Manuel, Sevilla, Hernando Díaz, 1575. (Hay reimpresión facsímil con prólogo de Enrique Millares, Barcelona, Puvill, 1978.)

1.9. *El siglo XVII también supo apreciar a don Juan Manuel. Baltasar Gracián destacó su moralidad (contraste con la época del Barroco en que todos los valores humanos y sociales estaban en decadencia) y el poder de inventiva del autor (recuérdese también que el Barroco fue un período de exacerbada individualidad en la autoría).*

Por esta misma sutileza se fingen algunas historias o cuentos donosos, para sacar dellos alguna ejemplar moralidad. Fue eminente en estas históricas ficciones el sabio y prudente príncipe Don Manuel en su libro de *El Conde Lucanor,* siempre agradable, aunque siete veces se lea. [...]

Prodigiosa es la fecundidad de la inventiva, pues halla uno y otro modo de ficción para exprimir su pensamiento. Por cuentos y por chis-

tes, han intentado algunos sabios el introducir la moral filosofía y comunicar sus desengaños a la razón; es de gran artificio, porque con la
añagaza de la dulzura de la narración, se va entrando la sagacidad y la
enseñanza prudente. Fue único en este género el príncipe Don Manuel,
en su nunca debidamente alabado libro de *El conde Lucanor*, entreteji-
do de varias historias, cuentos, ejemplos, chistes y fábulas, que entrete-
nidamente enseñan.

> Baltasar Gracián: *Agudeza y arte de ingenio*, ed. de Evaristo
> Correa Calderón, Madrid, Castalia, 1969, t. II, pp. 77 y 210.

10. *El siglo XVIII se siente, a su vez, atraído por la propiedad y equili-*
brio del estilo con que don Juan Manuel consigue comunicar útiles con-
sejos para el gobierno de la vida y las acciones de los hombres. Antonio
de Capmany resume tres cuentos y siete párrafos doctrinales, delante de
los que coloca los siguientes juicios.

A principios de este siglo [el siglo XIV] floreció el célebre Don Juan
Manuel, hijo del Infante D. Manuel y nieto del Santo Rey D. Fernando.
Dexó esclarecido nombre en la memoria de la posteridad por sus hechos
de valor y gobierno en los reynados de D. Fernando IV y D. Alonso XI,
teniendo que combatir no menos con los enemigos de la patria y de la
fe que con los de su alto estado y fortuna. Y lo que es más raro y ad-
mirable en aquellos tiempos, supo templar el áspero exercicio de las armas con el dulce cultivo de las letras [...].
Esta obrita con el título *del Conde Lucanor*, donde el autor, debaxo
de una graciosa fábula moral, enseña a los hombres el acierto y buen
orden de vivir con muy cuerdos consejos y exemplos de obras y costumbres, es la que nos proponemos por muestra del lenguage más culto y
puro de aquel tiempo (corriendo los años de 1327). Ciertamente no pueden dexar de aficionar a su lectura la propiedad y ancianidad de su lo-
cución: además que el autor mezcla felizmente lo dulce con lo provechoso, suavizando la rigidez de la doctrina con la narración de graciosos
cuentos y casos notables.

> Antonio de Capmany y Monpalau: *Teatro histórico-crítico de
> la eloqüencia española*, Madrid, Sancha, 1786-1794, t. I,
> pp. 33-34.

2. La crítica ante el *Libro del Conde Lucanor*

2.1. *La investigadora argentina María Rosa Lida de Malkiel ha mostrado a la perfección las conexiones entre don Juan Manuel y la orden de los dominicos, y cómo éstas llegan a influir en su visión del mundo y en el sentido de su obra.*

La adhesión a los dominicos es, en efecto, una de las notas destacadas de la vida de don Juan Manuel. Sabido es que fundó el convento dominico de Peñafiel, al que confió su sepultura y el precioso manuscrito de sus obras completas. Prior del convento era fray Ramón Masquefa, y a él le encomendó el levantisco infanzón delicadas misiones diplomáticas y le dedicó el *Tractado en que se prueba por razón que Sancta María está en cuerpo et en alma en paraýso.* Dominico era el fray Juan Alfonso a cuyo ruego don Juan Manuel agrega un último capítulo al *Libro infinido* y escribe el *Libro de las armas.* El *Libro de los estados,* sin duda la expresión capital del pensamiento si no del arte de don Juan Manuel, acaba con solemne plegaria a la orden de los predicadores para que velen por la edificación, la moral y la devoción de España [...]

Muy elocuente es que entre las excelencias de los dominicos anote don Juan Manuel [...] la de que «han mayor afazimiento[1] con las gentes». Es difícil que ese característico popularismo dominico no haya pesado en su vocación de escritor de moral, política y religión en romance. Consta, por lo menos, que justifica muchas veces sus escritos adoptando esa misma postura humilde de instructor vulgar, más lleno de buena intención que de sabiduría [...].

Si don Juan Manuel defiende su enseñanza en lengua vulgar arrimándose a la práctica de la prestigiosa orden, es altamente presumible que también recurriese a ella para la materia de sus ilustraciones amenas, que aquélla había almacenado en tanto voluminoso repositorio[2] [...]

Descontada la deuda de los materiales del *Conde Lucanor,* pueden apuntarse otras, no menos valiosas. Al ideario dominico se remonta buena parte del pensamiento social y religioso de don Juan Manuel. En efecto: la Inquisición, dirigida por los dominicos, imputaba a las herejías el propender a la disolución de la sociedad. La imputación parece tan infundada como la que en igual sentido se dirigió a los primeros cris-

---

[1] *afazimiento:* intimidad, confianza.
[2] *repositorio:* almacén.

tianos, pero la pobreza absoluta que predicaban los *fraticelli*,[3] la renuncia a la propiedad individual en favor de la comunidad evangélica que practicaban valdenses[4] y beguinos,[5] equivalía a una condena implícita del orden social establecido. (A la luz de estas líneas, léanse el Ex. XLII y **57** y **58**.)

> María Rosa Lida de Malkiel: «Tres notas sobre don Juan Manuel» (1950-1951), en *Estudios de literatura española y comparada*, Buenos Aires, EUDEBA, 1966, pp. 92-133; texto en pp. 94-97.

.2.   *Don Juan Manuel es el primer autor castellano que persigue una perfección estilística, a fin de lograr una más efectiva comunicación didáctica. Francisco López Estrada explica las bases de ese estilo.*

Del lenguaje «utilitario» de la obra dirigida por Alfonso X se pasa a la obra artística de Juan Manuel en una transición que supone el uso del castellano como una lengua en la que el autor ya puede lograr una escritura literaria.

Favorece esta situación el hecho de que Juan Manuel declare que hay varias maneras de escribir; así conoce las dos formas básicas: la breve y la de desarrollo amplio, y sabe sus ventajas, pero teme los inconvenientes de cada una de ellas, aunque su preferencia esté por la breve. Su intención es que el libro resulte propio para todos, posea el arte adecuado y que no sea equívoco. Esta conciencia tiene su plena expresión en el curso del *Libro de los Estados;* Julio, el consejero, habla con el Infante, y en el curso de la conversación surge la cuestión de cómo es más con-

---

[3] *fraticelli:* secta religiosa que negaba la obediencia a la Iglesia, proscribía el matrimonio y postulaba el reparto comunitario de los bienes materiales. Propiciadores de un estado de anarquía social, fueron perseguidos por los poderes civiles y religiosos.

[4] *valdenses:* secta herética fundada por un comerciante de Lyon, Pedro Valdo, en el siglo XII. La base de su doctrina fue propagar la pobreza evangélica; negó toda autoridad a los sacerdotes y postuló que cualquier pobre podía administrar los Sacramentos y predicar el Evangelio. Afirmó, por último, que la justicia humana carecía de validez y que no podía exigir la reparación de un daño y ni siquiera castigar con la muerte a los malhechores.

[5] *beguinos* (o begardos): aparecen hacia 1215; enseñaban que el hombre es perfecto por naturaleza y que no tiene que ayunar, ni rezar, ni practicar virtud alguna; el hombre vive en estado de bienaventuranza y puede seguir todos sus deseos e impulsos (véase nota 1 del Ex. XLII).

veniente que se exprese: «... y ahora decidme vuestra voluntad: ¿cómo queréis que os hable en todas estas cosas? Ca [pues] si decís que os responda a cada cosa cumplidamente, he muy gran recelo de dos cosas: la una, que os enojaréis de tan luenga escritura, y la otra, que me tendréis por muy hablador; y si decís que os responda abreviadamente, he recelo que habré a hablar tan oscuro que por aventura será grave de entender». La respuesta del Infante es una difícil solución: lo mejor sería en tal caso «que lo dijeseis *declaradamente,* que fuese en las menos palabras que vos pudieseis». Claridad y concisión son, pues, las normas del estilo recomendadas en la obra por los personajes, y hemos de suponer que el autor participa de la misma opinión; aunque estas normas son muy generales, y en cierto modo neutras, su realización obliga a un esfuerzo por lograr un equilibrio que es la base del criterio estilístico [...].

La conciencia del estilo, en este caso de Juan Manuel, va unida al cuidado de la perduración textual, pues la lengua escrita debe mantener tanto el sentido como la organización interna de la contextura lingüística según decide que sea el autor, sin que nadie ajeno a él pueda tocar la obra, una vez terminada.

> Francisco López Estrada: «La conciencia del estilo en un autor medieval», en *Introducción a la literatura medieval española,* Madrid, Gredos, 1979 (4.ª ed., renovada), pp. 189-192; texto en pp. 191-192.

2.3. *La voluntad de autoría surge como necesidad de justificar una vida. Ian Macpherson ha estudiado los temas centrales de la obra manuelina, relacionándolos con sus inquietudes sociales.*

A mi juicio, *El conde Lucanor* proporciona abundantes pruebas de que ha de considerarse como un intento por parte del autor de justificar razonadamente un modo de vida al que estaba entregado por entero. Don Juan Manuel era noble y guerrero, y al propio tiempo estaba íntimamente relacionado con la orden de santo Domingo; en *El conde Lucanor* hay muchos indicios que apuntan hacia la conclusión de que era muy consciente de la dificultad de conciliar estas dos cosas, y también muy preocupado por conseguir esta conciliación, por lo menos en una medida que él juzgara satisfactoria. Don Juan saca a colación el argumento tomista del amor de sí mismo: un hombre tiene que ser lo que es, lo que Dios ha hecho de él. Si en el mundo ha nacido en el «estado» de noble y de guerrero, su deber para sí mismo, para los que dependen de él, para sus iguales y para Dios, es ser un buen noble y un buen guerrero. *El conde Lucanor* nos ofrece una útil guía para ser todas esas cosas y añade unas historias ilustrativas para dorar la píldora, pero insiste constantemente en que no bastan por sí mismas: la «buena voluntad», «buena entención», «entendimiento y buenas obras» (que en el caso del guerrero Don Juan Manuel interpreta como la cruzada contra los infieles) también son necesarios si hay que servir a Dios al mismo tiempo que al mundo.

Este enfoque subraya la solidez y la coherencia de *El conde Lucanor* como justificación personal y obra didáctica, pero también pone de relieve sus limitaciones. Es difícil considerar el libro, según en su prólogo sugiere el autor que debería hacerse, como dirigido a «gentes que non fuessen muy letrados nin muy sabidores», a no ser que con ello se esté aludiendo a sus iguales; porque don Juan Manuel se interesa solamente por su propio «estado». Las enseñanzas de *El conde Lucanor* están hechas a medida de la nobleza española. El libro les previene contra la mediocridad, la indolencia, la autosatisfacción, la tontería, el engaño de que pueden ser víctimas; se propone enseñarles discreción y criterio, sus deberes para consigo mismos, su patria y su Dios; insta a cada uno de ellos para que sea un «caballero de Dios»: y debido a todo ello la obra es en buena parte un típico producto de su tiempo. Las limitaciones sociales y geográficas de *El conde Lucanor* son grandes: a la postre, nos las habemos con un compendio a la hechura del noble español del siglo XIV. (Relación con Ex. I, III, XXV y L; véanse **8, 11, 37, 38** y **71**.)

Ian Macpherson: «Los cuentos de un gran señor: la doctrina de *El conde Lucanor*» (1970-1971), en *Historia y crítica de la literatura española; t. I: Edad Media*, ed. de Alan Deyermond, Barcelona, Crítica, 1980, pp. 197-201; texto en pp. 200-201.

2.4. *El* Libro del Conde Lucanor *posee una perfecta estructura que reproduce la imagen del mundo que tiene el hombre medieval. Joaquín Gimeno Casalduero ha descrito los significados de los libros que forman la obra.*

El *Conde Lucanor* consta de una colección de ejemplos, de tres de sentencias y de un tratado doctrinal que sirve para terminar la obra. El tenue marco que contiene ejemplos, sentencias y doctrina —el de las preguntas de un príncipe a su consejero— es ya conocido: lo usa el *Calila e Dimna*, por ejemplo. El libro, pues, se divide en tres partes. Se diferencia cada una por el distinto método con que la materia didáctica se

trata. Es decir, la parte primera utiliza ejemplos; la segunda, sentencias;
la tercera, un corpus teórico organizado. Se crea de ese modo un movimiento ascendente gracias a la intensificación de los elementos doctrinales: primero al suprimir lo narrativo, después al presentar una
doctrina que por su objeto es más importante que lo anterior y sin
comparación más elevada. Este movimiento que da forma al conjunto
se acentúa mediante otros interiores que caracterizan a las partes segunda y tercera. De ahí que se divida en tres libros la segunda, y que en cada
uno de los libros aumente la oscuridad de la exposición acentuando la eleva-
ción de la materia. Además, al ir disminuyendo en cada libro el número de sentencias —100-50-30—, el movimiento, apuntándose, se eleva.
La parte tercera se divide, de forma parecida, en tres núcleos; sus
argumentos nos conducen, de una manera escalonada, desde el comienzo,
en donde el problema se plantea, hasta el final, en donde el problema
se resuelve.

Así, pues, al enlazarse los movimientos —el exterior y los interiores—,
pasamos gradualmente de lo narrativo a lo doctrinal, de lo claro a lo
oscuro, de los negocios de esta vida a los negocios celestiales, del suelo
al cielo, como siempre sucede en el Gótico. (Véanse **1**, **5**, **77**, **80** y **81**.)

> Joaquín Gimeno Casalduero: «El *Conde Lucanor:* composi-
> ción y significado» (1975), en *La creación literaria de la Edad
> Media y del Renacimiento*, Madrid, Porrúa Turanzas, 1977,
> pp. 19-34; texto en pp. 19-20.

2.5.   *El «exemplo» es un medio perfecto para transmitir enseñanza, apo-
yándola en una narración entretenida. Germán Orduna presenta el modo
en que don Juan Manuel se vale de esta estructura.*

Don Juan Manuel logró reunir en el *Conde Lucanor* todos los procedimientos que la tradición europea y oriental le ofrecían como recursos didácticos: el diálogo, la narración ejemplar, el proverbio y la
exposición o argumentación. Todos encuentran el lugar adecuado para
insertarse en el marco flexible que brinda el diálogo entre el conde Lucanor y su ayo, mediante el cual se logra la integración de las cinco partes. A la aparente regularidad formal de cada uno de los capítulos del
Libro I, se oponen asimétricamente las cuatro partes restantes, agrupa-
das en tres colecciones paralelas —de extensión decreciente y concentración creciente— y un tratadito final, que parece volver a la exposición
doctrinal del *Libro de los estados*. A los 51 'enxiemplos', se contrapone
artísticamente el relato aislado, que se incluye en la Quinta Parte [...].

Don Juan Manuel ha logrado, mediante la estructura elegida para su libro, reunir los relatos y casos planteados sin necesidad de seguir un orden lógico aparente, ni agruparlos por temas ni por *a b c*,[1] como era corriente en las colecciones de *exemplos* en latín y en vulgar. El ordenamiento del libro no proviene de categorías externas al hecho literario, sino de los principios estéticos que rigen su composición [...].

El tratamiento artístico que don Juan Manuel logra en el relato ejemplar, sólo fue posible cuando el *exemplo* dejó de ser elemento secundario de la doctrina para ser núcleo iluminador y vehículo eficaz de la enseñanza. El filósofo del Ex. xxi enseña al joven rey mediante la interpretación del canto de las dos cornejas. Era necesario el *exemplo* para que el rey mozo entendiera, y por eso Patronio destaca el procedimiento ante el conde: 'catad alguna manera que por exiemplos o por palabras maestradas e falagueras le fagades entender su fazienda' *(Lucanor,* I, xxi). Pero la maestría y calidad del relato ejemplar no debe ocultarnos el verdadero hallazgo artístico de don Juan Manuel. Para nuestro autor, la forma narrativo-didáctica que ha creado y a la que llama 'enxiemplo', está constituida por la totalidad de elementos que tiene por núcleo al relato, desde la fórmula inicial ('Fablava otra vez el conde...') hasta los pareados finales. Son fórmulas y elementos que juegan equilibradamente con el relato central y que sufren variaciones constantes, a pesar de su aparente regularidad y monotonía. (Véanse **1, 5** y **6.**)

Germán Orduna: «El exemplo en la obra literaria de don Juan Manuel», en *Juan Manuel Studies,* ed. Ian Macpherson, Londres, Tamesis Books, 1977, pp. 119-142; texto en pp. 138-139.

6. *La noción de «oscuridad» no se refiere sólo al estilo, sino también al contenido transmitido. Daniel Devoto indica la relación entre los dos términos.*

La *Segunda parte* del *Libro* se abre por un «Razonamiento» que Don Juan Manuel dirige a su amigo Don Jaime de Jérica. Declara haber «acabado» su libro (indicación tectónica importante), escrito «en la manera que entendí que sería más ligero de entender», ya que él no es «muy letrado», y escribe para los que tampoco lo son. Pero su amigo Don Jaime le dijo:

---

[1] Agrupar «exemplos» por *a b c* significaba ordenarlos alfabéticamente, a fin de que los predicadores pudieran encontrar con rapidez los relatos que insertaban en sus sermones.

> ... *que quería que los mis libros fablasen más oscuro, et me*
> *rogó que si algund libro feziesse, que non fuesse tan declarado.*
> *E só çierto que esto me dixo porque él es tan sotil et tan de buen*
> *entendimiento, et tiene por mengua de sabiduría fablar en las co-*
> *sas muy llana y declaradamente.*

La materia de esta segunda parte —salvación de las almas, provecho de los cuerpos, mantenimiento de las honras y los estados: no difiere de la anterior— no es tan sutil como la teología o la metafísica, y el autor se considera autorizado a tratar de ella. Pasa, pues, la palabra a Patronio, que anuncia al Conde («porque sé que lo queredes») que tratará «essa misma manera ['el mismo género' que en la parte anterior], mas non por essa manera ['de ese mismo modo']», y enfila un centenar de «enxiemplos» ['máximas'] más oscuros y menos declarados que los «enxiemplos» ['capítulos'] precedentes.

De dos maneras cabe, pues, considerar esta manera nueva: en su aplicación, y en su razón (razón que va, naturalmente, más allá del pretexto ofrecido: si Don Juan Manuel no hubiese tenido gana de emplearla, todos los ruegos de Don Jaime hubieran sido inútiles, artísticamente por lo menos). A lo largo de la historia literaria renace periódicamente la necesidad de escribir oscuro: baste con citar a Licofrón,[1] el *trobar clous*[2] de los provenzales, los intentos similares del Renacimiento, Góngora y los suyos, Mallarmé[3] y su descendencia, buena parte de nuestra literatura contemporánea [...].

La intención del príncipe, como vemos, si se manifiesta por un procedimiento indiscutiblemente estilístico, artístico, no es puramente estética, sino moral. Se vale de un determinado procedimiento para comunicarnos su experiencia y saber, pero tal procedimiento responde a algo

---

[1] *Licofrón:* poeta y gramático griego. Vivió en el 275 a. de J.C. en Alejandría; sólo se conserva su poema *Alexandra* sobre las profecías de Casandra desde el destino de Troya hasta Alejandro Magno; cargado de erudición y de oscuro lenguaje, fue muy difícil de desentrañar su significado.

[2] *trobar clous:* forma oscura e impenetrable de componer de algunos trovadores que buscaban con ello un alejamiento de la norma social. Sólo los iniciados más sutiles en este arte podían restablecer los lazos ficticios del texto con la realidad exterior a él.

[3] *Mallarmé:* poeta simbolista francés (1842-1898). De escritura hermética y oscura, buscaba una poesía que, movida por una magia cercana al encantamiento musical, manifestara la Idea, lo esencial, en el sentido platónico de la palabra. El mensaje poético es algo misterioso, reservado sólo a los iniciados.

más que a una simple voluntad decorativa: está impuesto por la materia misma que transmite, por el precio de lo que nos dice, y porque se agrega a lo dicho la dificultad vencida («Porque segunt dizen los sabios, quanto ome más trabaja por haber la cosa, más la terná después que la ha»). (Véanse, también, **76, 77** y 79.)

> Daniel Devoto: *Introducción al estudio de Don Juan Manuel y en particular de «El Conde Lucanor»: una bibliografía*, Madrid, Castalia, 1972, pp. 465-468.

.7.   *El estado noble de don Juan Manuel aparece descrito en el* Libro del Conde Lucanor. *El autor busca en la historia demostraciones para sus enseñanzas, pero transforma esos hechos reales en material literario, tal como lo muestra Ayerbe-Chaux.*

La libertad creadora de don Juan Manuel se manifiesta aún más claramente en aquellos ejemplos en que aparecen personajes históricos. En ellos se revela una intención precisa de inventar y de crear algo original y de adjudicarlo, por una u otra razón, a un personaje conocido o de ubicar el cuento en una circunstancia histórica, elevando así personaje y circunstancia al mundo poético de la ficción. Su tío Alfonso el Sabio [...] traía la ficción al marco de la historia. Don Juan Manuel va a tomar el detalle o el personaje histórico y lo va a elevar, en reverso, al mundo poético de la ficción. Si la obra de su tío tiene más de compilación y adaptación, la suya se levanta al nivel de la creación; una creación consciente de la novedad que trae consigo y de los desconocidos rumbos artísticos a que está abriendo camino. Digo que es consciente porque es algo sistemático que claramente revela en el escritor un propósito y una intención.

La novedad se expresa, sobre todo, en un aspecto hasta ahora ignorado por los críticos: el aspecto del humor, refiriendo situaciones a determinados personajes que por su realidad histórica inseparable en la mente del lector van a crear un contrapunto, ya gracioso, ya irónico, con la anécdota tradicional que les atribuye don Juan Manuel. En otro grupo de ejemplos se verá su originalidad al leer puras anécdotas narradas con todos los caracteres de casos históricos. Son anécdotas seudohistóricas, verdadero ilusionismo sutil en el cual el escritor despliega un gran poder creador. Lo maravilloso es que así da la sensación de todo un mundo novelesco de caballeros y de héroes que en sus ejemplos van viviendo y quedan allí para siempre con la vida potente de los retratos hechos por los grandes pintores. Otras veces va a dar la sensación histórica más que en la anécdota, en el color local, en el amontonamiento de usos y costumbres, en la combinación de dos personajes: uno histórico y otro puramente imaginario. Sus recursos creadores son ricos y variados. (Relación con Ex. III, IX, XVIII, XXXIII, XLI, XLIV; véanse 14, 16, 25, 50 y 62.)

Reinaldo Ayerbe-Chaux: *«El Conde Lucanor»: materia tradicional y originalidad creadora*, Madrid, Porrúa Turanzas, 1975, pp. 71-72.

Orientaciones para el estudio del *Libro del Conde Lucanor*

I. Estructura del «Libro del Conde Lucanor»

Ya ha quedado analizada la perfecta integración de los cinco libros en que don Juan Manuel divide el conjunto de la obra: estructura que permite el ascenso del hombre hacia Dios y que facilita los medios para que el individuo cumpla los deberes de su *estado* (Libro I), adquiera los conocimientos del saber humano (Libros II, III y IV) y observe la armonía de la creación divina (Libro V).

La unidad de las cinco partes queda asegurada por la presencia continua de los dos personajes centrales, Patronio y el conde Lucanor; de ellos surgen las distintas acciones que configuran cada uno de esos cinco libros.

Hay, por tanto, una estructura dialógica en la base de la obra entera. Don Juan Manuel proyecta, así, dos mundos que se van enfrentando constantemente: el del saber, simbolizado en Patronio, y el de la realidad, representado en el conde Lucanor. Es éste un esquema que permite al lector (u oidor) de la obra introducirse en la figura de los dos personajes y observar la vida social de la Castilla del siglo XIV en su totalidad: partiendo del plano humano, el hombre asciende a su comprensión religiosa.

Este procedimiento de acercarse a la realidad a través de un marco de diálogo había sido ya empleado en otras obras medievales; así comienza el cap. VI del *Calila e Dimna* (¿1251?):

(A) Dixo el rey al filósofo: —Ya entendí este enxenplo. Dame agora enxenplo del omne que se engaña en el enemigo que le muestra lealtad et amor.

(B) Dixo el filósofo al rey: —El omne que es engañado por su enemigo, maguer que le muestre grand omildat et grand amor et lealtad, si se segura en él, contesçerle á lo que contesçió a los búhos et a los cuervos.

(C) Dixo el rey: —¿Et cómmo fue eso?

Hay que destacar que la estructura es muy similar a la del *Libro del Conde Lucanor:* en (A) se muestra el interior de la figura noble conectada con la realidad; (B) corresponde a la categoría del saber, que se proyecta en una introducción al cuento, y (C) abre ya el marco narrativo del cuento.

El Ex. XIX de esta antología desarrolla el mismo tema de los cuervos y los búhos, ya apuntado en la anterior cita del *Calila.* Compárese el comienzo de los dos cuentos, atendiendo a las siguientes cuestiones: *a)* conexión de los personajes con la realidad; *b)* exposición del problema; *c)* unión entre los dos personajes; *d)* introducción a la materia del cuento; *e)* según **28,** ¿dónde se utiliza mejor el sentido de las fábulas?

II. Tratamiento de los personajes

Se ha señalado ya cómo don Juan Manuel no inventa nada; él utiliza el material narrativo existente en las colecciones de *exempla* de predicadores y en las obras doctrinales de origen árabe.

Si no necesita crear argumentos, sí en cambio es exigencia de su misión de autor transformar y cambiar todo ese fondo tradicional (muchas veces esquemático) hasta lograr conferirle una nueva dimensión artística; para ello crea estructuras narrativas, simetrías de composición, unidades de intriga, desenlaces imprevistos y, sobre todo, personajes dotados con una vida interior, de la que surgen acciones y reacciones que mueven el entramado argumental.

Son tres las funciones desarrolladas por la categoría del personaje:

a) plano estructurador: corresponde al conde Lucanor y a Patronio, quienes unifican los cinco libros de la obra y generan el marco de cada cuento;

b) eje compositivo: el personaje sirve para dotar al cuento de una realización artística; de su diseño dependen las simetrías temáticas y argumentales;

c) unidad de intriga: el personaje es un núcleo de información, formado por hechos, circunstancias y realidades que en su interior se ven aceleradas o desviadas hacia nuevas posibilidades narrativas.

2.1. *El personaje como plano estructurador*

Al final del Prólogo del Libro I, don Juan Manuel presenta a los dos personajes que van a construir toda la acción:

> de aquí adelante començaré la manera del libro, en manera de un grand señor que fablava con un su consegero. Et dizían al señor, conde Lucanor, et al consegero, Patronio.

Descubre el autor la característica fundamental de estos dos seres, que servirá de clave para comprender todas sus actuaciones.

A Patronio se le denomina como «consegero»; la importancia social de estos personajes en la Edad Media fue considerable; de ellos dependía desde la educación de los «moços» (Ex. XXI) a las decisiones de gobierno (Ex. I y XXV); numerosas son las obras en que se definen las condiciones que han de reunir los buenos consejeros y se advierte sobre los peligros de los malos; así, en el *Libro del Caballero Zifar,* éste, después de indicar a sus hijos que no confíen en nadie, les dice:

> E commoquier que algunos devedes demandar consejo, prime-
> ramente lo devedes aver con aquel que ovierdes provado por ver-
> dadero amigo [...]. Otrosí, demandaredes consejo a los que so-
> pierdes que son entendidos e sabidos, ca el buen pensamiento
> bueno es del sabio, e el buen consejo mayor defensión es que las
> armas.

Según esta cita, interprétense las funciones de los consejeros del Ex. I. ¿En torno a qué personaje giran?, ¿qué características definen a cada uno? Téngase en cuenta **10**.

Antes de Patronio, don Juan Manuel creó otros consejeros: re-
cuérdense la figura del Caballero Anciano en el *Libro del cavallero et del escudero* y el personaje de Julio en el *Libro de los
Estados;* es éste quizá el más cercano al Patronio del *Libro del
Conde Lucanor;* de hecho don Juan Manuel se asocia ficticia-
mente a los dos: así, en el cap. XX del *Libro de los Estados* dice
Julio:

> Yo só natural de una tierra que es muy alongada desta vues-
> tra, et aquella tierra á nonbre Castiella, et seyendo yo ý más
> mançebo que agora, acaesçió que nasçió [...] don Iohan, et luego
> que el ninno nasçió, toméle por criado et en mi guarda. Et des-
> que fue entendiendo alguna cosa, punné yo en le mostrar et le
> acostunbrar lo más et lo mejor que yo pude.

Queda así convertido Julio en símbolo de las ideas de don
Juan Manuel.

Leer ahora el primer párrafo del comienzo de la «Quinta
parte»: en él Patronio se refiere a don Juan Manuel; ¿por qué
lo hace?; ¿se convierte el autor en un personaje de ficción?;
¿qué relación tiene esto con que cada cuento muestre a «don
Iohan» satisfecho por el «exemplo»?

De todos modos, el carácter de Patronio posee más vida y fuerza interior que los otros modelos de consejeros, que se comportan siempre de la misma manera. Tal cambio lo logra don Juan Manuel por medio de las continuas reflexiones desde las que muestra a su personaje: Patronio piensa continuamente, enjuicia los problemas que se le exponen y adopta una actitud siempre distinta hacia ellos; son estas indicaciones personales de Patronio las que van moldeando un carácter de un hombre enérgico, experimentado ante las situaciones de la vida, comprensivo la mayor parte de las veces y humano en bastantes otras; recuérdese, por ejemplo, cómo en el comienzo de la Tercera parte, Patronio se cansa ya de referir «enxienplos»:

> Et pues en el uno et en el otro ay tantos enxienplos, ¿que tengo que devedes tener por assaz, paresçe que faríedes mesura si me dexásedes folgar daquí adelante.

Compárese esta declaración con el final del Ex. L: ¿qué rasgo de la personalidad de Patronio queda al descubierto?; ¿qué efecto consigue don Juan Manuel creando un personaje rebelde en apariencia?

Patronio posee, por tanto, una personalidad muy fuerte; prueba de ello son las ocasiones en que se enfada con el conde Lucanor porque éste se deja engañar:

> —Señor conde Lucanor —dixo Patronio—, lo primero vos digo que este omne non vino a vos sinon por vos engañar (Ex. XIX).

O bien se puede alegrar por la pregunta que le plantean:

> —Señor conde Lucanor —dixo Patronio—, mucho me plaze desto que dezides (Ex. XLVI).

Hay que tener en cuenta que con estas dos opiniones, Patronio incide en la importancia del caso que va a resolver, lo que supone también una intensificación que aumenta el interés por el cuento.

Analícense, leyendo antes **33, 52** y **74,** las intervenciones de Patronio en los Ex. XXI, XXXIII y L: ¿qué importancia tienen para el planteamiento y desarrollo del tema?; ¿cómo se considera a sí mismo Patronio?

La función primordial de Patronio es estructurar la narración, uniendo los dos bloques de que se compone el «exemplo»: es su sabiduría la que hilvanará la cuestión planteada por el conde Lucanor con el relato que él propone como semejanza; y, por supuesto, a él le cumplirá extraer la enseñanza (o aplicación) de ese cuento. Hay que pensar en la enorme complejidad que esto representa: el interior de Patronio se configura fundiendo el didactismo con la materia narrativa. Por este motivo, él puede, por ejemplo, organizar la línea del argumento: así, si el conde Lucanor le expone dos problemas, él responde:

> esto que vos dezides non es una cosa, ante son dos, et muy revessadas la una de la otra. Et para que vos podades en esto obrar commo vos cunple, plazerme ýa que sopiéssedes dos cosas que acaesçieron [es decir, que contará dos cuentos] (Ex. XLIII).

O también puede adelantar desenlaces (véase **61**).

Patronio aparece dotado de «entendimiento» y de «seso», dos cualidades que le definen interiormente y que le presentan como «omne» capaz de resolver cualquier cuestión. La posesión de las dos virtudes dibuja al hombre perfecto: el «entendimiento» surge de la experiencia práctica de la vida y el «seso» equivale a cordura, es un don casi divino, como indica el conde Lucanor:

> Et por el buen seso que Dios vos dio, ruégovos que me conseiedes lo que vos paresçe que devo fazer en esto (Ex. XLIV).

Inténtense diferenciar estas dos características en los comienzos de los Ex. III, XV, XIX, XXIV, XLIV y L: ¿hay alguna diferencia en los problemas planteados?; ¿qué relación hay entre los cuentos y estas cualidades? (Véase Documento 1.5.)

Si de Patronio dependen los cuentos y las enseñanzas derivadas de ellos, al conde Lucanor le corresponde la tarea de representar, en su vida y en sus actos, toda la realidad social del noble del siglo XIV. Don Juan Manuel le define como «grand señor» y, si bien es cierto que el conde Lucanor no es identificable, sin más, con su autor, también es verdad que gran parte de los problemas expuestos debieron de haberle afectado al propio don Juan Manuel. Lo que sí puede asegurarse es que los conflictos ficticios de los «exemplos» fueron preocupaciones reales a las que don Juan Manuel debió enfrentarse a lo largo de su vida, en el empeño suyo de mantener la «fazienda» y el «estado». Como prueba de la participación del autor en su obra, hay que recordar que aparece al final de cada «exemplo», como observador y enjuiciador de los cuentos que está escribiendo.

La vida del conde Lucanor no se presenta de una manera unitaria y progresiva; hay, de todos modos, una gradación entre los cinco libros, porque a partir de la «Segunda parte» al conde Lucanor ya no le preocupan los problemas humanos, sino sólo lo que tiene que ver con el aprendizaje interno, es decir con los distintos modos del saber humano.

Si los «exemplos» contados sirven para guardar la «onra», mantener el «estado» y conservar la «fazienda», los problemas que aquejan al conde Lucanor se agruparán en esas tres categorías, aunque son más abundantes los que conciernen al modo de salvar el alma, viviendo conforme al *estado* al que se pertenece (Ex. III, XIV, XXI, XXV, XLVIII, etc.). Hay, por otra parte, cuestiones relacionadas con la vida social de la Castilla del siglo XIV y que debieron de haber sido protagonizadas por don Juan Manuel: son asuntos relativos al gran señor feudal que debe vigilar su «fazienda» enfrentándose tanto a los reyes como a otros nobles (Ex. I, XV, XXXIII, XLI, XLIV, etc.). También hay casos en que se analiza la «onra» del individuo: bien porque se vea amenazada por otros nobles (Ex. XVIII), bien porque haya que adoptar una decisión de la que dependa el buen gobierno de la «fazienda» (Ex. XXXII, XLV, XLVI, etc.).

El desarrollo de la personalidad del conde Lucanor es menos rico en matices y sugerencias que en el caso de Patronio; por tanto, su intervención es más breve, limitándose a canalizar la realidad social de su época. Pese a esto, en algunas ocasiones asoma una psicología profunda que revela, incluso, las preocupaciones religiosas de don Juan Manuel:

> Et lo uno por esto et por otros yerros que yo fiz contra nuestro señor Dios, et otrosí, porque veo que por omne del mundo, nin por ninguna manera, non puedo un día solo ser seguro de la muerte, et só çierto que naturalmente, segund la mi edat, non puedo vevir muy luengamente, et sé que he de yr ante Dios... (Ex. III).

(La rapidez expositiva indica la ansiedad con que el conde Lucanor busca averiguar el modo en que ha de salvar su alma.)

Siguiendo las indicaciones de **37** y **71,** explicar por qué en los Ex. XXV y L la imagen del conde Lucanor es más real y está más cercana a la de su creador. ¿Actúa el conde Lucanor como «consejero»? Señálense los «exemplos» en que esto ocurra y la diferencia que mantiene con Patronio. (Véase Documento 1.6.)

Resumiendo las ideas aquí planteadas, lo más importante que debe ser recordado es la dimensión estructuradora con que se presenta a Patronio y al conde Lucanor; el primero es portador de la enseñanza, y el segundo, de la realidad social.

2.2. *El personaje como eje compositivo*

Hay numerosos «exemplos» protagonizados por figuras históricas: pueden ser familiares de don Juan Manuel (Ex. IX y XXXIII), héroes épicos (Ex. XXVII), nobles castellanos (Ex. XLIV) o reyes extranjeros (Ex. III y XXV). Con esta abundancia de personajes históricos, don Juan Manuel pretende generar una impresión de verosimilitud para que parezca real y creíble lo que se está contando y pueda aprovecharse de una mejor manera la enseñanza del «exemplo».

Don Juan Manuel aprovecha el recuerdo o la fama de los personajes históricos para desarrollar en torno a ellos una estructura narrativa compleja y cuidada; ello le permite construir un cuento más atractivo y, por tanto, más cercano a los lectores.

El hecho de que el personaje haya existido realmente no significa que el argumento sea también histórico; todo lo contrario: la narración será siempre ficticia e inventada, aunque en alguna ocasión parezca partirse de una anécdota histórica (véanse **16** y Documento 2.7).

La principal función de estos personajes es delimitar una estructura narrativa ordenada y perfecta, para que el tratamiento argumental se distribuya según la importancia de los hechos que se vayan contando; así, son frecuentes los cuentos protagonizados por tres personajes, en los que la acción se desarrollará según ese triple punto de vista: véanse **23**, **36** y **45**. Hay que tener en cuenta que, en estos casos, don Juan Manuel combina con mucha habilidad los mundos interiores de esos tres individuos y con ellos crea expectativas, intrigas que aumentan el interés por el relato.

En el Ex. XLIV, son tres los caballeros que acompañan a don Pero Núñez; utilizando **62** y **63**, ¿cuántas líneas de acción hay en el «exemplo»?; ¿qué conexión muestran entre sí?; ¿tienen algo que ver con el tema planteado?

El personaje actúa también como eje compositivo por medio del diálogo; así, en el Ex. IV, el genovés, por medio de su intervención, concluye la historia que de él se cuenta, presentando de este modo la conclusión; y en el Ex. XXVII, al final, son las palabras de Álvar Háñez y de doña Vascuñana las que van diferenciando las unidades argumentales (véase **46**).

En el Ex. XXXV es donde mejor se aprecia esta integración entre diálogo y estructuración del relato; usando **53**, inténtese reproducir el esquema del desarrollo argumental del cuento. ¿Qué diferencia hay entre las intervenciones de la «mujer brava» y del suegro, con las que se cierra el «exemplo»?

Hay que destacar, por último, que el desarrollo temporal y espacial del cuento depende también de la manera en que se comportan estos personajes.

¿Cuántos marcos ambientales hay en el Ex. XLIV?; ¿se desarrolla en cada uno de ellos una acción?; ¿quién determina esa acción: los personajes o el autor?

2.3. *El personaje como unidad de intriga*

Los Ex. IV y XXXV, citados en el epígrafe anterior, demuestran que no son sólo los personajes de significación histórica los que actúan como ejes compositivos de la narración; de todos modos, sí puede indicarse que son los más numerosos, igual que también puede establecerse que los personajes ficticios son los que funcionan como unidades de intriga, es decir, que don Juan Manuel no pretende con ellos presentar una imagen idéntica a la de la realidad histórica; sólo busca construir un argumento lo más atrayente posible, basado en un núcleo de interés o de intriga central.

Quede claro que hay personajes que pueden actuar a la vez como ejes compositivos y como unidades de intriga; en el ya citado Ex. XXXV, las intervenciones dialógicas del «mançebo» distribuían las unidades argumentales, al mismo tiempo que conducían todo el desarrollo del relato hasta la pregunta clave («—Levantadvos et datme agua a las manos»), que en sí supone el momento de mayor intensidad en la narración.

En el Ex. XXIX es donde mejor se aprecia esta voluntad por construir una intriga basada en el movimiento interno del personaje (véase **47**): la figura del zorro aumenta en complejidad a medida que se va produciendo su mutilación.

Usando **17**, explicar por qué en el Ex. XI aparecen tan contrapuestas desde el principio las figuras del deán de Santiago y de don Yllán; ¿tiene algo que ver con la estructura del cuento?; ¿funcionan también como ejes compositivos estos personajes?; ¿cuál es la intriga creada?

III. Técnicas narrativas

Si los personajes consiguen moverse por los cuentos con esa increíble capacidad de representación de la realidad, es debido al hábil manejo de una serie de recursos formales que definen a don Juan Manuel como el más prodigioso inventor de técnicas narrativas del siglo XIV.

Es cierto que cuando don Juan Manuel compone el *Libro del Conde Lucanor* se han escrito ya obras muy perfectas (así, el *Libro del Caballero Zifar* posee una de las más prodigiosas estructuras argumentales de la Edad Media), pero la variedad y riqueza del libro de don Juan Manuel le hacen inimitable en este sentido. Baste con pensar que cada cuento muestra un distinto esquema de realización formal, lo que supone que don Juan Manuel inventa cincuenta y una maneras diversas de observar la realidad y de describirla, convirtiéndola en material literario.

El mayor número de innovaciones técnicas se localizan en el *Núcleo* del «exemplo», es decir, en el cuento que don Juan Manuel transforma como medio de comunicar una determinada lección o enseñanza (téngase presente que todos los términos teóricos que aparezcan subrayados —*Núcleo, Desenlace, Presentación, Desarrollo,* etc.— provienen del esquema de la pág. 42).

Si los *Núcleos* son distintos, ¿por qué don Juan Manuel mantiene en los cincuenta y un «exemplos» el mismo marco de presentación? (Véanse **7** y Documento 2.4.)

3.1. *Núcleos con un relato*

En principio son los cuentos más sencillos; pertenece a este conjunto el material procedente o de las fábulas (Ex. XIII y XXIX) o de las anécdotas históricas vinculadas a un solo personaje (Ex. IX y XVIII). En general, son relatos con estructuras poco complicadas y con los que se responde a cuestiones relacionadas con la vida social (podría afirmarse a este respecto que a mayor importancia en la pregunta del conde Lucanor corresponde una mayor complejidad narrativa en el relato que refiere Patronio).

La breve extensión de estos cuentos no implica merma artística en la realización de los mismos; por el contrario, poseen características que en relatos más amplios no pueden apreciarse en toda su dimensión estética:

a) Técnica del *suspense:* varias acciones narrativas se entremezclan impidiendo que el desenlace se produzca; el interés aumenta si se consigue hilvanar en el argumento esas líneas de acción.

Partiendo de **9**, aplíquense estas indicaciones al Ex. I: ¿cuántas acciones se plantean en torno al primer problema?; ¿por qué se retrasa el desenlace?

b) Aceleración de la acción narrativa, mediante cambios de estilo; así, en el Ex. XIII, se plantea una *Presentación* muy rápida consistente en enumerar los elementos argumentales: las perdices caen en la red, el hombre las mata y el viento fuerte le hace llorar; el *Desarrollo* se construye mediante un cambio al estilo directo, que recoge la tensión argumental anterior.

Usando **20** y continuando en el mismo «exemplo», ¿qué función narrativa cumple el *Desenlace?*; ¿por qué a la otra perdiz se la califica de «más sabidora»?; ¿qué intención tiene el diálogo con el que se cierra el relato?

c) Complejidad literaria en el estilo lingüístico (debe recordarse que en una obra literaria a menor extensión corresponde mayor concentración expresiva).

Basándose en **22**, dígase qué relación guardan esas metáforas discursivas con el *Desenlace* del Ex. XIV.

d) El personaje carece de profundidad psicológica al no haber acciones narrativas lo suficientemente amplias como para desarrollar su carácter. Pero, en cambio, ese personaje gana en importancia argumental, porque toda la intriga girará en torno a él para conseguir esa aceleración narrativa ya apuntada.

Según **26,** explíquese la relación entre la caracterización de don Pero Meléndez y el *Desenlace* final.

3.2. *Núcleos con dos o más relatos*

El número de «exemplos» con estructura compleja aumenta a partir del Ex. XXV, situado en la mitad del libro. Esto puede significar dos cosas: 1) don Juan Manuel perfecciona su técnica narrativa, y 2) los problemas planteados por el conde Lucanor van aumentando en dificultad, por lo que requieren un desarrollo más amplio. Este segundo punto de vista parece más lógico si se tiene en cuenta que en el Ex. XXV se exponen las virtudes caballerescas del «omne» y que en los cuentos anteriores se han tratado causas externas al individuo, mientras que en el Ex. L se explicará cuál es la principal virtud que el «omne» debe poseer en su interior y, para ello, los «exemplos» previos habían abordado difíciles temas morales.

Artísticamente, se puede calificar como *díptico narrativo* al *Núcleo* cuya estructura consta de dos cuentos, mientras que si posee tres podrá hablarse de *tríptico narrativo*.

1) Estructuras duales: por lo general, en estos dípticos se busca enfrentar dos puntos de vista representados por dos personajes que han sido mostrados paralelamente.

En el Ex. III hay dos relatos imbricados; usando **13,** explicar qué significa este concepto y qué tienen que ver las figuras del ermitaño y del rey Ricardo: ¿en qué se enfrentan?

En otras ocasiones, el cuento que se inserta o que se une al primero puede servir para desarrollar alguna línea argumental con la que concluir una determinada acción.

Partiendo de **32,** ¿qué busca don Juan Manuel al concluir la presentación de la figura del monarca desde ese segundo relato?

2) Estructuras ternarias: los trípticos narrativos representan el desarrollo más perfecto creado por don Juan Manuel; hay que tener presente que al contar con tres líneas de acción, el argumento es canalizado desde esas tres perspectivas que gradúan la intensidad del *Desarrollo*. El *Núcleo* del «exemplo» queda así esquematizado (volver a ver el esquema de la pág. 42):

Núcleo [cuento]

1. *Presentación*

2. *Desarrollo*

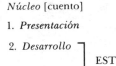

ESTRUCTURA
TERNARIA

a) Planteamiento de dificultades o de obstáculos

b) Explicación de los mismos

c) Momento de mayor intriga

3. *Desenlace*

Esto es lo que sucede en el Ex. **XXIV** (véase **36**): un rey moro debe elegir su sucesor entre tres hijos; esta línea argumental permite ya trazar una estructura ternaria, es decir, tres bloques que desarrollen la acción de cada hijo. El juego de perspectivas puede complicarse: el rey moro prepara cuatro pruebas a fin de conocer las cualidades de los aspirantes; el hijo mayor falla, con el mediano sucede lo mismo y el menor acierta. Esto conduce al siguiente esquema:

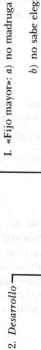

Núcleo [cuento]

1. Presentación (rey moro/tres hijos/debe probarles)

2. Desarrollo

ESTRUCTURA
TERNARIA

I. «Fijo mayor»: a) no madruga

b) no sabe elegir las vestiduras reales

c) desconoce los objetos de montar

d) visita la ciudad sin enterarse de nada

II. «Fijo mediano»: sucede lo mismo

III. «Fijo menor»: a) sí madruga

b) conoce las vestiduras reales

c) sabe disponer los objetos de cabalgar

d) visita la ciudad dándose cuenta de todo

3. Desenlace (el rey moro elige al hijo menor)

Lo importante es la habilidad narrativa con que don Juan Manuel sabe crear expectativas a medida que va organizando el relato: hay una dosificación del interés, que aumenta a medida que se retrasa el *Desenlace*.

Inténtese reproducir esta estructura en el segundo cuento del Ex. XXVII, cuando Álvar Háñez elige mujer (véase **45**).

Quede claro que una *estructura ternaria* debe entenderse de dos modos: *a*) el *Desarrollo* se divide en tres bloques con un único argumento, como ya se ha visto en el Ex. XXIV, y *b*) el *Desarrollo* se divide en tres cuentos, cada uno de los cuales posee un argumento independiente: caso del Ex. XXVII.

3.3. *Simetrías compositivas*

Si don Juan Manuel ordena el argumento con las estructuras narrativas ya estudiadas (dípticos y trípticos), son las simetrías internas dibujadas en esos modelos las que desarrollan las líneas de acción. En el esquema trazado del Ex. XXIV obsérvese cómo los planos I y III, correspondientes al hijo mayor y menor, coinciden perfectamente, y sobre ellos se construye la antítesis que permite ver al hijo menor salir triunfante de las pruebas; el plano II es un eje de simetría, en torno al que giran los dos bloques.

Don Juan Manuel utiliza las simetrías compositivas con dos intenciones:

a) Conseguir una presentación lógica y ordenada de los hechos argumentales; así, don Juan Manuel construye el *Desarrollo* del *Núcleo* o cuento del Ex. XXXIII mediante cuatro unidades simétricas:

	I.	*a)* viene un águila
		b) el halcón huye y el águila se marcha
HALCÓN		*c)* el halcón vuelve a la garza
PASIVO	II.	*a)* vuelve el águila
		b) el halcón huye y el águila se marcha
		c) el halcón vuelve a la garza

EJE DE
SIMETRÍA ⌉   «esto fue assí bien tres o quatro vezes»

	III.	*a)* el halcón ve que no puede matar a la garza
		b) ataca al águila
HALCÓN		*c)* consigue desterrarla y vuelve a la garza
ACTIVO	IV.	*a)* vuelve el águila
		b) el halcón se lanza contra ella, rompiéndole un ala
		c) libre del águila, consigue cazar a la garza

Como se ve, las unidades expuestas en I y II sólo alcanzan su última significación en III y IV; la simetría está tan bien pensada que todo encaja: I.*a* y II.*a* muestran la molestia provocada por el águila, que en III.*a* y IV.*a* es asumida por el halcón; I.*b* y II.*b* presentan la huida del halcón, lo que ya no sucede en III.*b* y IV.*b*; I.*c* y II.*c* enseñan la perseverancia del halcón que culmina en las acciones de III.*c* y IV.*c*.

Lograda esta claridad expositiva, don Juan Manuel puede canalizar el didactismo con mayor facilidad.

Descríbanse las simetrías usadas por don Juan Manuel para graduar el engaño con el que la beguina del Ex. XLII enemista a marido y mujer: véase **58**. ¿Cómo se asocia la claridad de la exposición y el desenlace? (Véase Documento 2.1.)

---

b) La segunda intención de don Juan Manuel es servirse de las simetrías para lograr una más cuidada elaboración artística; este empeño se encamina, de modo fundamental, a dibujar un interior psicologizado en los personajes.

Usando **50,** ¿qué simetrías narrativas plantea don Juan Manuel para organizar las reacciones de los personajes del Ex. XXXIII?

3.4. *Intrigas narrativas*

Cada cuento posee su intriga o momento de máxima tensión argumental, pero el modo de construir esas intrigas siempre es diferente (nuevo dato que demuestra la prodigiosa visión artística con que trabajaba don Juan Manuel).

Se pueden reducir a cuatro las formas de conducir el argumento hasta el punto de mayor interés narrativo:

a) La intriga se forma en el interior del personaje; éste es el procedimiento más eficaz de desarrollar una acción argumental: hay que tener en cuenta que cada personaje posee su propia visión de la realidad, su carácter personal, y que ese personaje puede ocultar pensamientos o acciones (caso del Ex. I) a otro personaje, con lo que la intriga dependerá del modo en que se resuelvan estos problemas.

Partiendo de **17,** explíquese el modo en que don Juan Manuel genera intrigas narrativas cuando presenta al deán de Santiago y a don Yllán (Ex. XI).

b) La intriga puede mostrar externamente al personaje; en este caso no hay caracteres psicológicos, sino figuras sin profundidad interior que demuestran las ideas generales con las que se canaliza la enseñanza.

Usando **26,** indíquese cómo se construye la intriga en el Ex. XVIII; ¿por qué don Pero Meléndez carece de fondo psicológico?

c) Don Juan Manuel puede trazar una estructura narrativa, con el fin de que las unidades ordenadas vayan aumentando la tensión argumental; de este modo, se deseará con mayor expectación el desenlace y se entenderá mejor la enseñanza unida a él.

Basándose en **42**, explicar por qué la estructura ternaria del Ex. XXVII permite disponer la intriga: ¿se engaña al lector en algún momento?; ¿qué relación guarda esa intriga con el desenlace?

---

d) La intriga puede quedar apuntada desde el principio y hacerse la ordenación de la materia argumental desde ella.

¿Por qué en el Ex. XXIX la intriga se crea cuando el raposo se finge muerto?; ¿qué tiene que ver este hecho con la estructura que luego plantea don Juan Manuel?: véase **48**.

3.5. *Diálogos*

Es uno de los planos narrativos más importantes; ya ha quedado apuntado que las cinco partes del *Libro del Conde Lucanor* coinciden porque han sido creadas con el mismo molde estructural: un noble y su consejero dialogan, intercambiando, así, opiniones, juicios y pensamientos distintos (porque los dos personajes también son diferentes) sobre la realidad.

El diálogo es el único modo de poder tener acceso al mundo interior de los personajes y de poder observar la realidad tal como ellos la ven; es así un canal privilegiado que permite que el lector participe de los problemas personales de ese «grand señor» que es el conde Lucanor y que, a su vez, comprenda y analice esos casos desde la visión de Patronio.

En el diálogo se sostiene toda la estructura del libro y, gracias al diálogo, el lector puede conocer los cambios de personalidad causados en el personaje al transmitir y recibir la enseñanza; el esquema sería:

> I. Conde Lucanor [Personalidad A]
> II. Patronio [Personalidad A]
> II. Patronio [Personalidad B]
>
> I. Conde Lucanor [Personalidad B]

Lo que está encuadrado ha sido motivado por el diálogo, que propicia un cambio de caracterización: es decir, el conde Lucanor transmite un conflicto (I.A), acogido por Patronio, quien lo desarrolla «ejemplarmente» (II.A) y muestra la «enseñanza» del mismo (II.B), de la que se aprovecha el noble señor (I.B, estado que se sitúa fuera del marco del relato, porque no afecta al caso). Cada uno de los personajes se ve obligado a actuar en este doble plano (A → B) para manifestar su conciencia dialógica, en la que el lector debe dejarse sentir involucrado.

Con independencia de estas apreciaciones, los diálogos internos del relato pueden funcionar en tres sentidos:

a) Mediante el estilo directo un personaje concluye el relato.

> Usando **16**, explíquese el dramatismo que logra don Juan Manuel en la despedida del alma por el genovés.

b) Patronio como narrador canaliza el diálogo, seleccionando de este modo las unidades informativas en las que va a basar su conclusión.

Según esto, explíquese el valor de las frases pronunciadas por las perdices en el Ex. XIII (véase **21**).

c) El cuento entero se genera por la tensión del diálogo.

¿Qué estructura posibilita el diálogo en los Ex. XXV y L?; con las citas directas, ¿se presenta a los personajes o se desarrolla la acción argumental?

3.6. *Tiempo y espacio: ambientación y seudohistoria*

Don Juan Manuel cuidó mucho las referencias temporales y espaciales de sus cuentos; hay que pensar que él se basaba en colecciones de «exempla» donde los relatos carecían de circunstancias que permitieran una cierta localización, y ello por dos motivos: *a*) esas colecciones reunían materiales esquemáticos que a través de generaciones iban siendo reinterpretados, y *b*) los cuentos en sí buscan comenzar con fórmulas vagas de indeterminación temporal.

Pero don Juan Manuel escribe por otros propósitos: busca en los cuentos afirmaciones y apoyos para su enseñanza, y para que ésta sea más efectiva procura crear marcos, ambientes, datos históricos que permitan al lector aproximarse a la realidad interna del relato. Ese receptor, al convertir en suyas las referencias de la narración, hace también suyas las líneas didácticas transmitidas por el «exemplo».

Es cierto que muy pocos cuentos podrían fecharse, sólo aquellos protagonizados por figuras históricas, como el Ex. III, que gira en torno a Ricardo Corazón de León, o el Ex. XIV, que habla de Santo Domingo, o el Ex. XV, que muestra al rey Fernando III; pero don Juan Manuel no busca ningún rigor histórico al apoyar la estructura de sus cuentos en estos personajes; más bien pretende sugerir una impresión de verosimilitud, que refuerce el material ficticio de que se compone el cuento.

Usando **16**, explíquese en qué consiste la verosimilitud del Ex. IX; ¿por qué don Juan Manuel construye un argumento diferente a la realidad? (Véase Documento 2.3.)

Las referencias temporales son, sobre todo, artísticas: don Juan Manuel las utiliza para realizar los cambios narrativos en el argumento, es decir, para pasar de la *Presentación* al *Desarrollo* o de éste al *Desenlace;* así en el Ex. XXIV, el *Desarrollo* de las pruebas a que son sometidos los hijos comienza cuando el narrador indica: «Et quando vino de ocho o a dies días»; quiere decirse con esto que el tiempo es un punto de observación desde el que se marcan distancias en el interior del argumento.

El Ex. XI es el más complejo en la utilización del «tiempo», ya que existe un tiempo real y otro mágico; partiendo de **17**, procúrese reproducir la estructura del cuento según las determinaciones temporales.

El cuidado es aún más minucioso en las referencias espaciales; pueden ser de dos tipos:

a) Descriptivas: don Juan Manuel ofrece una serie de detalles muy específicos que luego servirán para entender las acciones de los personajes o el desenlace del cuento.

Usando **28**, explicar cómo son caracterizados el deán de Santiago y don Yllán desde el marco externo dibujado por el autor.

b) Ambientales: en el empeño por lograr la aproximación al mundo del lector, don Juan Manuel sabe recrear a la perfección el mundo social y político de la Castilla del siglo XIV; en esta línea es como deben entenderse los espacios árabes diseñados: no hay que creer que todo cuento con ambiente oriental revela una fuente arábiga, más bien hay que pensar que don Juan Manuel, inspirado por el lujo y el prestigio de esa cultura, inventa muchas de estas referencias que no serían nada extrañas a los lectores de su época.

Partiendo de **48**, inténtese describir el marco ambiental sugerido por don Juan Manuel en el Ex. XXXII: ¿tiene algo que ver con el funcionamiento de los personajes? (Véase Documento 2.7.)

IV. Estructura de un «exemplo»

Los tres apartados anteriores han pretendido mostrar las técnicas con que don Juan Manuel conseguía canalizar una materia argumental a través de unos personajes con un propósito estético y didáctico. A esto se le puede denominar «intención de autoría»: es decir, el trabajo consciente que don Juan Manuel desarrolla para construir un cuento de acuerdo con una determinada estructura.

A fin de ejemplificar el tratamiento artístico con que don Juan Manuel elabora los materiales temáticos de los «exemplos», se procederá a continuación a describir el modelo estructural de uno de los cuentos más complejos, el Ex. XLIV, formado por cuatro relatos independientes, hilvanados por estar protagonizados por los mismos personajes. [1]

---

[1] Para la explicación del cuento, doy un resumen del «exemplo» en letra *cursiva*, mientras que en letra normal y entre corchetes señalo características y datos que ayuden a comprender la configuración estructural del relato.

Conviene releer el «exemplo» y **65,** así como tener en cuenta las observaciones del epígrafe de la Introducción «3.2. Estructura narrativa de los *exemplos*» (págs. 38-42).

Exemplo XLIIII.º De lo que contesçió a don Pero Núñez el Leal et a don Roy Gonzales Çavallos et a don Gutier Roýz de Blaguiello con el conde don Rodrigo el Franco.

[El propio título indica que se tratará de un «exemplo» en el que el personaje funcione como eje compositivo —recuérdese 2.2—; son además figuras históricas que van a sostener un argumento ficticio.]

1. INTRODUCCIÓN
1.1. *El narrador presenta a los personajes.*
[Mención del nombre del conde Lucanor y de Patronio, situados en una perspectiva intemporal: «Otra vez fablava...»]
1.2. *Exposición del conde Lucanor.*
[Cuestión relativa a la «fazienda»: uno de los tres elementos de los que depende su salvación.]
a) *Algunos «criados» le han abandonado* [asunto que funde el problema personal del conde Lucanor con la vida social del siglo XIV].
b) *El conde Lucanor está prevenido contra las gentes* [efecto negativo que debe corregirse].
c) *Se encomienda al «buen seso» de Patronio* [lo que da lugar a que intervenga este personaje; alude a una de sus cualidades intelectuales].
1.3. *Intervención de Patronio.*
[No enjuicia el caso, sino que introduce directamente el «exemplo» mencionando a sus protagonistas, lo que genera una fuerte intriga.]
—*Si ellos fueran como estos personajes «et sopieran lo que les contesçió, non fizieran lo que fizieron».*

2. Núcleo

[Estará formado por cuatro relatos, que se denominarán de la siguiente manera: «Relato A» —desarrolla la historia del conde don Rodrigo—, «Relato A-1» —interrumpe la anterior narración para aportar su solución—, «Relato A-2» y «Relato A-3» —yuxta-puestos estos dos últimos al «Relato A», incidiendo en su tema—.]

Relato A

2.1. *Presentación A.*

a) [Fusión de personaje y acción.] *El conde don Rodrigo casó con buena dueña.*

b) [Independencia de la acción.] *Le sacó testimonio falso.*

c) [Intriga.] *La dueña pide la intervención de Dios.*

2.2 *Desarrollo A.*

[Obsérvese la cuidadosa disposición ternaria con la que don Juan Manuel configura artísticamente la realidad argumental. Este desarrollo estará compuesto por tres planos, cada uno de los cuales se subdivide a su vez en otros tres, que por su parte pueden admitir nuevas segmentaciones, según las líneas de acción se vayan encadenando.]

A
- *a) El conde contrae la lepra.*
- *b) La dueña se marcha de su lado* [realidad social].
- *c) Se casa con el rey de Navarra* [solución al primer problema].

B
- *a) El conde leproso parte a Tierra Santa.*
- *b) Sólo le acompañan los tres caballeros mencionados* [aparición del tema de la lealtad, básico en el desarrollo del cuento].
- *c)* [Exposición de la vida que llevan.]
  1. *Llegan a gran pobreza.*
  2. *Dos trabajan; uno cuida al conde.*
  3. *Por la noche le limpiaban las llagas.*
     3.1. *Una vez escupieron.*
     3.2. *El conde pensó que lo hacían por asco de él.*
     3.3. *Beben el agua «llena de podre».*

C $\begin{cases} \text{a) } \textit{El conde muere.} \\ \text{b) } \textit{Ellos no quieren venir sin él.} \\ \text{c) [Búsqueda de remedio.]} \\ \quad \text{1. } \textit{No quieren cocerle.} \\ \quad \text{2. } \textit{Le entierran hasta que se corrompa.} \\ \quad \text{3. } \textit{Traen sus huesos a cuestas.} \end{cases}$

[Puede ahora contemplarse el perfecto diseño con que don Juan Manuel organiza la materia del cuento: los tres niveles *a* están desarrollados por el conde, el *b* remite a los personajes que con él se relacionan y el *c* desarrolla la acción.]

Relato A-1

[Dará la solución al problema de la pobreza de los caballeros; obsérvese la presencia de la materia caballeresca, en donde quedan reflejadas las costumbres de la época.]

2.1. *Presentación A-1*

a) [Visión externa de los personajes.] *Vienen mendigando.*

b) [Visión interna de los personajes.] *Traen testimonio de lo que les ha sucedido.*

c) [Cambio de marco espacial.] *Llegan a Tolosa* [esto posibilita que surja una nueva línea narrativa].

2.2 *Desarrollo A-1*

[De nuevo tres planos, fragmentables en tres. De todos modos, el modelo será ahora distinto, porque don Juan Manuel busca aquí combinar una serie de intrigas.]

A $\begin{cases} \text{[Intriga 1.ª, que permitirá la incorporación a la acción de} \\ \quad \text{don Pero Núñez el Leal.]} \\ \text{a) } \textit{Una dueña va a ser quemada, acusada por su cuñado.} \\ \text{b) } \textit{No tiene quien la salve.} \\ \text{c) [Intervención de don Pero Núñez.]} \\ \quad \text{1. } \textit{Entiende lo que pasa} \text{ [alusión al «entendimiento»].} \\ \quad \text{2. } \textit{Avisa a sus compañeros de que si la dueña no tiene} \\ \quad \quad \textit{culpa...} \\ \quad \text{3. [Intriga 2.ª] } \textit{...él la salvará.} \end{cases}$

B

[Plano en el que la lealtad del caballero se pondrá a prueba]

a) *Pregunta a la dueña la verdad.*
b) *Ella dice que no hizo nada, pero que sí tenía voluntad de hacerlo.*
c) [Reacción del personaje.]

1. *Entiende que algún mal le va a suceder* [nueva y paralela referencia al «entendimiento»].
2. *«Pero pues lo avía començado»*...
3. *Él la salvaría* [resuelta la intriga 2.ª].

C

[Intriga 3.ª: usos y modos sociales de la vida cortesana del siglo XIV.]

a) *Los parientes no le aceptan.*
b) *Demuestra que es caballero.*
c) *Preparado ya, asegura que le vendrá algún mal.*

2.3. *Desenlace A-1.*

[Muy rápido: a don Juan Manuel le preocupan más las actitudes que puedan adoptar los personajes ante una serie de hechos.]

a) *Vence la lid.*
b) *Pierde un ojo* [demostración del presentimiento de don Pero Núñez].
c) [Hecho positivo, posibilitador del *Desenlace* del 'Relato A'.]
1. *La dueña y los parientes, agradecidos.*
2. *Les dan mucho dinero.*
3. *Prosiguen el viaje sin pobreza.*

2.3. *Desenlace A.*

[Culmina ahora la primera narración, con la demostración del tema de la lealtad que en ella se proponía.]

a) *El rey de Castilla se entera del regreso.*
b) *Les manda venir como están y les recibe.*
c) *El rey y los grandes del reino acompañan los huesos del conde a Osma.*

[Resueltas estas dos narraciones, don Juan Manuel desarrolla otras dos que refuerzan la idea central del «exemplo» de que hay que mantener la lealtad pese a todos lo inconvenientes. Marca el cambio narrativo con una sencilla frase: «Et desque fue enterrado, fuéronse los cavalleros para sus casas».]

Relato A-2

2.1. *Presentación A-2.*
— *Roy Gonzales llega a casa.*
2.2. *Desarrollo A-2.*
[Intensificación en estilo directo.]
— *Su mujer ensalza ese día porque puede comer carne y beber vino.*
2.3. *Desenlace A-2.*
a) *Roy Gonzales se enfada.*
b) *La esposa le explica que el marido le dijo que no le faltaría pan y agua.*
c) *Ella no ha salido del mandado* [demostración de la lealtad].

Relato A-3

2.1. *Presentación A-3.*
a) *Don Pero Núñez llega a casa.*
b) *Está con sus parientes y su mujer, que ríen de alegría.*
c) [Intriga 1.ª] *Él piensa que se burlan porque le falta un ojo.*
2.2. *Desarrollo A-3.*
a) *La dueña le pregunta por su tristeza.*
b) *Consigue que le explique.*
c) *Él cree que se burlan porque es tuerto.*
2.2. *Desenlace A.3.*
a) *La dueña oye a su marido.*
b) *Se saca un ojo.*
c) *Le explica: si alguna vez ríe, no pensará que es por él.*

[Al final, en una conclusión narrativa, Patronio fusiona los cuatro planos: «Et assí fizo Dios vien en todo [a] aquellos buenos cavalleros por el bien que fizieron».]

3. Aplicación o desenlace didáctico

3.1. *Patronio remite al problema.*

[Alude a las últimas palabras que había dicho en 1.3]: *si los que decís fueran como éstos, «non lo erraran commo erraron».*

3.2. *Enseñanza.*

a) *No por lo que le ha pasado, el conde Lucanor debe dejar de hacer bien.*

b) *Si unos yerran, otros sirven.*

c) *No todos los «criados» se comportarán de esa manera.*

3.3. *El narrador concluye.*

[La fórmula varía bien poco en los «exemplos»: o el conde Lucanor actúa según el consejo de Patronio, yéndole bien, o piensa que es un buen consejo y decide seguirlo.]

«El conde tovo éste por buen consejo et por verdadero.»

[Y, al final, siempre aparece don Juan Manuel, convertido por tanto en personaje ficticio, añadiendo unos versos en que resume la sentencia de todo el cuento.]

Este Ex. XLIV ha permitido comprobar la perfección técnica con la que don Juan Manuel reelabora una materia tradicional, imprimiéndole una nueva estructura por la que alcanza una total dimensión artística.

Inténtense aplicar estos modelos estructurales a distintos «exemplos», según la dificultad de los mismos. Empiécese con uno sencillo (el VII o el XXXVI), para continuar con alguno de argumento más complejo (el XV o el XLII) y poder culminar con análisis de «exemplos» que consten de varios cuentos (el III, el XXI o el XXVII). (Véase Documento 2.5.)

V. Estilo y lenguaje literario de don Juan Manuel

La perfección técnica anterior sólo puede lograr una verdadera representación estética si se corresponde con otra perfección formal, la que se refiere al nivel del lenguaje.

En los distintos prólogos a sus obras, don Juan Manuel ha transmitido no sólo preocupaciones temáticas, sino también estilísticas: recuérdese el temor a que sus textos pudieran ser alterados por las negligencias de los copistas (véanse 2 y Documento 1.4.), lo que demuestra que poseía una conciencia de estilo que le impulsaba a buscar la belleza formal hasta en los mínimos detalles (véase 5).

Supone don Juan Manuel un paso más en el afianzamiento literario de la prosa castellana, iniciada por su tío Alfonso X; si a éste le corresponde la misión de conseguir que la prosa sea un sistema expresivo, será su sobrino el que logre alcanzar las más altas cimas de representación artística, trabajando con esa prosa aún imperfecta.

Don Juan Manuel introduce ya en su diseño lingüístico todo el ornamento de la retórica, que parecía estar sólo reservado para las obras producidas en verso por el «mester de clerecía».

Búsquense las figuras retóricas del Ex. XLIII y explíquese su función: ¿sirven para presentar el carácter de los personajes? (Véase Documento 2.2.)

El propósito central perseguido por don Juan Manuel con su estilo es la claridad; él comprende la correspondencia que existe entre pensamiento y lengua y, por ello, sabe que pueden emplearse dos formas de escribir según sea el destinatario de la obra. El Libro I desarrolla la noción de claridad de una forma sencilla: quiere que se le entienda, y para ello cuida al máximo todos los detalles expresivos, resultando en algunas ocasiones repetitivo y prolijo, sin que ello le importe, puesto que reconoce que a mayor facilidad formal corresponde una mayor capacidad de interpretación y, por tanto, de entendimiento y de aprendizaje.

Descríbanse las repeticiones usadas en el Ex. XXV: ¿se consigue con ellas mayor claridad?; ¿hay alguna que predomine sobre otra?; en tal caso, ¿cumple alguna función estructuradora?

Pero la «claridad» puede sustituirse por la «oscuridad», si se siguen los moldes fijados por la retórica y si la materia de que se va a tratar es tan compleja y profunda que sólo utilizando términos «sutiles» puede llegar a expresarse. Esta «oscuridad» busca equiparar la sintaxis del castellano con la del latín, sin que esto signifique que latinice su prosa; antes bien, don Juan Manuel rehúye el latinismo (como la cita pedante) no porque careciera de conocimientos adecuados, sino porque pretende expresar todo lo que siente ajustándose al molde de la lengua castellana. Y este principio lo aplica, incluso, a las materias que de forma tradicional estaban reservadas a los iniciados en el saber (véase **77**); precisamente, la gran originalidad de don Juan Manuel consiste en esforzarse por buscar en el sistema lingüístico castellano los medios expresivos para poder canalizar los contenidos conceptuales de los Libros II, III y IV, planeados y relacionados entre sí por medio de una gradación estilística que va avanzando en dificultad (véase **79**).

Con la «oscuridad» estilística, don Juan Manuel busca, sobre todo, plantear una dificultad superable para que el «entendimiento» se esfuerce en averiguar la realidad temática transmitida en esas sentencias. El aumento de figuras retóricas será proporcional a la complejidad lingüística, ya que esas figuras significan por sí mismas un obstáculo intelectual que deberá ser resuelto; el ejemplo más claro de este procedimiento se encuentra en el Libro IV, donde los hipérbatos pueden llegar a ser ininteligibles.

¿Funciona de la misma manera la relación Patronio-Conde Lucanor en los Libros II, III y IV que en el Libro I?; ¿depende del estilo esa relación? Compárese el modo de hablar del conde Lucanor en el Libro III con la forma de expresarse en cualquiera de los «exemplos»: ¿hay diferencias estilísticas? (Véanse Documentos 1.4 y 2.6.)

ÍNDICE DE EXEMPLOS Y PARTES

ESTE LIBRO
SE TERMINÓ DE IMPRIMIR
EL DÍA 14 DE JULIO DE 1993

LAUS  DEO

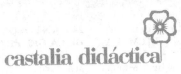

castalia didáctica

TÍTULOS PUBLICADOS